Identity and Language Learning
Extending the Conversation

アイデンティティと言語学習

ジェンダー・エスニシティ・教育をめぐって広がる地平

ボニー・ノートン
Bonny Norton

中山亜紀子 福永 淳 米本和弘 訳

明石書店

IDENTITY AND LANGUAGE LEARNING
Extending the Conversation
(2nd edition)

by Bonny Norton

まえがき

3年ほど前、ブリティッシュ・コロンビア大学（UBC）のあるクラスの学生から、2000年に出版した著書『アイデンティティと言語学習』（*Identity and Language Learning*）が電子書籍として販売されていない理由を聞かれました。またしても、私は学生たちにテクノロジーの領域で驚かされることになったのです。クラスで電子書籍のメリットについて議論をしたところ、学生たちは、電子書籍は印刷されたテキストよりもはるかに安価で（彼らにとって非常に重要な点ですが）、より身近で、持ち運びしやすく、場所をとらず、検索しやすいことを教えてくれました。その意見に納得した私は、この本の第2版を電子版と印刷版の両方で出版する契約をマルチリンガル・マターズ社（Multilingual Matters）と結びました。第2版には、アイデンティティと言語学習に関する研究について、その後の動向を包括的に整理した「序章」（本書では「解題」として収録）と、クレア・クラムシュ氏による洞察に満ちた「あとがき」が含まれており、この本がより広い歴史的・学問的文脈の中に位置づけられることになったと感じています。クレアの卓越した学識と広い心に感謝しています。また、マルチリンガル・マターズ社のトンミ・グローヴァー氏、アナ・ロデリック氏をはじめとする素晴らしいチームの皆さんが、アイデンティティと言語学習に関する世界規模の会話を継続、そして、拡大してくれたことにお礼申し上げます。

2000年以降の私の研究の旅では、アイデンティティと言語学習に関心を持つ多くの同僚と共同で出版する機会に恵まれ、その影響は第2版の「序章」にも反映されています。ケリーン・トゥーイー氏、クリスティナ・ヒギンズ氏、ヤスコ・カンノ氏、アネタ・パヴレンコ氏との書籍や雑誌の特集号の共同編集は、とても刺激的な経験でした。また、マーガレット・アーリー氏、モリーン・ケンドリック氏、キャロリン・マッキニー氏、リンゼイ・モファット氏、ダイアン・ダジェネ氏、ガオ・イホン氏、マーガレット・ホーキンス氏、ブライアン・

モーガン氏、そしてスー・スターフィールド氏との共同出版もとても楽しいものでした。博士課程の学生たちもエネルギーと洞察力を与えてくれました。特にジュリエット・テンベ氏、ハリエット・ムトンニ氏、シェリー・ジョーンズ氏、サム・アンデマ氏、エナ・リー氏、サル・ムサヤン氏、ローリン・オーツ氏、そしてエスペン・ストレンジャー＝ヨハンセン氏には感謝しています。ブリティッシュ・コロンビア大学では日頃から、パトリシア・ダフ氏、リー・ガンダーソン氏、リュウコ・クボタ氏、リン・シー氏、スティーブン・タルミー氏などの素晴らしい同僚たちと交流することができ、たいへん多くの有益な影響を受けました。このような刺激的な研究者たちと長年にわたって緊密に仕事をしていると、「同僚」と「友人」の区別をつけるのが難しくなってきます。

長年研究に携わってきた人ならご存知のように、学術界の査読プロセスは、コミュニティのメンバーの献身のうえに成り立っており、長年にわたって常に変わらぬ助力を下さったクレア・クラムシュ氏に加えて、ナンシー・ホーンバーガー氏、コンスタント・リヤン氏、アラステア・ペニークック氏、サンドラ・シルバースタイン氏、マスティン・プリンスルー氏、ジム・カミンズ氏、アラン・ルーク氏のお名前を記したいと思います。序章の草稿に洞察に富んだコメントをくださったピーター・デ・コスタ氏、表紙のデザインと編集作業を行ってくれた私の学生であるロン・ダーヴィン氏に感謝いたします。また、世界のあらゆる地域から、オンラインで、印刷物の形で、学会での会話で、ワークショップで、セミナーで、日々私に疑問を投げかけたり、啓発したりし続けてくれる何百人もの新進気鋭の学者や著名な研究者の方々にも心から感謝いたします。そう、そこのあなたです。

カナダ社会・人文科学研究評議会からの多大なる研究助成は、私の研究および出版のあらゆる面で重要な役割を果たしています。この助成によって得られた機会に深く感謝しています。

アンソニー、ジュリア、マイケルの無条件の愛が、私の毎日の支えになっています。

2013年4月

ボニー・ノートン
ブリティッシュ・コロンビア大学
カナダ、バンクーバー

訳者まえがき

本書は、2013年に出版されたボニー・ノートン博士の *Identity and Language Learning* の第2版の翻訳である。第1版は *Gender, Ethnicity and Educational Change* という副題で2000年に出版され、非常に多くの読者を獲得した。著者自身が解題で述べているように、第1版の出版以降、言語学習者のアイデンティティは今や1つの分野として認定されるようになった。ノートン博士の *Identity and Language Learning* がそれに果たした役割は非常に大きい。*Identity and Language Learning* の第2版には *Extending the Conversation* という副題がつけられ、第1版以降、ノートン博士が提唱したアイデンティティ、言語学習への投資（investment）、想像の共同体（imagined community）という概念がどのような広がりを持って研究されているのかを概観した序章（本邦訳では解題として巻末に置いた）と、クレア・クラムシュ博士のあとがきがついている。すでにフランス語、ドイツ語、ポルトガル語、そして中国語に翻訳されている。

ノートン博士は現在、カナダ王立協会のフェローであるとともに、カナダのブリティッシュ・コロンビア大学の Language and Literacy Education 学科の教授を務め、各分野で際立った功績のある研究者に送られる Distinguished University Scholar でもある。

クラムシュ博士のあとがきにもあるように、ノートン博士は1956年、アパルトヘイト下の南アフリカ共和国生まれである。大学卒業まで南アフリカで過ごしたが、イギリスのレディング大学で修士号を、カナダのトロント大学オンタリオ教育研究所（OISE）で言語教育の博士号を取得している。現在まで、アイデンティティと言語学習に関わる研究を続け、多くの学生を指導していらっしゃる。北米に移ってからもノートン博士とアフリカのつながりは切れることなく、現在 African Story Book プロジェクトなど、ウェブ時代の言語学習、識字教育の可能性を切り拓いている実践者でもある。

本書の魅力は、言語学習者の「生きられた体験」をもとに、社会学やフェミニズムなどの概念を使いながら、移民や女性の視点から言語学習にまつわる社会的不平等や権力関係に切り込んでいる点である。言語学習の成否は、学習者の個人的努力や個人的特性にのみ帰せられるべきではなく、学習者自身のアイデンティティと学習者をとりまく社会的な力の構造を見ることなしに論じることはできないという本書の力強い主張は、多くの研究者をとりこにした。訳者らもその中の1人である。特に、ノートン博士の研究協力者である5人の女性たちのストーリーは心に訴えかけるものがある。読者は、自分の中にエヴァ、マイ、カタリナ、マルティナ、フェリシアを見ることができるだろう。

本書の翻訳構想は2017年に中山がブリティッシュ・コロンビア大学で客員研究員として滞在していたとき、ノートン博士にお目にかかる機会を得て始まった。もともとは中山と福永の2人で作業にあたったが、翻訳は遅々として進まなかった。それは、本務の多忙さと家庭での責任のためであった。娘として、母としての立場と仕事との間を往復しながら、本書の5人の協力者の立場に思いをはせることも多かった。途中米本が加わって、スピードは増した。本書がもつ理論的広がりや北米の制度、ノートン博士の意図を忠実に伝えることは難しかったが、オンラインでディスカッションを重ねた、学びの多い楽しい時間だった。また、2000年以降に広がった分野のレビューである序章（本書では解題）は情報がぎゅっと詰まっていて噛み応えがあった。

序章は福永が、その他の部分は3人で翻訳したが、最終的には3人で読み合わせ、用語の統一なども図った。読者の便宜のため訳注をところどころ記すとともに、重要な用語は原著で使われた用語を日本語訳に併記している。目立たないが本書の読みやすさにとって有益な人名索引と事項索引は米本が主に担当した。

訳者らが最後まで悩んだのが、powerの訳語である。powerは力とも権力とも訳すことができる。ノートン博士が使用しているpowerはブルデューのpowerであり、批判的教育学で使われるpowerであることを考えると、権力と訳すことが適当なのだろうが、家族関係や職場など日常の隅々に見ることができる「力」の不平等を「権力」と訳すことに違和感を覚え、ほとんどの場合「力」

と訳している。

また、学術用語ではないがstruggleの訳出にも苦労した。もがく、葛藤、苦闘などと訳すことができるが、カナダに移民した5人の女性たちが、自分が置かれた場所で、そこに作用する「力」の中で、もがきながら、そして闘いながら自分たちの道を切り拓いている姿を、過度に悲惨さを強調することなく適切に訳することは難しいことだったが、最終的には葛藤、闘争、もがきと複数の言葉を使った。

本書は最初から読んでいただいていいと思う。最初のサリハのストーリーは、本書を貫く主題となっている。あるいは、第3章終わりから紹介されている5人のストーリーから読み始めてもらってもいいだろう。第4章にはエヴァとマイの、第5章にはカタリナ、マルティナ、フェリシアのストーリーがある。

日本語翻訳に際しては、言語学習とアイデンティティ研究に不慣れな読者のために、序章を解題として巻末に配した。本書の構成に関わる大きな変更を認めてくださったノートン博士にお礼を申し上げたい。また、すでに日本語訳がある著書については、それらを参考にした。なおベル・フックス、第4章冒頭のYeeの訳については、広島大学人間社会科学研究科の大池真知子教授のご意見を参考にした。広島大学人間社会科学研究科の異文化間教育学演習の受講者の皆さんと、しょうちゃんには、読みやすさや誤字などの指摘をいただいた。記して感謝申し上げる。しかしながら、訳出の責任は訳者3人にある。読者諸兄姉のご批判を俟ちたい。なお、本書の訳者名はプロジェクトに加わった順である。

最後になったが、明石書店の田島俊之さん、また武居満彦さんには、心からお礼を申し上げたい。遅々として進まぬ翻訳作業にどれほどイライラされたことだろう。忍耐強く待っていただき、適切なアドバイスをいただいた。

本書が、日本の中のエヴァ、マイ、カタリナ、マルティナ、フェリシアと彼女らに接する多くの人々に届きますように。

2023年2月

訳者一同

本書の構成

第1章での私の主張は、目標言語を実践することが第二言語学習において非常に重要であることから、第二言語習得（SLA）の理論家と第二言語教師は、教室内と教師のいない教室外の言語学習の場の両方において、話す機会がどのように社会的に構造化されているかを理解する必要があるということである。さらに、理論家や教師は、言語学習者が目標言語に対してどのように反応し、話す機会を作り出しているか、また、学習者の行動が目標言語への投資や学習者自身の変容するアイデンティティとどのように交差しているのかを理解することが重要である。これらの課題に取り組んでいる研究は、（第1章の冒頭に出てくる）サリハのような学習者のニーズに応えたいと願う言語教師にとって有益となるだろう（17ページ参照）。学習者の学習が進まなかったとしても、教師は学習者が第二言語を学びたいと思っていない、あるいは学習者はやる気がない、融通がきかないなどと決めつけることはできない。それどころか、学習者は周縁化された状況では話すことができないため、もがき苦しんでいるのかもしれない。

第2章では、方法論と私の研究理論との間の複雑な関係を扱う。私は、方法論へのいかなるアプローチも、研究プロジェクトで発せられる問いそのものや、それらの問いがどのように取り組まれるのかを導く、一連の想定を前提としていると考える。さらに、いかにデータが収集されるかは、どのようなデータが収集され、データ分析に基づいてどのような結論が導かれるかということに、必然的に影響を与えることを論じる。私自身の方法論へのアプローチに知見を与えてくれた理論を解説し、次に、データ収集プロセスにおいて特に重要なダイアリースタディを中心に据え、この理論に照らして私が用いた方法論を詳説する。

第3章では、カナダと国際社会の両方における移民言語学習者に関する研究の文脈の中に、私の研究を位置づける。そして、ポーランド出身のエヴァ、ベトナム出身のマイ、ポーランド出身のカタリナ、旧チェコスロバキア出身のマルティナ、ペルー出身のフェリシアの5人の研究参加者を紹介する◆[1]。また、参加者がどのように英語にふれ、使っているかについて述べ、彼女たちが英語を話すのにいちばん気が楽だと感じている状況について説明する。英語母語者のカナダ人との関係において、彼女たちがおかれていると感じている矛盾した位置に注目する。その矛盾とは、より広いコミュニティで英語を練習するためには英語母語話者の社会的ネットワークにアクセスする必要があるのだが、英語の知識を持っていることが、こういった社会的ネットワークに入っていくための前提条件となっているということである。

第4章では、この研究に参加している2人の若い女性たち、エヴァとマイの言語学習経験について描く。その中で、それぞれの女性の英語への投資は、カナダに来た理由、将来の計画、そしてそれぞれの変容するアイデンティティと照らしあわせて理解されなければならないと主張する。ここではエヴァを多文化市民（multicultural citizen）と呼んでいる。エヴァは、時がたつにつれて職場の英語母語話者の社会的ネットワークにアクセスできるようになり、自分自身をカナダ人と同じ可能性を持っていると表現したからだ。マイについては、拡大家族の家父長的構造に抵抗するために、彼女が家庭内で言語的仲介者の位置を引き受けたことを具体的に説明している。また、マイの職場がどのように、そしてなぜマイに英語を練習する機会を提供したのか、同時に、職場での言語実践の変化が、彼女の英語への投資、英語実践の機会、そして家庭での言語的仲介者としてのアイデンティティをどのように脅かすものであったのかを検証する。

第5章では、本研究に参加した3人の年上の女性たち、カタリナ、マルティナ、フェリシアの言語学習経験を記述し、彼女たちの英語への投資が母親としてのアイデンティティとどのように交差しているかを描く。カタリナについては、英語との相反する感情が混在する関係について掘り下げて説明する。彼女は一方では、英語が自分のたった1人の子供との関係を傷つけてしまうのではないかと恐れていたが、他方では、英語は彼女がもっとも交流したいと願っている専門家たちにアクセスさせてくれるものでもあった。かたや、マルティナは、家庭の主たる扶養者として、より大きな社会的世界で家族の利益を守るという責任を子供たちに負わせないために英語を話す必要があった。移民という地位は何の社会的価値ももたらさないと感じていたが、彼女は周縁化されることに黙ってはいなかった。フェリシアの裕福なペルー人としてのアイデンティティへの投資はとても興味深いものがあり、カナダで移民として位置づけられることに対する彼女の抵抗を取り上げる。

第6章では、私の研究成果が第二言語習得理論に与える影響について考察する。私の研究データを参照し、自然言語学習に関する現在のSLA理論、SLAの文化変容モデル、情意フィルター仮説を順次批判する。SLAの理論家は、言語学習者の教室外における目標言語の実践機会を構造化する不公平な力関係を取り上げる必要がある。まず、SLAの文化変容モデルが、加算的および減算的バイリンガリズムの状況を十分に認識していないことを具体的に示す。次に、学習者の情意フィルターは、言語学習者のアイデンティティと深く関わりあう社会的構成概念として理論化される必要があることを提案する。また、ポスト構造主義のアイデンティティという概念とブルデュー（Bourdieu, 1977）の正統的言説（legitimate discourse）という概念が、私の研究から得られた知見を説明するうえで理論的に有用であり、SLA理論に大きく貢献することを示す。章の終わりでは、レイヴとウェンガー（Lave & Wenger, 1991）の概念である状況的学習を用いて、これらの考え方を社会的実践としての言語学習という拡大化させた概念の中に組み込んでいる。

第7章では、私の研究が授業実践に与える影響を考察する。研究参加者が教室での言語授業に対して抱いていた期待を精査し、自然言語学習とアイデンティティに関する研究から得られた知見をふまえてこれらの期待を分析する。また、私の研究が教室での実践に多くの示唆を与えることを示し、カタリナとフェリシアが語った教室での抵抗の2つのストーリーを取り上げて、この主張を裏づける。特に問題のある授業を体験したマイのストーリーからは、学習者の体験をどのように言語カリキュラムに組み込むべきかという問題を提起する。そのうえで、ダイアリースタディ自体が、教室の内外での言語学習の可能性を広げ変容させる可能性を持つ教育的実践であるという立場をとる。最後に、ダイアリースタディの制約を述べたうえで、教室での社会調査研究は、移民の言語学習者にとって、言語学習のフォーマルな場と自然な場との間の橋渡しとなりうることを、ひいては、目標言語話者のいる、より大きな世界との関係において、言語学習者にエスノグラファーというさらに強力なアイデンティティを与えてくれるということを提言したい。

注

◆1　本研究で使用した人名や地名はすべて変更している。

目次

「言語とは社会的な組織の実際の形態や可能な形態、そして、それらの社会的、政治的な帰着が定義され、異議が唱えられる場である。そのうえでまた、自分自身が誰なのか、私たちの主体性が構築される場所でもある」(Weedon, 1997, p. 21)

「集団間の関係において、言語がどのような価値をもつのかは、それを話す人々の価値によっており、同様に、個人間の相互作用においても、発話がどのような価値をもつのかは、常に、その発話をした人の価値に多くの部分をよっている」(Bourdieu, 1977, p. 652)

私の人生を愛と喜びと意味で満たしてくれるアンソニー、ジュリア、マイケルに。

第1章

言語学習の真実と嘘

> サリハは封筒を受け取りながら「ありがとうございます。リヴェスト夫人」と言った。ドアの外に出て、仕事着が入っているビニール袋を左手に持ち替えてから、彼女は右手を差し出して「ごきげんよう、リヴェスト夫人」と言いながら微笑んだ。朝起きてから今まで使った「言葉」はこの2つだけだった。
>
> 降りていくエレベーターの中で封筒の中身を確認すると、サリハは満足してにっこりした。エレベーターが1階に着くまでに、自分の1日を振り返った。今週の食べ物とたばこを買うのに十分な稼ぎがあった。先週は、プラトーカレッジの最後の学費を払った。疲れてはいたが、人生は手に負えないものではなかった。いちばんの後悔といえば、リヴェスト夫人にもっと長い文で答えなかったことだ。しかし、彼女は肩をすくめて後悔を追い払い、現実を認めた。
>
> 私たちは彼らのように話すためにここに来たけど、と彼女は思った、でも練習させてもらえるまでには長い時間がかかりそうだ。（Ternar, 1990, pp. 327-328）

サリハは架空の人物だが、彼女のような言語学習者は、カナダにも、コロンビアにも、韓国にも大勢いる。サリハはケベック州という新しい土地で、フランス語を学ぶことを切望していたし、上達のためにはプラトーカレッジの教室で学んだ言葉を、実際に使う必要があることもわかっていた。しかしフランス語話者のコミュニティにいたとしても、フランス語を練習する機会はサリハにはそれほどなかった。仕事の性質や職場での力関係のせいだ。長時間の仕事で彼女が話した言葉は、「ありがとうございます。リヴェスト夫人」と「ごきげんよう、リヴェスト夫人」のふた言だけだった。彼女が後悔を記しているように、もっと長い返事をすることもできたかもしれない。しかしサリハが直面していた真実というのは、サリハがいつ話すのか、何について、どのぐらいの長さで話すのかは、リヴェスト夫人が決めるということだった。サリハが認めているように、リヴェスト夫人にサリハが目標言語を話す練習を「させてもらえる」ようになるまでには、時間がかかりそうだった。

この章では、カナダ、ケベック州のサリハの架空のストーリーを用いて、アイデンティティと言語学習の関係、言語学習者個人と社会的な世界との関係の探求を始めようと思う。私はサリハのストーリーから、力、アイデンティティ、投資（investment）という概念、および、エスニシティ（異民族性）、ジェンダー、階級という観念について説明する。続く章では、サリハのケベック州における架空の世界から、それに隣接するカナダ、オンタリオ州に住む英語を学習している5人の移民女性の生きられた経験（lived experiences）◇1に移りたいと思う。そして、女性たちが英語を実際に使ってみる機会は、家庭と職場の不平等な力関係によって構造化されていることを示す。さらに、英語を練習する機会をつくるために、女性たちがこのような力関係にどのように反応し行動したのか、また、彼女らの努力がどのくらい報われたのかを描く。ただし、彼女たちの努力は、英語への投資、および、歴史的時間と社会的空間を越えて変容するアイデンティティに照らして理解されるべきであると考える。本章で述べるアイディアとテーマは、後の章でも再度取り上げるが、実際のところ事実は小説より奇なり、人生は芸術より興味深いということを証明していると私は信じている。

サリハと第二言語習得規範

サリハは現在の第二言語習得理論（SLA）の枠組みに自分を当てはめることはできない。また、言語心理学、社会言語学、神経言語学、教室研究、バイリンガル教育、社会心理学の見方にも困惑してしまうだろう◆1。スポルスキー（Spolsky, 1989）が述べているように、フランス語にもっと接触し、練習する機会があれば、もっと上達するという意見にサリハはおそらく賛成するだろう。適切な種類と量のフランス語に集中的に接触し、練習する機会さえあれば、彼女の努力は報われるだろう。音を聞き分け、構成素を分析し、構成素がより大きな構成単位にどのように再結合されるかを理解し、フランス語の文法的、実用的構造を使いこなすことができるようになるだろう。目標言語コミュニティという自然な、すなわち教室外の（インフォーマルな）言語学習環境と、教師のいる教室という（フォーマルな）言語学習環境の違いをスポルスキーが指摘しているが、その違いにサリハは戸惑いを覚えるかもしれない。

> この２つの環境の違いは、対照的なものとされる。自然な第二言語学習では、言語はコミュニケーションのために使われるが、教室における学習環境では、言語は教えるためだけに使われる。自然な言語学習では、学習者は、流暢な目標言語話者に囲まれているが、教室では、（誰かいるとすれば）教師だけが流暢だ。自然な学習では、学習環境は教室の外にあり、開かれていて、刺激的である。一方、正規の学習環境である教室は、教室の四方を壁に閉ざされている。自然な言語学習では、言語は自由にごく普通に一般的に使われるが、教室における学習では、言語は注意深くコントロールされ、単純化される。自然な学習環境では、コミュニケーションの意味に注意が向けられるが、教室では、無意味なドリルに注意が向けられる。（Spolsky, 1989, p. 171）

「今日はどれぐらいコミュニケーションしたのだろう？」「リヴェスト夫人との会話にはどれぐらい意味があったんだろう？」とサリハは自問するかもしれない。多くの第二言語習得分野の理論家たちは、言語学習者と目標言語話者との間の不平等な力関係を考慮に入れて、言語学習者の経験をみてこなかったため、個々の言語学習者と社会的世界との関係の理論化に苦慮している。一般的に、学習者と学習コンテクストは人為的に区別されてきた。個人は、第二言語学習の動機に代表される一連の感情変数を基準に描かれる。個人の性格は、内向的 / 外向的、引っ込み思案 / 自由奔放として描かれる。第二言語話者がどんな動機を持つのかは、学習者の目標言語コミュニティに対する態度によって決まり、理解可能なインプット◆2が認知的なインテイクになるのかは、学習者の不安の度合いによる。他方、社会は、一般的に言語学習者（第二言語話者）

集団と目標言語話者集団という集団間の違いとして言及される。第二言語話者集団と目標言語話者集団の一致があれば、両者の社会的距離は近いとみなされ、第二言語話者集団の目標言語話者集団への文化変容（acculturation）が促され、言語学習が進むと考えられている（Schumann, 1976a）。集団間にかなりの距離がある場合には、文化変容は起こりにくいとみなされ、その結果、第二言語話者集団のメンバーは目標言語の運用能力が向上しにくいと考えられている。

個人の違いに焦点をおく第二言語習得理論においては、目標言語学習の成否はサリハ個人にかかっていることになる。「よい言語学習者」◆3とは言語を学ぶ機会を探し出し、動機が高く、細部にも注意を払い、曖昧さへの耐性が高く、不安があまりない人である。もしサリハが第二言語学習であまり成果が出せなければ、サリハは動機が低く、柔軟ではないとみなされてしまう。対照的に、集団の違いに注目している第二言語習得理論では、サリハは人間の行為主体性（agency）◇2をあまり持っていないように考えられるだろう。社会的な距離と文化変容の程度が目標言語の上達を決め、指導はその過程にほとんど関係ないものとされる。したがって、多くの第二言語習得理論では、サリハは社会的な関係から独立したさまざまな性質をもつ個人としてみなされるか、個人的な行為の自由がほとんどない集団アイデンティティを持っていると考えられる。感情的な変数が大きな社会的文脈とどう影響しあうのかについて、先行研究の中では一致した見解があるわけではなく、サリハを悩ませるだろう。たとえば、クラッシェンは動機を社会的文脈から独立したものだと考えているが（Krashen, 1981）、スポルスキーは動機と社会的文脈は密接に結びついていると考えている（Spolsky, 1989）。クラッシェンは自信と動機、不安を別のものだと考えているが、クレメントらは、動機と不安は自信の一部だと考えている（Clement, Gardner & Smythe; もしくは Spolsky, 1989 から再引用）。クラッシェンは自信を言語学習者にもともと備わっている性質だと考えているが、ガードナーは、自信は第二言語学習の肯定的な経験から生まれるものだと考えている。このような第二言語習得に関する先行研究の不一致は、ガードナーが「取るに足りない」（Gardner, 1989, p. 137）とはねつけたように無視するべきではない。この論争は、個人と社会という人工的に作られた区別からくるもので、厳密な根拠によるものではなく、特定の要因を「個人」または「社会」に、恣意的に配置することによって生じたものであると私は考える。

まとめると、第二言語習得分野において、理論家たちは、なぜサリハのような学習者が、ときに動機が高く、外向的で自信があるのに、ときに動機が低く、内向的で不安が高いのか、なぜある場所では言語学習者と目標言語社会の距離は遠く、別の場所では近いのか、なぜ学習者があるときは話し、他のときは沈黙するのかという問題に適切に答えていないといえる。しかし、注目されてはいないが、一部の理論家は現在の言語学習者と社会の関係についての理論には問題があると渋々ながら認めてはいる。たとえばスコーヴェルは、外国語不安についての研究が、いくつかの曖昧さに苦しんでいることを明らかにしており（Scovel, 1978）、ガードナーとマッキンタイアは、「性格変数」（Gardner & MacIntyre, 1993, p. 9）と言語達成度との関連について納得していないと述べている。

アイデンティティと言語学習

第二言語習得（SLA）分野の理論家たちは言語学習者と社会的な世界の関係を十分に概念化できておらず、それを克服するためには、言語学習者のアイデンティティと言語学習の文脈を取り入れた包括的な理論をつくる必要があるというのが本書の主な議論だ。また、第二言語習得の理論家たちは、社会的な世界における力関係が第二言語学習者と目標言語話者との相互作用にどう影響を及ぼしているのか問うてこなかった。エリス、クラッシェン、シューマン、スターンなどの多くの第二言語習得の理論家たちは、言語学習者が理想化された均質な共同体ではなく、複雑で雑多な共同体に暮らしているということを認めておきながら、その雑多さは一般的に無批判に（理論の）枠内に収められてきた（Ellis, 1985; Krashen, 1981; Schumann, 1978a; Stern, 1983）。よい学習者に関する理論は、言語学習者がどんな状況で言語コミュニティのメンバーと話すかを決めることができ、目標言語コミュニティと接触するかどうかは学習者の動機次第だという前提の上に展開されてきた。たとえば、ガードナーとマッキンタイアは、「教室外の言語学習の主な特色は、自主性である。個人は、教室外の習得の文脈に参加するかどうか決められる」（Gardner & MacIntyre, 1992, p. 213）と主張している。第二言語習得の理論家たちは、不平等な力関係が、言語学習者が目標言語の練習をする機会をいかに制限しているのか、適切に調査していない。加えて、多くの研究者が学習者を動機がある / ない、内向的 / 外向的、引っ込み思案 / 自由奔放と問題なく特定できると仮定している。また、感情的な要因は社会的に構築された不平等な力関係の下で、時と空間を越えて変容し、1 人の人の中に矛盾しながらも共存しうるということを考慮していない。

本書では、第二言語習得理論における言語学習者個人とその性格という概念は、言語学習者と言語学習文脈の二項対立に疑問を投げかけるような視点から再検討される必要があるという立場に立つ。私は、アイデンティティを、どのように人が自分と世界との関係を理解しているのか、その関係が時と空間を越えてどう構築されるのか、そして人が未来への可能性をどのように理解しているのかを意味する言葉として使う。ここでのアイデンティティ概念は、日常の社会的相互作用の中で再生産される、より大きくしばしば不平等な社会的構造と照らしあわせて理解されるものであり、第二言語習得理論がそのような理解の上にアイデンティティ概念を発展させる必要があることを論ずる。この立場をとるにあたって、言語学習者のアイデンティティを構成すると同時に、アイデンティティによって構成される言語の役割に注目しようと思う。ヘラーが述べているように、我々は言語を通じてのみ、異なる場所、異なる時点で自分が誰なのかを交渉することができ、言語を通じてのみ、言語学習者に話す機会を与えてくれる社会的な力のあるネットワークとつながれたり、あるいは拒まれたりするのである（Heller, 1987）。つまり、言語はコミュニケーションの中立な媒体と考えられるべきではなく、その社会的な意味との関わりの中で理解されるものなのだ。

言語とアイデンティティへの関心は、現在非常に大きくなっており、この傾向は、最近発表されたこのトピックに関する博士論文の数に反映されている。カンノは、たとえば、何年かを海外で過ごした日本の帰国生のアイデンティティが、帰国後、変容する様子を検討しており（Kanno, 1996）、またミラーは、オーストラリアの高校で学ぶ移民の子供たちの、話すことと社会的アイデンティティの関係性について研究した（Miller, 1999）。マクナマラ、ハンセンとリウによる包括的な論評（McNamara, 1997; Hansen & Liu, 1997）で述べられているように異なった研究者が異なった情報源、異なった方法論を使うことによって、言語学習者とアイデンティティへの理解に多様な見方をもたらしている。タジフェルやジャイルズとクープランドなどでは、エンリケやエドワードとポッターらの社会心理学の分野とは異なったアイデンティティ概念が用いられているが、最近の第二言語習得研究では、世界の異なる地域で言語学習とアイデンティティの関係について重要な洞察が得られている（Henriques *et al.,* 1984; Edwards & Potter, 1992; Tajfel, 1982; Giles & Coupland, 1991）◆4。第二言語習得研究の方向性の再検討を呼びかけたものとして、ホール、ラントルフ、ランプトン、ヴァン・ライアーらの研究が特筆される（Hall, 1997; Lantolf, 1996; Rampton, 1995; van Lier, 1994）。ランプトンは以下のように論じている。

> 第二言語習得研究において、言語学習者が非常に画一的に描かれるのは、学習者の内的な心理的条件を主題として取り扱おうとする傾向の結果にほかならない。相互作用を、学習者のアイデンティティが社会的に交渉される、社会歴史的状況に敏感な舞台として捉えるのではなく、第二言語習得研究は、学習者の行動を心理言語学的状態とその過程の決定的な影響の証として研究している。現在、第二言語習得研究は経験世界における複雑な社会文化的多様性をより強く意識する必要があるだろう。（Rampton, 1995, pp. 293-294）

タイミングを見計らったかのように、国際的な言語関係の学術誌は、社会文化的な多様性一般、特にアイデンティティに注目している。たとえば、1996年にはマーティン＝ジョーンズとヘラーによって編集された『言語学と教育』（*Linguistics and Education*）誌（Martin-Jones & Heller, 1996）では、言説、アイデンティティ、力をテーマとした特集号を2冊発刊した。またサランギとベイナム（Sarangi & Baynham, 1996）は、『言語と教育』（*Language and Education*）誌で、教育的なアイデンティティの構築について特集を組んだ。これは、1997年に私が編集した『季刊英語教育』（*TESOL Quarterly*）誌の言語とアイデンティティ特集につながっている。

本書のテーマと関連して、『季刊英語教育』誌の特集号にいくつかのコメントをしておこう。この特集号は、5つの地域からの研究が中心となっているが、それらはカナダ（Morgan, 1997）、日本（Duff & Uchida, 1997）、米国（Schecter & Bayley, 1997）、南アフリカ（Thesen, 1997）、英国（Leung *et al.*, 1997）における研究である。特に興味深いのは、それぞれの著者がアイデンティティをどのように枠づけ、概念化しているかで、モーガンの研究では社会的アイデンティティに、ダフとウチダは社会文化的アイデンティティに、テーセンは「声（voice）」に、シェクターとベイリーは文化アイデンティティに、リヤンらはエスニックアイデンティティに焦点を当てている。これらの筆者のアイデンティティに対する考え方は、それぞれの研究がどの学問分野や伝統から影響を受けているのかによって、また何に研究の重きをおいているのかによっても異なるのではないかと考える。しかしながら、それぞれの理論を通して特定の実践の場をみるにしたがい、社会的アイデンティティと文化的アイデンティティのような違いは、それほど顕著にみえなくなる◆[5]。さらに、アイデンティティの構築は言語学習者と目標言語話者の力関係を考慮に入れて理解する必要があると多くの研究者が指摘している。次は、この関係について述べる。

力とアイデンティティ

どのように力関係が言語学習と教育に影響を及ぼしているのかに関する研究は、第二言語教育研究に批判的アプローチをとり入れた研究者によって先導されてきた◆[6]。これらの研究者は、社会の多種多様さそのものは、第二言語学習者が彼らのジェンダー、人種、階級、民族などによって周縁化される可能性のある不平等な社会的な関係を考慮せずには理解できないと論じてきた。本研究は多くを、フレイレ、ジルー、サイモンなど、批判的伝統における教育理論に負っており、言語教育は中立的な実践ではなく、高度に政治的なものであることを強調してきた（Freire, 1970, 1985; Giroux, 1988, 1992; Simon, 1987, 1992）。本書では、力（権力）とは、個々人と組織、共同体の間で社会的に構築された関係を指し、それは社会における象徴的、物質的なリソースが生産され、分配され、適正さが認められることにより構築されるとする。象徴的資本は、言語、教育や友情といったものを指し、物質的資本という用語のなかには、資本的商品、不動産やお金などを含む。フーコー（Foucoult, 1980）とサイモン（Simon, 1992）に基づき、力は一枚岩でも不変でもないという立場をとる。力は単純に物理的に所有されるものではなく、常に、ある特定の条件下での社会的な交換を含意した関係性である。一歩進めると、この関係性は、象徴的、物質的リソースが社会における価値を変える中で、常に再交渉されている。さらに、フーコー（Foucoult, 1980）が論じたように、力は法制度、教育制度、社会福祉制度のようなマクロレベルの強力な制度においてのみ作用するものではなく、ミクロレベルの日常的な人々の社会的出会いにおいて、象徴的、物質的リソースにアクセスできる違いとしても作用すると考える。そして、この出会いには必然的に言語が使われる。

これらの概念を具体的に考えるために、リヴェスト夫人とサリハの関係を考えてみよう。彼らの関係において、リヴェスト夫人は、貴重な象徴的リソース（フランス語）と物質的リソース（サリハの賃金）を支配している。サリハはこれら両方の資本にアクセスしたいと考えているが、いつ、どのようにこれらの資本を分配するか、どの形態で分配するのかを決めることができたのは、リヴェスト夫人だ。サリハがリヴェスト夫人に別れを告げたとき、サリハはリヴェスト夫人との会話を長引かせて、話す機会を作ろうとは試みず、ただ微笑んだだけだった。もし、サリハがため息をついたり、肩をすくめたり、リヴェスト夫人が積極的に受け入れなくても話し続けたら、サリハの行動は不適切だと考えられ、リヴェスト夫人からもらえるはずの物質的リソースを危険にさらした可能性がある。この一場面は、象徴的リソースと物質的リソースの支配は、力というものの別個の２つの側面ではなく、社会的な相互作用の過程とそれらが結びつき、さらに互いに密接に関連しているということを描き出している◆7。

ウェスト、ブルデュー、ウィードン、そしてカミンズの洞察は、特に力とアイデンティティと言語学習の関係を概念化するのに有効である（West, 1992; Bourdieu, 1977; Weedon, 1997; Cummins, 1996）。私は、ウェスト（West, 1992）の、アイデンティティは、欲望（desire、承認の欲望、所属の欲望、安全の欲望）を意味していると考える立場をとる。そのような欲望は、社会のリソースの分配と切り離すことはできないとウェストは考えている。社会の中で、幅広いリソースにアクセスできる人は、権力と特権に接触することができる人であり、逆に、権力や特権は、人々がどのように世界と未来への可能性を理解するのかに影響を与えている。つまり「私は誰なのか」という問いは、「私は何をすることが許されているのか」という問いと切り離して理解することはできない。そして「私は何をすることが許されているのか」という問いは、欲望を現実化する機会を構造づけている物質的な状況から切り離して理解することはできない。ウェストによれば、どの欲望を表現できるのかは、その人がどのような物質的リソースにアクセスできるのかによって決められる。この見方によれば、個人のアイデンティティは、社会的経済的な関係の変化とともに変わることになる。

ブルデューの研究（Bourdieu, 1977）は、アイデンティティと象徴的な力の関係に焦点を当てているため、ウェストの研究を補完してくれる。「発話がどのような価値をもつのかは、常に、その発話をした人の価値に多くの部分をよっている」（Bourdieu, 1977, p. 652）ことを論じる中で、ブルデューが提案したのは、発話に与えられる価値は、誰が話すのかと切り離しては理解できず、話し手が誰であるのかは、社会的な関係の大きなネットワークと切り離しては理解できないということである。彼の立場は、言語学は（多くの応用言語学もそうであると思うが）コミュニケーションの成立を当然だと思っている。つまり、話し手は聞き手が聞くに値するとみなしており、聞き手は話し手が話すに値するとみなしているというものだ。しかしながら、すでに拙著（Norton Peirce, 1995）で議論したように、まさに、そのような前提そのものが問われなければならない。続く章では、ブルデューをもとに、言語運用能力とは、「発話の権利」（私は話す権利と訳す）や「受け取ることを強要する力」（Bourdieu, 1977, p. 75）を含めて定義されるべきものであることを議論する。

ウェスト、ブルデューとは異なり、ウィードン（Weedon, 1997）は、フェミニズムポスト構造主義の伝統を引いている。ウェストの研究がアイデンティティと物質の権力関係について、ブルデューがアイデンティティと象徴的力の関係について書いているのに対して、ウィードンは、主体性（subjectivity）理論の中で、言語と個人的な経験、社会的力を統合しようとしている。この理論では、個人にはブルデューの理論より大きな行為主体性が授けられており、個人と社会の関係を作る言語の重要性がウェストの理論より強調されている。本書の第6章で主体性の3つの大きな特徴を幅広く議論するが、その特徴とは、主体の非単一性/複数性、葛藤の場としての主体性、主体の時間的可変性である。さらに、重要なのは、主体性と言語は相互に構成しあっているとされている点である。ウィードンが述べたように、「言語とは社会的な組織の実際の形態や可能な形態、そして、それらの社会的、政治的な帰着が定義され、異議が唱えられる場である。そのうえでまた、自分自身が誰なのか、私たちの主体性が構築される場所でもある」(Weedon, 1997, p. 21)。

力関係を強制的なものと協働的なものとに分けながら、カミンズ（Cummins, 1996）は、アイデンティティと力との関係を理解するのに重要な貢献をした。彼のいう強制的な力とは、支配的な個人、集団、国によって行使される力を意味し、他者にとって好ましくないものであり、社会の不平等なリソースの分配を維持するように働くものである。一方で、力の協働的な関係とは、周縁化するのではなく、エンパワーするものである。彼の見方によれば、力は、強制的にも生産的にもなることができ、支配的な集団であれ、劣位にある集団であれ、社会の中で力を実践することは可能だが、支配的な集団が影響力を及ぼす領域のほうが劣位にある集団のそれよりずっと大きい。たしかに支配集団は、社会のすべての構成員が、現状が正常であり、批判の余地がないものとして受け入れるよう、絶対的な力を行使することも可能である。しかし、力は、固定的なものでも、あらかじめ総量が決まっているものでもなく、個人間のまた集団間の関係の中で、相互に作られるものである。カミンズが述べたように、「力の関係は、減算的ではなく、加算的である。力は一方的に付与され、他者に対して行使されるものではなく、他者とともに作られる」(Cummins, 1996, p. 21)。ここから、力の関係は、教室や共同体で、言語学習者のアイデンティティ交渉を可能にしたり、その幅を制限したりすることができるといえる。

具体的な説明に戻ると、私たちはサリハのアイデンティティおよび、リヴェスト夫人との相互作用を作りだし、またそれによって作りだされた彼女のアイデンティティをどう理解できるだろうか。ケベック州に来る前、非常に複雑な経験をしたにもかかわらず、サリハは自分自身を、リヴェスト夫人との相互作用をコントロールする力をほとんど持たない移民の言語学習者として位置づけた。彼女は、私たち / 彼らという言葉を使って、言語学習者と目標言語話者との不平等な力の関係を描いた（「私たちは彼らのように話すためにここに来た」)。サリハにとって、私たちとは、ケベック州にいる移民であり、ケベック社会で象徴的、物質的リソースを持っているケベック人のようにフランス語を話したいと思っている人を指している。サリハのアイデンティティは、この文脈において、リヴェスト夫人との矛盾に満ちた関係と照らしあわせて理解しなければならない。一方で、サリハはリヴェスト夫人ともっと交流をしたいと考えていた。新しい世界での象徴的リソースを手にしているリヴェスト夫人やケベック州のフランス語話者たちが享受している力と特権にアクセスしたいと考えていた。他方でサリハは彼女の日常生活を維持するのに必要な物質的リソースを危険にさらしたくなかった。重要なのは、彼女は誰なのか、何が必要なのか、何を望んでいるのかという葛藤が彼女を沈黙に追い込んでいたということだ。しかし、象徴的リソースを望むことと、物質的リソースを望むことの葛藤は、彼女の微笑の中に表れている。サリハは、リヴェスト夫人にさようならと告げたときに従順に微笑み、もっと長く話したいという衝動を抑えた。そして彼女は、1人になってからその週の生活を維持してくれる物質的なリソースを手にして再び微笑んだのだ。

動機と投資

サリハが話すことに対し動機があったのかなかったのかを考えることは興味深い。第二言語学習分野では、動機という概念はもともと、社会心理学の分野から取り入れられており、学習者が目標言語学習へどのぐらい力を注いでいるのかを数量化しようとしてきた。ガードナーとランバートの研究は、第二言語習得の分野に道具的、統合的動機づけという概念を導入したもので（Gardner & Lambert, 1972）、特に影響力をもっている。彼らの研究では、道具的動機づけは、言語学習者が雇用などの功利主義的な目的のために第二言語を学ぶことを意味しており、一方、統合的動機づけは、目標言語が話されている共同体に成功裡に一体化するために言語を学ぶ欲求を意味していた。クルックスとシュミット、ドルネイ、オックスフォードとシアリンらは、ガードナーとランバートによって提案された理論的な枠組みを広げようとしたが、第二言語習得における動機についての議論は、私が実際に研究上、観察したような力とアイデンティティ、言語学習の複雑な関係を捉えていない（Crookes & Schmidt, 1991; Dörnyei, 1994, 1997;

Oxford & Shearin, 1994)。投資という概念は、私が1995年の論文（Norton Peirce, 1995）で導入したものだが、社会的に、そして歴史的に言語学習者が目標言語との間に構築した関係を指し、しばしば言語学習とその実践に対する学習者の矛盾した欲望を表している。ブルデューが彼の研究の中で使った経済的な比喩、特に文化資本という概念を用いることで、よく理解できる。ブルデューとパスロンは、「文化資本」という概念を知識と考え方を意味するものとして使い、異なる階級や集団を、特定の社会形態との関わりの中で特徴づけるものだとした（Bourdieu & Passeron, 1977）。彼らは、ある知識や思考が他のものより価値があるとする社会的あり方との関係の中で、特定の文化資本が他のものより高い交換価値を持つとした。もし言語学習者が第二言語に投資するのであれば、それは学習者が、より幅広い象徴的、物質的資本を手に入れることができるとわかっているからで、見返りとして彼ら自身の文化資本を増やすことになるのだ。学習者は彼らの投資に対する高い見返り、つまり、今のままでは手に入れることのできないリソースにアクセスできることを期待しているのである。

私が主張している投資という概念は、道具的動機と同じではないことに注意してほしい。道具的動機では、目標言語話者の特権である物質的リソースへのアクセスを欲する、単一で固定的で、時間の流れと無関係な言語学習者が前提となっている。しかし、投資という概念は、言語学習者を社会的な歴史と多元的欲望を持つ存在として考えている。この概念は、言語学習者が話すとき、目標言語話者と情報を交換しているだけではなく、常に彼らは誰なのか、社会的な世界との関係はどうなのかという感覚も、(再）組織化されていることを前提としている。つまり、目標言語に対する投資は、言語学習者の自分自身のアイデンティティに対する投資でもあり、それは時と空間を越えて、変わり続けているのだ。ここから、「サリハは目標言語の学習に動機があるのか」「サリハはどんな性格の持ち主か」と問うことより、「サリハは、目標言語にどう投資しているのか」「サリハと目標言語の関係は、社会的、歴史的にどう構築されているのか」と問うことのほうが有効だといえる。本書で私が示すように、学習者の目標言語に対する動機は、複雑で、矛盾しており、流動的でもある。

米国における中国の成人移民の学生の研究において、マッケイとウォンは、私（Norton Peirce, 1995）が1995年に論じた投資という概念を発展させた（McKay

& Wong, 1996)。私の研究と同様、特定のニーズ、欲望、学習者間の交渉が、言語学習のタスク達成の妨げになるのではなく、「学生の生活を彩り、彼らの目標言語への投資を決定している」(McKay & Wong, 1996, p. 603) ことを明らかにした。私の研究が話す機会に焦点を当てているのに対して、マッケイとウォンは、学習者は聞く、話す、読む、書くの 4 技能への投資に焦点を当てていると記し、それぞれの技能に対する投資は、高度に選択的で、異なる技能は学習者のアイデンティティとの関係で異なった価値を持っていると論じた。後者のテーマはアンジェリル＝カーターによって、南アフリカの大学の英語学習者が、アカデミックなリテラシーをどのように発達させるかという研究において、より詳細に追求されている。

> ノートン・ピアース (Norton Peirce, 1995) の投資という概念を学術的な言語学習の文脈に置き換えるためには、英語など目標言語に対する投資という幅広い概念より、目標言語の書き方や話し方などのリテラシー（これをディスコースと呼ぼう）への投資と細分化したほうが有効なのではないかと考える。リテラシーへの投資は、時と空間を越えて失われてしまったり、再構築されたりする。そのような投資は、新たなディスコースの習得を促進したり、妨げたりする重要な役割を果たしている。(Angelil-Carter, 1997, p. 268)

投資という概念が第二言語習得の主流派たちからも注目されていることを示す証拠がある。エリスは彼の 1997 年の本、『第二言語習得』(*Second Language Acquisition*) において、私の研究 (Norton Peirce, 1995) をシューマン (Schumann, 1998a) のそれと対比しており、投資を「学習者の第二言語学習への取り組みであり、学習者が、学習者として彼ら自身で作り上げる社会的アイデンティティと関わっていると考えられる」(Ellis, 1997, p. 140) と定義づけている。マッケイとウォンの研究では、アンジェリル・カーターや私の研究と同様、エスニシティとアイデンティティと言語学習の関係が中心的な分析対象となっている。次に、エスニシティ、ジェンダー、階級を、アイデンティティと言語学習の関係の中で詳細に述べる。

エスニシティ、ジェンダー、階級

ヘラーは同質な社会で育った人は、自分自身をエスニック（異民族）と定義せず、エスニシティは対立の産物であると論じている（Heller, 1987）。リヴェスト夫人との関係の中で、サリハの経験した「対立」はこの種のもので、彼女の感じた「他者性」は、これと同じように社会的に構築されたものである。サリハは、リヴェスト夫人の力のあるエスニックの社会的ネットワークからは外されていて、ヘラーは、そのネットワークが共通語によって決められるのではないかと論じた。

> つまり、エスニックアイデンティティ形成の第1の原則は、エスニックの社会的なネットワーク、つまり、エスニック集団の成員によって管理されている活動に参加することである。言語はここで、ネットワークを規定する手段として重要である。もし適切な言語を使わなければ、特定の人々と関係を形成することはできないし、特定の活動に参加することもできない。（Heller, 1987, p. 181）

カナダ移民女性についての彼女自身の研究を引用しながら、ンーは、ヘラーのように、エスニシティは、社会の中のより大きな社会的プロセスとの関係の中で人々を組織するひとまとまりの社会的関係として理解すべきだと述べている（Ng, 1981, 1987）。彼女は特に、従来の研究は、エスニシティを定義づけるために、言語や慣習など観察できる形式に頼っており、移民たちが日々の暮らしの中で経験していることには、ほとんど注意を払っていないと指摘している。しかし、エスニシティが移民にとって問題になるのは、より大きな社会の成員との交流という文脈においてのみであることをンーは強調している。さらに、ンーは、移民女性は、移民男性とは異なった社会的位置におり、その移民としての経験は、ジェンダー化（gendered）されたものとして理解するべきなのだと記している（Ng, 1981）。

移民の言語学習者のジェンダー化された経験を理論化するにあたって、社会の大きな家父長的な文脈の中で女性が経験する沈黙だけではなく◆8、移民女性が特に経験するように、公的世界にアクセスする方法もジェンダー化されていることを考慮に入れなければならない。言語学習者が、目標言語コミュニティの成員と相互作用する機会を持つのは、公的世界においてであるが、移民女性にとっては、その公的世界にアクセスすることがまさに難しいのだ。続く章で議論するように、そのようなアクセスが認められていても、移民女性ができる仕事の性質上、社会的な交流の機会はあまりない。

エスニックアイデンティティやジェンダーアイデンティティと同様に、階級アイデンティティは、ある特定の社会的、歴史的、経済的権力関係の中で生じ、その権力関係とは、日常的な社会における出会いの中で強化され再生産される。この点において、コネルら（Connell, Ashendon, Kessler & Dowsett, 1982）の階級概念が参考になる。従来の社会学の概念では、階級は、たとえば収入や職業、教育レベルや資本の所有などが、同じ属性、同じレベルの所有物を持っている個人の集まりであると考えられてきたが、コネルらが述べたのは、「その人が何者なのかでも、何を所有しているのかでもなく、社会的なリソースで何をするのか」が、階級を理解する際に重要だ（p. 33）ということである。彼らの見方によれば、個人と階級の関係を場所（位置）として理解するのは問題がある。そこでは人々が「幾何学的な模様」の受動的な1つの点となるからだ。彼らの研究は、個人と階級の関係は、カテゴリー化できるものではなく、むしろ人々の関係性として理解するべきだということを示唆している。まとめると、ロックヒル（Rockhill, 1987b）のように、私はエスニシティ、ジェンダー、階級が、バラバラの背景をもつ変数として経験されて（存在して）いるのではなく、複雑にお互いが絡みあいながら、アイデンティティと「話す可能性」の構築に関係しているという立場をとる。

言語とコミュニカティブな言語運用能力を再考する

言語は話し手のアイデンティティを構築すると同時に、アイデンティティによって構築されることを論じるにあたって、私は、言語は、単語や文以上のものだという立場をとる。サリハの単語や文、彼女の伸ばした手、彼女の曖昧な微笑み、軽く肩をすくめる仕草などは、彼女とリヴェスト夫人の特有の関係、この関係性が存在している特定の時間と場所と切り離しては理解できない。この関係性の言語への理解を助けてくれるのは、批判的言説に関わる研究で、ポスト構造主義の言語理論を参照しているものだ◆9。ポスト構造主義の言語理論は、20世紀後半に大きな成果をあげたが、それらの研究は、一端をあげればバフチン、ブルデュー、フェアクロー、ジー、クレスなどの研究と関連がある（Bakhtin, 1981; Bourdieu, 1977; Fairclough, 1992; Gee, 1990; Kress, 1989）。これらの理論は、ソシュールによる、言語の構造主義的理論をもとにしているが、それとは決定的に違っていた。ソシュール（Saussure, 1966）のスピーチ（パロール）と言語（ラング）の区別は、地理的、個人的、社会的なバリエーションがあっても、言語が持っているパターンと構造を見いだす方法を提供しようとするものだった。構造主義にとって、言語の構成要素は、シニフィアン（または音のイメージ）とシニフィエ（概念や意味）から成っている。ソシュールは、シニフィアンもシニフィエも、どちらか一方が先に存在するというものはなく、恣意的に連関していると主張した。ソシュールは、記号の意味を保証しているのは、言語システムであり、それぞれの言語共同体がその言語における記号に価値を与える、独自の慣習を備えていると記している。

この言語概念に対するポスト構造主義者の批判の1つに、構造主義は、ある言語の中で記号に割り振られた社会的な意味をめぐる葛藤/闘争を説明できないというものがある。たとえば、フェミニスト/研究/第二言語習得という記号は、同じ言語コミュニティの中でも、人によって異なった意味を持っている。応用言語学の中で、「第二言語習得理論」という言葉の意味をめぐって議論があるのを多くの人がご存じだろう◆10。構造主義では、記号は理想化された意味を持ち、言語共同体は、比較的均質で、共感性が高いと考えられているのに対して、ポスト構造主義は、社会の中で意味を作りだす場は、葛藤/闘争の場であり、言語コミュニティは不均質な場で、真実と力をめぐる衝突によって特徴づけられるという立場をとる。

つまり、本書で中心となるディスコース理論（discourse theory）は、伝統的な社会言語学研究と関わりのある談話概念（文よりも大きな塊）からの脱却を意味している。批判的ディスコース分析においては、ディスコースとは社会的存在と社会的再生産を規定する実践と記号の複合体である（Norton, 1997b）。家族、学校、教会、会社のディスコースは言語と他の記号体系の中で、そして、それらによって構成されている。ディスコースは、その権威のもと、可能な実践の範囲を限定し、これらの実践がそのときその場でどう実現されるのかを規定する。このように、ディスコースは意味を作る実践を規定する特定の方法なのだ。クレスはこの概念を説得的に描いている。

ディスコースは網羅性と包含性という傾向を持っている。つまり、ディスコースは（ある言葉の意味の）制定と直接的に関わる部分だけではなく、より広い領域に関することまで、拡大して説明しようとする。性差別のディスコース、つまり、生物学的カテゴリーをジェンダーとして社会生活に取り込む際の問題を決定するディスコースを例にとる。そのディスコースは、男性と女性とは何であるかを特定し、どのように自分自身を考えるべきか、他のジェンダーをどのように考え、どう関係を持つべきかを決める。しかし、性差別的ディスコースの向こうには、家族とはどうあるべきか、家族内の関係はどうあるべきかというディスコースがある。ちゃんとした「父親」「母親」「長男」「末娘」などだ。それは、ほとんどすべての社会的な生活に入り込み、どんな仕事が適切で、可能であるかさえ決め、性別によって、喜びとはどのようなものだと考えられるか、芸術的な才能はどちらの性別にもあるのかをも特定している。私がよく自分自身にディスコースの効果を説明する例としては、国境の小競りあいに対して、軍隊が隣接する土地を占領しようとするというものがある。問題が続けば、より多くの土地が占領され、人々が移住し、植民地化される。ディスコースは、帝国主義的に社会的世界を植民地化し、この見方からは、1つの制度であるといえる。（Kress, 1989, p. 7）

クレスの軍事力の比喩を拡大すれば、ディスコースは力を持っているが、完全に決められているわけではないということを記す必要があるだろう。国境の町の住民が、植民地化しようとする力の支配に抵抗することも可能だし、支配権力にテルディマン（Terdiman, 1985）が呼ぶところの「対抗言説」を立てることも可能である。この意味で、フーコーが記したように、権力とそれへの抵抗は、しばしば共在する。

> 権力が「常にすでにそこにある」ということ、人はけっしてそれの「外部」にはいないということ、権力と絶縁した人々が自由に駆け回れるような「余白」は存在しないということ、これらは間違いないように思われる。しかし、かといって、支配という形式の避けがたさや、法の絶対的特権を認めなくてはならないということにはならない。人はけっして「権力の外」にいることはできない、というのは、人はあらゆる面で囚われているのだという意味ではない。（中略）抵抗なしの権力関係は存在しない。（Morris & Patton, 1979, p. 55 から再引用）◇3

ディスコースとしての言語理論については、本書では特に第７章で、私が 1989 年の論文（Norton Peirce, 1989）で言及した、1980 年代から 1990 年代にかけて第二言語教育分野を席捲した規範的な言語運用能力観（communicative competence）を再び取り上げ、考察する。第二言語習得分野における言語運用能力概念の古典的な枠組みでは、カナリとスウェイン（Canale & Swain, 1980）とカナリ（Canale, 1983）によると、言語学習者の言語運用能力は、文法的運用能力（コードそのものの知識）、社会言語学的能力（適切な発話をし、理解する能力）、ディスコース能力（文法的な形式を使って、より大きな会話形式、書かれた形式のディスコースにする能力）、方略的能力（コミュニケーションストラテジーを身につけること）の４つの特徴があるとされる。私は 1989 年の論文では、言語学習者にとって、ハイムズ（Hymes, 1979）が述べた目標言語の「使用の規則」を理解することは重要だが、これらのルールが誰の利益になっているのかを理解することも同様に重要だとした（Norton Peirce, 1989, p. 406）。適切な使用と考えられるものは、自明視（Bourne, 1988）されるものではなく、話し手と聞き手の間の、不平等な権力との関わりとあわせて理解されるべきである。

サリハとリヴェスト夫人の話に再び目を向けてみると、サリハが２人の会話において言語運用能力を示したのかどうかを考えることが有益である。明らかにサリハは、しっかりした形式で発話しており、文法的な言語運用能力を有していたといえる。社会言語学的能力をみると、彼女は、自分自身の立場と話し手の立場を適切に考えており、サリハを雇っている人がこれ以上話したくないことも理解していた。サリハはまた、リヴェスト夫人が帰れと言う前に、ドアの外に出るほど敏感で、もっと長い会話に付きあわされることはないとリヴェスト夫人を安心させていたという点で、方略的能力も有していたといえる。サリハが言語運用能力を持っているかどうかを確かめるのは不可能である一方で（なぜなら、リヴェスト夫人がもっと長い文で話すことを許さなかったから）、サリハはこの特定の社会的相互作用における、言語使用のルールを学んでいたということは可能である。しかし、社会的な正義に関心を持つ言語教育者として私は、サリハがただ文法的に、社会言語的に適切な発話ができるようになったというだけでは満足できない。現実が社会的にどう創られたのかを探求するのではなく、彼女が「現実」と呼ぶところに疑問を持つことなく甘んじていることに心が乱される。私は本書で、言語運用能力理論はある社会における適切な使用規則の理解にとどまらず、支配集団の利益を支えるために、社会的、歴史的に構築された使用規則への理解も射程に入れるべきであると提案する。

まとめると、本書では、伝統的な第二言語習得研究で共通して使われているものとは異なった理論的認識に基づいており、伝統的なものとは異なる前提から出発している。ここで読者に問いたいことは次のとおりだ。第二言語学習者には、目標言語話者と話すどのような機会があるのか、目標言語話者が第二言語話者と話すのを避けたら、何が起こるのか、クラッシェン（Krashen, 1981, 1982）の情意フィルターという概念は適切に理論化されているのか。動機を異なる方法で理論化することはできるのか。どんな状況で、言語学習者は内気で、断られることに敏感で、躊躇するのか。どんなとき、言語学習者はリスクをとるのか、それはなぜか。

注

◆1　これらのトピックの網羅的な概観は、Tucker and Corson（1997）と Cummins and Corson（1997）を参照のこと。

◆2　より詳細な分析については H. D. Brown（1994）、Gardner and Lambert（1972）、Krashen（1981）と Schumann（1978b）を参照のこと。

◆3　Rubin（1975）と Naiman, Frohlich, Stern and Todesco（1978）の研究は第二言語習得

理論において「よい言語学習者」を定義するのに中心的な役割を果たしてきた。社会的理論と成人と子供を対象とした調査から、Norton and Toohey（1999）はよい言語学習者の概念の変化を追った。

◆4　この研究の広がりを表すものとして、香港においては Lin（1996）、英国においては Rampton（1995）、米国においては Kramsch（1993）と Hall（1993, 1995）、カナダにおいては Toohey（1998, 2000）、南アフリカにおいては Thesen（1997）の研究を参考のこと。

◆5　私の以前の研究（Norton Peirce, 1993, 1995）では、文化的アイデンティティとは異なるものとして社会的アイデンティティ理論を用いた。私が理解したところでは、社会的アイデンティティは個人とより大きい社会的世界の関係を意味し、家族、学校、職場、公共サービス、法廷などの組織によって媒介されている。私はこの関係がどの程度、人種、ジェンダー、階級やエスニシティに照らしあわせて理解されるべきか問うた。文化的アイデンティティは、私の理解によれば、共通の歴史、共通の言語、そして、世界を理解するための類似した方法を持っている集団のメンバー間の関係を意味していた。私が、文化的アイデンティティ理論を引こうとは思わなかったのは、それらの理論が、私が何年にもわたって自分の研究の中で見聞きした集団内の多様性と、ダイナミックで変化するアイデンティティの姿とは合わないと考えたからである。しかしながら、時間がたつにつれて、私は社会的アイデンティティと文化的アイデンティティの違いは流動的で、違いより共通点のほうが大きいと考えるようになった。

◆6　これらの研究の網羅的な概観は、Hornberger and Corson（1997）とその中の Faltis（1997）、Goldstein（1997）、Martin-Jones（1997）、May（1997）、Norton（1997b）の各章を参照のこと。

◆7　Heller（1992）のオンタリオ州とケベック州におけるコードスイッチングと言語選択の研究を参照のこと。そこでは、象徴的リソースへのアクセスの規制が、どのように物質的資本へのアクセスの規制と結びついているかを明らかにしている。さらに、彼女の研究は、ケベック社会で、いかにしてフランス語が英語と並んで、先住民や移民など比較的力のない集団が切望するような言語リソースとして位置づけられているかを詳細に描いている。

◆8　例として、hooks（1990）、Lewis and Simon（1986）、Smith（1987b）、Spender（1980）を参照のこと。

◆9　例として、Corson（1993）、Fairclough（1992）、Gee（1990）、Heller（1999）、Kress（1989）、Lemke（1995）、Luke（1988）、Norton Peirce and Stein（1995）、Pennycook（1994, 1998）、Simon（1992）、Wodak（1996）を参照のこと。

◆10　Beretta and Crookes（1993）、Gregg（1993）、Long（1993）、van Lier（1994）、Lantolf（1996）、Schumann（1993）を参照のこと。

訳注

◇1　生きられた経験（lived experiences）は質的研究でよく使われる用語である。ノートン自身はこの用語について説明していないが、フッサール、デュルタイなどヨーロッパ現象学に源をもつ言葉である。シュワント（2009）によると、「質的研究は、人間の生きられた経験を取り扱う。経験の対象は、人間によって生きられ、感じ取られ、体験され、理解され、なし遂げられる、あるがままの生活世界にほかならない」（p. 53）とある（シュワント , T. A.（2009）『質的研究用語事典』伊藤勇、徳川直人、内田健監訳、北大路書房）。

◇2 「みずからの状況を知り、それについて理性的な推論をおこない、意識的に行為し、動機をつくり出し、……などのことをなしうる個人の能力のこと」（シュワント（上掲）p. 71）を、本書では「人間の行為主体性」あるいは、「行為主体性」と呼ぶ。

◇3 翻訳に際しては、蓮實重彦・渡辺守章 監修／小林康夫・石田英敬・松浦寿輝 編（2000）『ミシェル・フーコー思考集成 VI 1976-1977 セクシュアリテ／真理』筑摩書房の中の「権力と戦略」久保田淳訳を参考にした。

第2章

アイデンティティと言語学習の研究

> すべての方法論は、（人々の知識の）根底にある一連の仮定、関係性の構造、合理性の形態に対する問いを発する方法である。（Simon & Dippo, 1986, p. 195）

第二言語習得研究における批判的研究は比較的歴史が浅いため、本研究の方法論的枠組みを構築するうえでは、関連領域の研究が非常に貴重なものであるといえる。この章では、私の研究が3つの教育研究者グループからどのように影響を受けたのかを論じたのち、本書の中心的な研究課題について述べる。続けて、研究者と研究参加者の間の複雑な関係を検討し、本研究について詳細に述べる。

方法論的枠組み

アイデンティティと言語学習の関係を検討するにあたり、私の問い、関連があると考えたデータ、そして私が導いた結論は、カルチュラルスタディーズ、フェミニズム研究、批判的エスノグラフィにおける教育研究者らの研究に影響を受けている。第1のグループの教育研究者は、コネルら、サイモン、ウォルシュ、ウィリスである（Connell *et al.*, 1982; Simon, 1987, 1992; Walsh, 1987, 1991; Willis, 1977）。第2のグループにはブリスキンとコルター、ルークとゴア、シェンキ、スミス、そしてワイラーが含まれる（Briskin & Coulter, 1992; Luke & Gore, 1992; Schenke 1991, 1996; Smith 1987a, 1987b; Weiler 1988, 1991）。第3のグループに含まれるのはアンダーソン、ブリッツマン、ブロッドキー、そして、サイモンとディッポである（Anderson, 1989; Britzman, 1990; Brodkey, 1987; Simon & Dippo, 1986）。これらの教育研究の理論家たちがみな、同じことを問うていたり、同じ前提を持っていたりするわけではない。彼らが共有する考え方のうち以下に概観する6つが、アイデンティティと言語学習研究にとっては非常に建設的である。

i. これらの研究者は、社会構造と人間の行為主体性（agency）という両者の複雑な関係を決定論的、あるいは還元論的な分析によらずに明らかにすることを目的としている。たとえば、アンダーソンは、生身の人間が登場しない、階級、家父長制、人種差別といった構造に焦点を当てた研究と、階級、家父長制、人種差別のような幅広い構造上の制約が登場しない、人間行動の文化的解釈を行う研究の双方に対する不満から、批判的エスノグラフィは生じたと書いている（Anderson, 1989）。同じように、ワイラーは、フェミニズム研究に固有の使命は、女性の日常生活世界に特に焦点を絞って、個人と社会の関係を探求することだとしている（Weiler, 1988）。
ii. これらの研究者は、社会的構造を理解するためには、ジェンダーや人種、階級、エスニシティ（異民族性）、性的指向に基づく不平等な力関係を理解する必要があると考えている。ウォルシュは、たとえば、不平等な世界では、力関係が常に作用しており「参加や対話は偶然に起こるのではない」（Walsh, 1991, p. 139）と論じている。つまり、学生は教科で扱われる内容や教師との関係において、一人ひとり異なった立場におかれている。さらに、ワイラーは、女性たちは、ジェンダー化された歴史を共有している一方で、一枚岩の単一の集団として捉えられるべきではないと述べている（Weiler, 1988）。したがって、人種や階級の問題は、ジェンダーの問題と同じように重要であるとしている。
iii. これらの研究者は、どのように個人が自分たちの経験に意味を与えるかということに関心を持っている。コネルらは、オーストラリアでの自らの画期的な研究をもとに、人々がおかれていると考える状況に近づき、彼らと個人的な経験について深く語り合いたかったと書いた（Connell *et al.*, 1982）。スミスは、自分が制度的エスノグラフィ（institutional ethnography）と呼ぶものは、特定の条件、状況の中にある人々の日常的営みの現実に、研究者が立ち戻る分析方法であるとしている（Smith, 1987b, p. 9）。

iv. これらの研究者は、自分たちの研究を歴史的な文脈の中に位置づけようとしている。この点について、サイモンとディッポが「歴史は『背景資料』として格下げされるべきではなく、むしろ探究の焦点となっているくり返される事柄について不可欠な説明を与えてくれる」（Simon & Dippo, 1986, p. 198）と記している。ウォルシュは、彼女がアメリカで学ぶプエルトリコ人の学生の葛藤を研究するのは、過去と現在が人々の声の中で交差し、教育的条件を変貌させる様子に光を当てるためだと述べている（Walsh, 1991）。ルークとゴアは、同様の意図で、フェミニストの学者たちが自分たちで時間をかけて作りあげたアイデンティティは、過去と現在のフェミニストおよび、ここ 20 年の間に進展した広範囲のフェミニスト研究の影響を受けていると記した（Luke & Gore, 1992）。

v. これらの研究者は、研究は客観的で、偏向のないものだという見方を否定している。ワイラーは、研究者は研究プロジェクトの進展を決定する不可欠な役割を担っており、研究対象である女性の主観的な経験や知識を理解しようとするのと同様に、研究者自身の経験や知識も理解しなければならないという前提からフェミニスト研究は始まるとしている（Weiler, 1988）。同じようにサイモンとディッポは、知識の生産は、研究者自身の個人史と研究者が仕事をしている、より大きな制度的背景から切り離して理解することはできないと指摘している（Simon & Dippo, 1986）。彼らは批判的エスノグラフィの研究は、その教育実践的、政治的なプロジェクトと矛盾しない方法で、データ収集や分析手順を決めるべきだと提案している。

vi. これらの研究者は、教育的研究の目標は社会的および教育的変化であると信じている。たとえばブロッドキーは、批判的エスノグラフィの目標は学校のような制度を変革する可能性を生み出す手助けをすることにあるとした（Brodkey, 1987）。ブリスキンとコルターが、フェミニズム教育学は、進歩主義教育と批判的教育学の言説の中にしっかりと根づいていると述べている（Briskin & Coulter, 1992）一方で、サイモンらは、教育および社会制度における不平等に注意を向けるために、学校は何ができるかということに主に関心を寄せている（Simon *et al.*, 1992）。

中心的な問い

カナダにおける移民の言語学習者についての研究において、私は、言語学習者と、より大きな社会的世界の関係を単純化することなく探ろうとした。私はしばしばジェンダー、人種、階級、エスニシティについての問いが、どのように分析の中心になっているのか考えた。学習者が自分たちの経験をどのように理解したのか、彼らそれぞれの生きてきた人生の記憶が、どの程度言語学習への投資と交差したのか探ろうとした。これらの考察を通して、私自身の個人史と経験が、本研究を多様にまた複雑に成り立たせているということをいっそう認識した。本書で対象とした問いは、大きく 2 つにまとめられる。

（1）目標言語話者との相互作用は、成人の第二言語習得には望ましい条件だが、教室の外ではどのような相互作用の機会があるのか。この相互作用は、社会的にどのように構造づけられているのか。学習者はこれらの構造にどう働きかけ、話す機会を作り、利用したり、抵抗したりしているのか。目標言語への投資と、時と空間を越えて変化するアイデンティティとの関係において、彼らの行動はどの程度理解されるべきなのか。
（2）アイデンティティと自然言語学習へのより深い理解は、第二言語習得理論と授業実践にどのように寄与できるのか。

研究する者とされる者

本研究の方法論的枠組みを立てる際に、私は研究参加者とどのような関係を築きたいか考える必要があったが、それは社会科学の中でますます興味関心が高まっているトピックだった。この点で、キャメロンら（Cameron *et al.*, 1992）の研究は、非常に有益である。主にイングランドで行われた彼女らの研究によれば、研究者が研究対象者との関係でとる立場は、それぞれ倫理的、権利擁護的、そしてエンパワーメント的という 3 つのスタンスに分けられる。倫理的研究には、研究対象者が研究に参加している間、傷つけられたり、不都合を被ったりしないように、また、研究対象者の貢献が十分に認識されるというもっともな配慮がなされていると、キャメロンらは主張している。このような研究を、社会的な主体についての研究と位置づける。対照的に、権利擁護的研究というのは、研究対象者についての研究であると同時に、研究者が研究対象者のために行う研究であるという点に特徴がある。この点において、研究者は、研究対象者の利益を守り、彼らを代弁するために、その能力を使うことが求められる可能性もある。

キャメロンらの見方では、倫理的、および権利擁護的研究では、実証主義的認識を前提としているのに対して、エンパワーメント的研究はもっと尖鋭的な研究プロジェクトを前提としている。それは、研究対象者についての、また、研究対象者のための研究であると同時に、研究対象者とともに行う研究であるという点が特徴的である。キャメロンらは、以下のように説明する。

> この「ともに」を加えることで意味するものは、相互作用または対話を使った研究方法の使用であり、これは実証主義者が用いる研究対象者と距離をおく、もしくは、対象化するといった方法とは対照的である。私たちの考えでは、研究される人たち「との」相互作用を研究の中心に据えることこそが、その研究をエンパワーメント的研究たらしめる。私たちはこれを、十分条件というよりむしろ必要条件だと理解している。（Cameron *et al.*, 1992, p. 22）

エンパワーメント的研究を行う場合には、キャメロンらは3つの原則が守られるべきだと強調している（Cameron *et al.*, 1992）。

(1) 人はものではなく、ものとして扱われるべきではない。ここでの重要な点は、研究のゴール、前提、手続きが明らかにされており、研究手法はオープンで（研究される人たちと）相互作用的であり、対話的であるべきだということだ。彼女らはさらに、（研究される人たちとの）相互作用は研究を高めこそすれ、客観性や妥当性を保証するために非介入を求めることは「思想的に単純すぎる」（p. 23）とした。

（2）研究対象者には、彼ら自身の利益関心があり、研究者はそれと向きあうべきである。キャメロンらは、もし、研究者が研究対象者と「ともに」研究をしているのならば、質問をしたり、話題を提供したりすることは、研究者だけの特権ではないと指摘した。たしかに、研究対象者が彼ら自身の利益関心を表明することを助けることで、新しい知見を作りだし、プロジェクトをよりよいものにできる可能性がある。

（3）もし知識が持つに値するものであるなら、それを共有することにも価値がある。キャメロンらが言ったように、これは「知識とは何か」「どうやって共有するのか」という疑問を生じさせるため、非常に難しい原則だろう。彼女らは、研究者と研究対象者の間で解釈の不一致が起こる可能性も認めているが、個々の研究プロジェクトは、調査結果について研究対象者とのさまざまな対話の機会をもたらしてくれると結論づけている。

成人移民の研究では、研究者は研究する者と研究される者の不平等な関係を特に認識する必要がある。研究対象者はその社会に不慣れであり、制度的な保護をほとんど受けておらず、しばしば弱い立場におかれ孤立しているからだ。私は、リストが「電撃的エスノグラフィ（Blitzkrieg ethnography）」（Rist, 1980）と呼んだような、少数の言語学習者を短期間観察し、わずかな逸話を集め、脱文脈化したストーリーを書くようなことをしたくなかった。そのように行われるエスノグラフィは、ワトソン・ゲゲオ（Watson Gegeo, 1988）などによってますます問題視されている。どのようにして、倫理的でエンパワーできる関係を研究参加者と築こうとしたのかは次の節で論じる。

研究

私が本研究に乗り出したとき、すぐに3つの困難に直面した。1つめは、私が長期間にわたって研究参加者と研究を行いたいと考えていたことである。そうすることで、言語学習体験が、どの程度変わっていくのかみることができるからだ。2つめは、研究参加者がまだ習得していない言語を使った複雑で個人的な経験について調べるための適切な方法が必要だったことである。3つめは、できるなら、最近カナダに来たばかりで、言語学習の最初のステージにいる研究参加者と研究をしたいと考えていたことである。この段階では、移民に第二言語と新しい社会の文化的習慣を学ぶという、たいへんな負担が求められる。そのような文化的習慣は、ウィリス（Willis, 1997）が記したように、機械的で構造的な観点からは見つけることはできず、しばしば流動的で独自の関係性から特定されるものである。私が自分の研究プロジェクトにとりかかり、どのようにこれらの困難に対処していったのかは、2年という時間軸に沿ってみていくのがもっともいいだろう。これから概観していくが、私は質的な性質を持つ本研究を行うにあたり、質的研究者がデータ収集のために使用する3つの古典的方法とウォルコット（Wolcott, 1994）が述べているものを利用した。すなわち、インタビュー、文書資料の分析、そして参与観察である。私は、1990年の1月から6月まで、カナダのオンタリオ州で、移住してきたばかりの移民のためのフルタイムのESL（English as a Second Language）コースで教えるのを手伝い、そのなかで非常に多様で興味深い言語学習者たちに出会うことができた。その年の残りの半年は、私はこのコースで学んでいる学習者を研究に誘い、詳細なアンケートを作って記入してもらうとともに、本研究の3つの調査（ダイアリースタディ、インタビュー、アンケート）に参加すると言ってくれた5人の女性たちに最初のインタビューを行った。1991年の1月から6月までは私は女性たちとダイアリースタディを行った。そしてその後（1991年7月から12月）、フォローアップインタビューを行い、2回目のアンケートを行った。以下では、どのように言語学習とアイデンティティの関係を捉えようとしたのかに焦点を当てながら、この2年にわたる過程をより詳細に記述することにする。

1990年1月から6月：ESLコース

最初の課題は、長いプロジェクトに自発的に参加しようという人を見つけることだった。カナダにおける移民を対象としたほとんどの語学研修プログラムでは、教師が移民の学習者に接することができるのは、カナダに到着してからの短い期間だけであった。もし運よく、移民がカナダ雇用移民局（Employment and Immigration Canada）の支援を受けた語学研修プログラムに入ることができれば、教師は学習者に最大で6か月接触することができる◆[1]が、その後学習者に接触することは難しくなっていく。たとえこの6か月の期間であっても、もし教師が学習者との共通言語を持たず、学習者が英語を限定的にしか使えなければ、学習者とのコミュニケーションは、特に難しいだろう。とはいえ、このような特徴を持つコースは、最近カナダに来て、比較的近隣に住む言語学習者たちに接触するには、最良の手段であった。1990年1月、オンタリオ州のニュータウンという町で、オンタリオカレッジというコミュニティカレッジが行っているカナダ雇用移民局の語学研修プログラムに非常勤講師として参加する機会を得た。私の仕事は、1週間のうちまる1日、研修コースを教えることで、週に4日教える常勤の講師とのチームティーチングだった。

そのESLコースは非常にしっかり組み立てられており、学習者には英語の文法と発音の徹底的な指導が行われた。常勤の教師はエネルギーにあふれ、几帳面だった。週1度の教師として、私には、ほかの日に習ったことを復習して、しっかり定着させることが求められたが、同時に、自作の教材を使って新しいことをしてほしいとも言われた。6か月コースのまとめとして、私は学習者に成人移民の第二言語学習に関する長期的なプロジェクトを始めるつもりだということを伝えた。そして、このプロジェクトに参加してもらいたいこと、プロジェクトの詳細は年末までに送ることを伝えた。本研究のこの時点において、多くの学習者が興味を示してくれたが、誰がこの研究に参加する意思があるのかはわからなかった。私は一人ひとりの学習者に録音しながらインタビューを行い、今後6か月の予定について尋ね、全員に次のトピックで短いエッセイを書いてもらえないかと頼んだ。「カナダは『移民にとっていい国だ』と考えている人がいます。あなたはそれが本当だと思いますか。説明してください」。学習者たちがカナダで移民としてどのような経験をしているのか知りたかったので、吟味してこのトピックを選んだ。このトピックを用いることで、カナダで移民として生活することに対する見方がどう変わっていくのかをみることができるだろうと考えたからである。加えて、同じトピックを使うことで、書く能力が時間とともにどう伸びたのかを知る機会にもなると考えた。ダイアリースタディ開始前の1991年1月と研究プロジェクト終了時の1991年12月に、同じトピックで研究参加者にエッセイを書いてもらった。

1990年7月から10月：最初のアンケート

詳細なアンケートを作った目的は、一人ひとりの研究参加者に関する以下の情報を確実に得るためであった。経歴に関する情報、言語的背景、移住に関する情報、住居、職歴、受講した英語学習コース、言語接触、英語の使用範囲、英語能力の向上に関する自己評価、どの程度英語を安心して使うことができるか、学習過程、言語と文化の関係への見方◆[2]。これらの情報は、研究参加者一人ひとりが生きてきた人生、カナダでの社会的状況、言語学習の過程を理解するのに有益であると考えた。アンケートでは、どのようにしてカナダ雇用移民局の英語学習コースを見つけたのか、そのコースでどの程度英語を学んだのか、どの技能（聞く、話す、読む、書く）が伸びたのか、どの活動（アンケートでリストを提示）が英語を学ぶのにもっとも役に立ったのか、英語をよりよく学ぶためにコースをどのように変えればよいかを聞いた。このアンケートを作っていたとき、いくつかの言葉づかいが研究参加者にとっては問題になるかもしれないことに気づいた。そこで、上級のESLコースの学生と、カナダに来たばかりで限られた英語力しかない移民にアンケートに試験的に答えてもらった。彼らの指摘をもとに、質問をできるだけはっきりと意味がわかるように修正した。たとえば、「強く賛成」「賛成」「反対」「強く反対」という言葉を、「はい！」「はい」「いいえ」「いいえ！」と変えた。私は、選択肢問題、空欄を埋める問題、自由記述などさまざまな種類の質問を使った。言語と文化に関わる部分では、私は研究参加者が望む場合には、彼らの母語を使うように勧めた。

1990年11月、私はESLコースの同窓会で、一人ひとりの学生に研究に関する案内用の書類封筒を渡して、研究に参加してくれるよう呼びかけた。同窓会は常勤で教えていた先生の家で開かれた。この同窓会は、研究と直接結びついたものではなかったが、常勤の先生は私がこの機会を利用して自分の研究参加者を募りたいと思っていることを、学習者にそれとなく伝えてくれていた。案内用の書類封筒には、同意書を含む手紙、上述のアンケート、参加者にアンケートを書いて送ってもらうための私の住所を書いて切手を貼った返信用封筒を入れた。手紙の中で、この研究には、アンケート、1対1のインタビュー、ダイアリースタディの3つの部分があることを説明した。ダイアリースタディについては以下のように説明をした。

私は、あなたが、いつ、どこで、どのように英語を使っているのか、詳しく知りたいと思っています。つまり誰と英語を話すのか、あなたが英語を話すとき何が起こるのかということです。これを知るいちばんいい方法は、自分の英語学習体験について、定期的に英語で日記を（ノートに）書いてもらうことです。日記を書くとたくさん時間がとられると思います。ですから、日記に何を書くか、どのぐらいの分量を書くかのルールは決めません。あなたが何に興味を持っているのか、どのぐらいの時間があるのかによります。このプロジェクトを8週間続けたいと考えています。そして、プロジェクトの間は、プロジェクトに参加してくれた人たちが1週間に1度か2週間に1度ずつ会うのがいいのではないかと考えています。そうすることで、日記に書いたことをみんなで話す機会になります。この活動があなたの書く力と話す力を伸ばす助けになればいいと考えています。ミーティングは多くの人にとって都合がいい私の家で行うつもりです。なお、もし個人的に他の場所で会いたければ、それも可能です。プロジェクトのこの部分は、1991年1月中旬に始めるつもりです。

16人中14人（女性が8人、男性が6人）の学生がアンケートを返送してくれて、12人（女性7人、男性5人）がインタビューに、そして、5人の女性がダイアリースタディに参加することに同意してくれた。ダイアリースタディは、データ収集の中心をなす部分なので、私はこの時点で自分のデータ分析ではダイアリースタディに参加してくれる5人の女性に焦点を当てることにした。エヴァとカタリナはポーランド、マイはベトナム、マルティナはチェコスロバキア、フェリシアはペルーの出身だった。この方法によりデータ分析の焦点が定まり、シー（Ng, 1981）が述べたように、沈黙により、今までその経験が明らかにされてこなかった言語学習者集団に注意を向ける機会が得られた。

ダイアリースタディに参加することにした5人の女性が、男性、女性を含めて、ESLの他の学生とどのように違っているのか、確証を持つことは難しい。しかし、ジェンダーという観点から、彼女たちが自らダイアリースタディに参加することを決めた背景を考えることはできるのではないだろうか。ダイアリースタディが本研究の他の2つの部分と違っているのは、プロジェクトにおける親密さと時間の長さだった。このコースの女性たちは、男性と比較して、個人的な経験を日記に書くことに魅力を感じていた可能性があり、これは多くのフェミニズムの研究からも裏づけられる◆3。たとえば、ベル・フックスは、自分たちの声を表す手段をほとんど持たない女性たちにとって、逆説的ではあるが、書くことは抵抗の一形態にも、服従の一形態にもなりうると述べている。

> 書くことは、発言をとらえ、捕まえて、離さないでおく１つの方法です。だから私は、会話の断片をひとつひとつ書き留めました。触りすぎて破れてしまった安い日記帳に思いを打ち明けて。私の哀しみの激しさ、発言の苦悩を表現して。それは、私が、いつも間違ったことを言ってしまったり、間違った質問をしてしまったから。私は自分の発言を本当に必要なことや私の人生で大切なことだけにとどめておくことはできなかったのです。（bell hooks, 1990, p. 338）

ダイアリースタディの時間の長さに関して、ダイアリースタディに参加しようと言ってくれた女性たちは、ESL コースの残りの女性たちよりも、概して時間に余裕があった。ダイアリースタディへの参加を表明してくれた女性たちは、2 つのグループに分けることができた。パートタイムで仕事か勉強をしていて、学齢期の子供がいるグループ（カタリナ、マルティナ、フェリシア）と、フルタイムで家の外で働いており、子供がいないグループ（エヴァ、マイ）である。コースにいた残りの 4 人の女性たちは、母親でフルタイムで働いているか、母親で未就学の子供がおり、家で家事につきっきりだった。インタビューや電話でのやりとりの中で、彼女らの「2 つの役割をこなす二重生活」のせいで、他の娯楽や勉強に参加する機会はほとんどないことがわかった。彼女らは、それぞれ家では大半の家事労働をこなし、さらにそのうえ、フルタイムで働くか、1 日中子供の世話をしていた。このダイアリースタディに参加し、そこで提供された象徴的リソースは、多くの女性の二重生活構造を形成する家父長的な関係を考慮に入れて理解しなければならない。さらに、研究に参加した女性たちは、他の移民女性たちよりも恵まれた立場にあるようにみえるが、このような特権は、彼女らの欲望がより大きな家父長的構造との間に葛藤を生じないかぎりにおいてのみ与えられていた。彼女らのジェンダー化された生活の状況が変われば、英語を学ぶ機会も変わっただろう。このことを特に示す例として、カナダに来て数年のうちに、独身から既婚者へと身分を変えたマイのケースがあげられる。第4章でも述べるように、結婚式のときすでに、マイは結婚したら英語を学ぶ機会は制限されるだろうと懸念を述べていた。彼女は、自分がどのような機会を持つかは、夫の希望と夫がどの程度、マイに公的世界で勉強や仕事をさせてくれるかにかかっていると暗に述べていた。

1990年12月から1991年1月：最初のインタビュー

最初のインタビューは、それぞれの女性の家で、1990年12月と1991年1月に行い、インタビューの長さは45分から3時間だった。インタビューはテープに録音し、文字起こしした。これらのインタビューでは、アンケートで女性たちが書いたコメントをより詳しく説明してもらうとともに、未回答の質問に答えてもらうようにお願いした。加えて、ダイアリースタディについても彼女らと話し合い、私がプロジェクトから何を知りたいと思っているのか説明した。私はダイアリースタディから、日常の言語学習体験についてのより深い知見と、その経験が時と空間を越えて、どのくらい変わっていくのかをみたいと思っていることを説明した。私はまた、ダイアリースタディが彼女たちにとって英語を書く機会を提供し、ダイアリースタディのミーティングが話す機会となればいいと考えていることを伝えた。女性たちは全員、プロジェクトが提供する機会を活用したいと言ってくれた。詳しくは第3章から第5章で述べるが、最初のインタビューで彼女たちの家庭での生活、近隣の様子などをある程度知ることができた。私は彼女らのパートナーや子供たちを紹介してもらい、何回か訪問する中で、彼女らの家族とざっくばらんに話す機会を得た。マイとカタリナの家では、過去から最近までの出来事が収められた家族のアルバムを見せてもらった。フェリシアの家では、ペルーから持ってきた、きれいだが、気候の変化のせいで傷んでしまった家具を見せてもらった。エヴァの家ではエスプレッソとケーキを、マイの家ではクッキーと中国茶をいただくなど、女性たちの家を訪問する際にはもてなしを受けた。

1991年1月から6月：ダイアリースタディ

1991年1月から6月のダイアリースタディの間、私は、自分の家で、女性たちのおもてなしにお返しするチャンスがあった。移動手段は、フェリシアには車があり、エヴァとカタリナとマルティナは、マルティナの夫に車で送ってもらえたので、帰りは私が送って行った。マイは私が車で送り迎えをした。初期のミーティングは8週間、毎週行った。金曜日の夜と日曜日の夜がみんなの都合がよい日だったので、夜にだいたい3時間行った。最初のミーティングは、キッチンの大きなテーブルを囲んで行ったが、それ以降のミーティングでは、座り心地のいい椅子があり、くつろげる雰囲気のリビングで行った。8週間にわたる毎週のミーティングが終わるとき、私は難しい状況に直面した。私はミーティングを続けたいと考えていたが、特に最初のお願いの手紙には8週間と書いていたため、どの人にも続けることが義務だと感じさせたくなかった。私は、どの参加者にも、他のメンバーをがっかりさせてしまったと感じることなく、気持ちよくグループを離れられるようにしたかったのである。一方で、私がミーティングにひとまずの区切りをつけようとすることで、私がミーティングを早々に終わらせようと考えているとは彼女たちに解釈してもらいたくなかった。私は8週間の終わりに、彼女たちに研究参加のお礼を述べたあと、このミーティングを続けたいと思っている人がいるなら、私は喜んで参加したいと伝えた。するとミーティングは続けたいということにはなったが、1か月に1回のペースで行うことになった。それで、私たちはその後の3か月、1か月に1度会い、1991年の1月から6月までの間に12回のミーティングを行った。

ミーティングの場所、スケジュール、移動手段を決めることは、ダイアリースタディそのものの形式を決めるよりもずっと簡単だった。第二言語習得研究の分野では、多くの研究者がダイアリースタディを言語学習過程を調査する方法として用いている。しかし、ユー（Yu, 1990）を除いて、そのような研究◆[4]は、外国語学習の内省的説明を行うものだった。日記をつけていた人のなかに、目標言語が使われている国に残るためにその言語を学習している人はいなかった。さらに、ユーを除くすべての研究では、日記は母語で書かれ、ブラウンを除いて、研究者自身が自分の言語学習過程で書いたダイアリーを使った研究だった（Yu, 1990; Brown, 1984）。ブラウンの研究は、アメリカでスペイン語の集中クラスで学んでいる研究参加者に、1日15分かけて、言語学習体験について書いてもらうというものだった。ブラウンによって取り上げられたほとんどの日記は、文法の教授に関する学生からの反応や授業の進度についてで、日記をつける義務を課せられることに反対意見をほのめかしている学生もいた。私のダイアリースタディは、教室だけではなく、家庭、職場、コミュニティでの言語学習体験を振り返ってもらうという点で、目的が大きく違っていた。本ダイアリースタディでは、異なる言語学習状況や異なる目標言語話者との出会いの中で、研究参加者が思ったこと、感じたこと、したことに重点を置いた。研究参加者は好きな頻度で、好きなだけ日記を書くよう働きかけた。加えて、日記は母語ではなく、目標言語である英語だけで書くべきだという共通理解もあった。私は彼女たちに母語で書き、英語に翻訳したほうがいいかと尋ねたが、彼女らは英語で書く練習をしたい、また、書く能力の伸びについても定期的にフィードバックがほしいと強く希望した。また、彼女らは、日記の翻訳は、自分たちが言いたいことを正しく訳してくれない可能性があると指摘していた。参加者には、ダイアリースタディのミーティングで日記からの抜粋をみんなと共有するように促していたので、彼女らの日記の読み手には、私だけでなく、他の参加者も含まれていた。興味を持ってくれている本物の読み手（聞き手）のために書く機会があることは、研究参加者にとって望ましいのではないかと考えた。ザメルは書く能力の発達における社会的文脈に関する研究について詳細に書いている。

> この研究では、学生が、認められ、多くの書く機会が与えられ、書き手のコミュニティの一員になったとき、学生に何が起こるのか明らかにした。リスクを恐れないことが推奨され、信頼が醸成され、内容や書き方について書き手の選択を尊重することが共有されている教室では、学生は書き手として変容し、書くことに対してより肯定的な態度をとり、書く力が大きく伸びるのである。（Zamel, 1987, p. 707）

どの女性もダイアリースタディでは自分たちに何が期待されているのかと私に聞いてきたが、日記を書くことに関して、これが正しい、これが間違っていると指示したいとは考えていなかった。しかし、私自身の研究課題から考えると、どのように進めていくかについて、何らかの手引きができればとは思っていた。そこで、本研究の目的を書面で明確にし、彼女らが書いた日記へコメントを返すことで、指針を示すことを考えた。第1に、ダイアリースタディの最初のミーティングで、プロジェクトで私が何をしたいのかを説明した「調査への参加のお願い」の手紙と、英語で行われる日々の活動を記録するための表を一人ひとりの女性に渡した。その表は日記に記録するさらに深い内省の手助けともなることを説明した（新しい表は、毎回、ミーティングのときに一人ひとりに渡した）。私の手紙の内容について話し合った後、その日1日、どのような状況で英語を使ったか女性たちに考えてもらった。マルティナが教会に行って英語で説教を聞き、賛美歌を歌ったという自分の経験を率先して語ってくれた。彼女は、個人の内面に関わる事柄を第二言語で行うことは変な感じがすると話してくれた。私は彼女の話を日記の書き方の例として用い、続く2週間、参加者への手紙の中で、この話し合いについてさらに詳しく説明した。第2に、私は彼女たちの日記に定期的にフィードバックを行った。ときどき、私は彼女らが提起した問題について、状況を明確にしたり、詳しく説明したりするよう頼んだ。たとえば、カタリナへの私のコメントにはこんなものがあった。「カタリナ！　とてもおもしろいですね。ここであなたが言っている会話を、もう少し詳しく教えてほしいなと思います。たとえば、どうやってコミュニティサービスの仕事を見つけたのですか。もっと面接について詳しく教えてくれませんか。誰がいちばんよく話したのでしょう。具体的には何について話したのですか」。同じように、エヴァへのコメントはこのようなものであった。「エヴァ、とてもおもしろいですね。なぜきつい仕事をしていないときのほうが気分がよくなって、そして、そのことで、どうしてもっと話したくなるのかも教えてください」。ただし、私のコメントは明確な説明や、詳細な情報を求めたものだけではなかった。マイに対して「マイ、あなたは本当に素晴らしくよくやっています。お兄さんにそうじゃないとは言わせないで」と書いたように、気持ちをやわらげる言葉をかけたり、エールを送ったりもした。私はまた、女性たちが書いたものの質についてもコメントした。たとえばフェリシアには「とてもよく書けています」と書いたり、マルティナには、「マルティナ、とてもはっきりとわかりやすく書けています」と書いたりした。それから、私自身のコメントに対してフィードバックを求めたこともあった。私からマイへのメモには次のように書いている。「マイ、あなたのコメントはとても興味深いですね。これからも同じように文章を添削するのは役に立ちますか。教えてください」。

2、3週間で、彼女たちは、自分たちにもっとも適したコミュニケーション方法を見つけていた。マイとマルティナはグループの中で、もっとも多く書いており、頻繁に、長く、いろいろなトピックについて詳しく書いた。エヴァは私が質問したことに答えることが好きで、何か特別に言いたいことがないのに座って書くのが好きではないと言っていた。フェリシアは書くことを楽しんでいたが、他の女性たちほど定期的にはミーティングに参加しなかった。カタリナはあまり書かなかったが、私と研究期間中に何度も電話で話した。いくつかの点で、私と女性たちの関係を定義づけることは、彼女たちが日記の形式を決めるのを手助けするより、さらに複雑だった。私は、彼女たちが自分の欲望、怖れ、楽しみ、不満を気楽に話せ、支えとなるような、くつろげる環境を作りたかった。それが私の家でミーティングを行った主な理由の1つでもあった。プライベートな空間である私の家でミーティングをすることで、個人的な経験を話し、分析するのが容易になることを期待していた。一方で、私は彼女たちが私を、母親、妻、主婦という役割を担う1人の女性としてみてほしいとも考えていた。私の研究者としての役割が女性たちとの関係の中で支配的になれば、距離ができてしまうのではないかと思っていた。そのため、私はミーティングではテープレコーダーを使わなかった。私はこれまでテープレコーダーを使ってきた経験から、テープレコーダーが回っているときには、自分の個人的な出来事を話すのを嫌がる女性たちがいることを知っていた。ただ、ミーティングで彼女たちが言ったことを言われたとおり覚えていたいときには、ときおりノートをとった。

私はダイアリースタディの文脈では、彼女たちと「教師」という関係性になることを避けたいと思っていたが、私たちの関係が教育機関で始まったため、急にその関係をやめることは容易ではなかった。さらに、彼女たちが調査に参加してくれた理由の1つは、支援が受けられる環境で英語を話したり書いたりする能力を伸ばすことにあることも理解していた。そのため、私は毎週、彼女たちに日記に書いたことをみんなの前で読んでもらうようにした。この活動は、彼女たちが話す能力を伸ばす機会になり、提起された問題についてみんなで話したり検討したりする機会になった。ミーティングが行われている期間、彼女たちが私にコメントを求めたり、どう言っていいのかわからなかったりするときには、ときどき、語彙や文法の問題を話し合うこともあった。また、文章表現を改善するような提案を行うこともあった。彼女たちの書いたものを添削することは、コメントを書いたり内容をはっきりさせたりする機会になった。上述したように、私のコメントは日記に何を書けばいいのかという点に関して重要な影響を与えていた。

私が友人、教師、研究者といういろいろな立場の間のバランスを、どのぐらい上手にとれたのかはわからない。彼女たちが発音矯正を望んでいると理解していても、彼女たちの発音を稀に直したりするときには、申し訳なく感じていた。自分の大判のメモ帳に彼女たちが話したコメントをときどき記録していると、私があたかも友情を傷つけ、信頼を裏切っている気がすることもあった。彼女たちの個人的な、ときに動揺するようなストーリーに対する私のコメントは、絶望的なほど不適切だと感じることもあった。私は、彼女たちの仕事探しや履歴書を書くことを手伝い、身元照会人になり、移民局の役人と交渉することによって、ブリッツマン（Britzman, 1990）が「罪悪感を覚えながら読む」と表現したものの穴埋めをしようとしていることに気がついた。今から思えば、私がダイアリースタディで彼女たちと自分との複数の関係を調和させたり、友人、教師、研究者という相反する役割の間の葛藤をやわらげようとしたりしたことは、非常に皮肉なことであるといえる。私は、アイデンティティの複雑さを探求しようとするのと同時に、一人ひとりの女性と矛盾のない関係を作ろうとしていたが、それは見当違いの努力であった。すべての女性がすべてのミーティングに参加したわけではなく、上で述べたように、詳細に書かれていた日記もあれば、そうでない日記もあった。しかし、彼女たちが日記から自分で選んだ部分をみんなの前で読み、それについて話し合うときは、非常に豊かで、書かれた日記を補う機会となった。研究の期間、私も自分の内省を日記に書いていた。日記とそれに続く話し合いの分析は、この研究のいちばん重要なデータとなった。

1991年7月から12月：最後のインタビューとアンケート

1991年12月、ダイアリースタディが終わって6か月後、私はフォローアップインタビューを一人ひとりの女性と行った。このときは、彼女たちに以前2回（1回目は1990年6月、6か月のESLコース終了時、2回目は1991年1月、ダイアリースタディ開始時）書いたのと同じ移民についてのテーマでエッセイを書いてもらった。私は18か月の間に彼女たちの移住に対する見方が変わったかどうか知りたかった。また彼女たちが2年間でどのくらい英語が書けるようになったのかをみる機会となった。さらに、1991年12月、1回目のアンケートで聞いたいくつかの質問について、再度簡単なアンケートを作った。このアンケートの目的は、この期間に人生の重要な問題に対する彼女たちの見方が変わったかどうかを知るためだった。私がもっとも興味を持っていた質問は、英語を学ぶうえでもっとも役に立ったものは何か、どんな状況だと安心して英語が話せるか、どんな状況だと不安に感じるか、カナダでどの程度まだ移民だと感じるかという点に関しての認識を問うものであった。エヴァ以外の女性は1991年の12月までにアンケートに答えてくれた。エヴァは生活が大きく変わる時期だったこともあり、1992年の4月にアンケートに答えてくれた。

データ整理

このプロジェクトを2年にわたって行い、そのうち12か月、活発にデータを収集し、記録していたため、何百ページにもわたるデータが蓄積されていた。データとは女性たちの日記、私自身の日記、1人ずつのインタビュー（文字起こしされたもの）、2回のアンケート、エッセイだった。次の作業は、アイデンティティと言語学習の関係を理解するのに役立つ方法でデータを整理することだった。ウォルコット（Wolcott, 1994）が指摘しているように、質的研究者にとって大きな課題は、データを集めることではなく、得られたデータの使い方をどのように決めるかである。ウォルコットは、データを提示する方法として、記述的、分析的、解釈的という3つをあげている。私の研究および、本書でのデータの提示では、程度の差はあるが、これら3つの方法すべてを使用している。比較的限られてはいるが、データはそれ自身が彼女たちの声となっている。またある程度は、データ間の体系的な対比と対照分析を行い、さらに私は分析という限られた概念を超えた理解をし、説明しようと大いに試みた。このように、データ整理は理論的な作業である。どのデータを使い、どの問題に焦点を当て、どのストーリーを伝えるのか、そして、何を基準に選択すればよいのだろうか。

最初に私がとった方法は、一人ひとりの女性のデータをそれぞれまとめてファイルすることだった。エヴァ、マイ、フェリシア、カタリナ、マルティナ、一人ひとりのファイルができた。一人ひとりの女性のファイルにはアンケート、エッセイ、日記（すべて打ち直したもの）、文字起こししたインタビューが入っていた。データのさまざまな部分にも焦点を当てるため、データの比較を始めた。最初に比較した点は、彼女たちが英語を練習する機会を得た場所である家庭、職場、学校のそれぞれに注目した。女性一人ひとりのファイルのデータを見なおし、これら3つの場所での彼女たちの英語使用に関するデータを分類した。その後、家庭、職場、学校それぞれを、章の形式に分けて、女性の体験が時間とともにどう変わっていくのかに注目し、対照的に分析した。この方法をとることにより、言語実践が特定の社会的な空間でどのように構造化されているのか、そして、家庭、職場、学校における力の制度的な関係が、どのように目標言語の多様な練習機会を提供したり阻止したりしているのかを理解することができた。しかし、この方法をとることで、それぞれの女性のさまざまな領域にまたがる複雑な言語学習体験を見失う傾向があった。たとえば、ある女性の職場における英語への投資や英語の実践が、家庭における英語への投資や練習/実践とどのように関わっているのかということを、納得のいく形で示すことができなかった。つまり、私はアイデンティティと言語学習の側面を歴史的時間からは捉えることはできたが、社会的空間を横断して捉えることはできなかったのである。

そこで、一人ひとりの女性についてまとめた章を書くことにした。この章のおかげで、私は歴史的時間と社会的場所の、両方の側面から相互対照ができるようになった。この作業を行う際、移民女性の言語学習者という立場が、どのように彼女らの英語への接触と練習/実践に影響を与えたのか、という問いに答えてくれるデータを探した。これは非常に価値のある作業で、この作業を通して、私は一人ひとりの研究参加者の全体的な人物像と、カナダにおける移民女性の経験に関する洞察を得ることができた。しかし、このようにまとめた章では、私が研究過程で記録したことすべてが、それぞれの女性に特有の「お話」であるように読めた。そのため、個人の経験の複雑さを捉えられたとしても、その経験をより大きな社会構造に結びつけるのは困難だった。そこで、私は次に、ジェンダーとエスニシティが生み出される日々の経験についての全データを分類するという方法をとった。これらジェンダーとエスニシティそれぞれの問題に関する章を書き、参加者相互を比較した。これは意味のある作業で、ジェンダー化されたエスニックアイデンティティが時と空間を越えてどのように構造化され、英語を練習 / 実践する機会がこの文脈の中でどのように理解されるべきかを検証する機会となった。とても興味深いことに、私は、エヴァとマイという2人の若い研究参加者と、カタリナ、マルティナ、フェリシアという3人の年上の参加者を、知らず知らずのうちに比較対照していた。そのなかで、年上の参加者の英語への投資の仕方が若いエヴァとマイとは違うことが明らかになった。というのも、年上の女性たちは、移民に先立って、母国で職業的にも家庭的にも築きあげたものがあり、カナダには子供と配偶者とともにやってきたからだ。母国で積み上げてきた生活の記憶の集積と、それぞれの家庭内での立場は、彼女たちがカナダの公的な世界と自分たちとの関係性をどのように理解するのかに重要な影響を与えていた。これはひるがえって、彼女たちが英語を話す機会をどのように作りだし、応答し、抵抗したのかにも影響を与えていた。

ジェンダーとエスニックアイデンティティの生産に注目したことには意味があったが、このアプローチの限界は、多くの言語学習に関する問題の中心にジェンダーとエスニシティ両方の生産があったという点である。ジェンダーとエスニシティを区別することは、小手先で議論を単純化する人工的なやり方であると感じることがあった。事実、ロード（Lorde, 1990）が述べているように、一方だけを扱って他方を扱わないのは偏っている。さらに、ンーが「エスニシティとジェンダーを別々の社会的現象として捉えられると思っていること自体が、経済活動と社会生活とを人工的に分離しようとする私たちの社会の産物である」（Ng, 1987, p. 14）と述べているように、ジェンダーとエスニシティの問題は、階級関係の組織化に不可欠な構成要素であり、それらが生じるより大きな社会的関係から切り離すべきではない。データを準備する段階になってはじめて、エヴァとマイという2人の若い女性と、カタリナ、マルティナ、フェリシアという3人の年上の女性の経験を、比較対照を使って分析整理することを決めた。このアプローチは、まだ職業的地位を確立していない若い独身女性の言語学習体験と、カナダに来る前に職業的地位を確立していた年上の既婚女性たちを比較する機会となった。同様に、英語を練習/実践する機会が空間（家庭と職場）や時（12か月の間）を越えて、どのように社会的に構造化されているのかをみる機会ともなった◆[5]。さらに、一度につき、参加者のうち2、3人だけの経験を比べることで、一人ひとりのデータ内および複数の参加者のデータ全体から興味深い比較ができるだけではなく、それぞれの女性の個人史やアイデンティティの変化を適切に捉えることができればと考えた。1980年代にヨーロッパで行われた欧州科学財団（European Science Foundation: ESF）のプロジェクト（Perdue, 1984, 1993a, 1993b）については、次の章で詳しく述べるが、興味深いことに、私が年齢を基準としてデータを整理したことは、彼らの主な研究結果とも一致していた。パーデューは以下のように述べている。

> 語彙の豊富さの点数を比較すると、毎日接触のある学習者のほうがより早く、よりうまく習得していることがわかる。接触の恩恵は次のように定義できる。より若く、母国でより高い教育を受け、同国人と結婚しておらず、子供のいない学習者は、接触から恩恵を受ける可能性が高いことが、少なくとも、語彙の豊富さの点数からは指摘できる。（Perdue, 1993b, p. 264）

著者解題

この研究はリテラシーそのものに焦点を当てたものではないが、最近のリテラシーを社会的実践とみる研究の見識に負っており、また、新たな洞察をもたらす可能性がある点は重要であろう。そのような研究は、バートンとハミルトン、ミッチェルとワイラー、ソルスケン、またニュー・ロンドン・グループといった研究者たちの研究と関連している（Barton & Hamilton, 1998; Mitchell & Weiler, 1991; Solsken, 1993; New London Group, 1996）。バートンとハミルトンは次のように記している。

> リテラシーを実践とする概念は、読み書き活動と、それらが埋め込まれ、同時に、それらが形づくる社会的構造との間のつながりを概念化する強力な方法を提供している。私たちが実践について語るとき、それは表面的な言葉の選択ではなく可能性、この見方が提供してくれるリテラシーの新たな理論的理解を意味する。(Barton & Hamilton, 1998, p. 6)

私の研究にとって、英国ランカスターで行われたバートンとハミルトンの研究結果が特に重要なのは、リテラシー実践は、その目的の1つとして、日常的にアイデンティティを表明し、作るという目的を持っているという点である。バートンとハミルトンは、時と空間の感覚を主張する方法として、自分のライフヒストリーを書き始めたハリーと、写真を通して生活を記録したジューン、テリー、ムムタスのケースを取り上げている。マイとマルティナの長いダイアリーは、ハリーのリテラシーの実践と呼応し、ジューンとテリーとムムタスの写真に対する投資は、私がマイとカタリナの家で大量の写真を何度も見せてもらったことと重なる。バートンとハミルトンによる以下の観察は、私の研究の中心にあったリテラシー実践について雄弁に語っている。

> 自分の生活を記録したいという欲求は、しばしば自分たちの生活の外に広がっていった。それはまた、家族、文化的集団、国家、世界の歴史といった幅広い文脈の中に自分自身を位置づける過程の一部となっていた。文化的少数派集団や故郷を追われた人々の場合、この実践を通し、アイデンティティの感覚を作ることができるのである(Barton & Hamilton, 1998, p. 241)。

第3章では、5人の女性たちの概略を紹介し、彼女らの物語を移民の言語学習者一般、特に移民女性に関する他の研究の文脈の中に位置づける。第4章では、2人の若い女性の物語に、第5章では年上の3人のストーリーに焦点を当てる。

注

◆1　このプログラムは現在検討されており、カナダのニューカマーのための言語指導（Language Instruction for Newcomers to Canada: LINC）と呼ばれている。

◆2　このアンケートは、ヨーロッパ科学財団のプロジェクトの参加者から得た情報と、多くの類似点を持っている。

◆3　本問題についての詳細は、van Daele（1990）を参照のこと。

◆4　例としては、Bailey（1980, 1983）、Bell（1991）、C. Brown（1984）、Cooke（1986）、E. Schumann（1980）、Schumann and Schumann（1977）が挙げられる。

◆5　第3、第4、第５章では、家庭と職場を言語学習の場として取り上げる。第７章では、女性たちの学校での教室におけるフォーマルな学習を取り上げる。英語を練習する機会が、時を越えて、どのように社会的に構造化されているかを探求するにあたって、本研究プロジェクトに先立つ参加者の言語学習経験の記憶をもとにする必要がある。

第3章

成人移民言語学習者の世界

> ESF（欧州科学財団）のプロジェクトでは理解に関する研究のほとんどが、学習者たちが立ち向かわなければならない矛盾した状況、すなわち、学習者がコミュニケーションするためには言語を学ばねばならないが、言語を学ぶためにはコミュニケーションしなければならないという状況、そして、この矛盾した状況が人種差別社会で起きているという気づきと懸念とに結びついている。（Bremer, Broeder, Roberts, Simonot & Vasseur, 1993, p. 154）

国際的な文脈

オーストラリアにおけるコミュニティ言語の発達についての研究の中で、クラインは、ヨーロッパやアジア、南アメリカの不安定で不平等な社会から、オーストラリアに逃れてくる移民の動向について描いた（Clyne, 1991）。この移民の波は、20世紀に世界史の中で起こった大きな出来事と同時期に起こっている。ロシア革命（1917）、第二次世界大戦（1939〜1945）、ソビエト連邦によるハンガリー侵攻（1956）、チリの社会主義政権樹立（1970）とその後のクーデター（1973）にともない移民や難民が、そして、ベトナムとカンボジア（1975）から中国系市民たちがオーストラリアへと入国した。これらの大量の居場所を失った人々の移動は、オーストラリアだけではなく、世界の他の地域にもみられ、20世紀のありふれた光景となった。最近の政治の不安定さがもたらした負の影響について、カナダの『バンクーバー・サン』紙が1999年5月6日に「900人の難民、コソボからブリティッシュコロンビア州に来る」という見出しで記事を書いている。このような国際的な移民の増加が契機となり、「国際的な巨大都市プロジェクト」(International Metropolis Project) という大きな研究が、世界のさまざまな地域の20を超える国々を対象として1995年に始まった◆1。その目的は、特に都市部における移民の影響を調査すること、政府やNGOの介入が、どの程度移民先の国への移民の社会的統合を促進するのかを検証することだった。

第二言語習得研究分野の研究者や教師たちは、次々と異なる国からやってきて、新たな国での言語の習得に挑んでいる成人移民に向きあっている。その結果、コミュニティを基盤としたプログラム、職場訓練、中等・高等教育、家族リテラシープログラム◆2などの観点をとり入れた、成人移民に対する公的な第二言語教育を提案する多くの研究が生まれている。1998年に出版された『プロスペクト』(*Prospect*) 誌の特集号では、オーストラリアの移民の英語教育プログラム (the Australian Migrant English Program) の困難と成功が詳細に記載されるとともに、スモークの編集による網羅的な論集が、北米の成人に対する第二言語としての英語教育 (ESL) の文脈における政治的な潮流と教授法の関係について検証している (Smoke, 1998)。しかし、成人移民の教室外における自然言語学習についての研究は、教室における言語学習についての研究に比べて盛んだとはいいがたい。ジョンソンは、社会文化的背景を含めた成人の言語学習に関する研究は驚くほど少なく、もっと関心が向けられるべきだと述べている (Johnson, 1992)。たしかに、アクトンとデ・フェリックス (Acton & de Felix, 1986)、クラーク (Clarke, 1976) など、成人移民による第二言語の自然学習を取り上げる際によく引用されている研究は、根拠のない推測に基づいている。この点に関し、クラインは以下のように述べている。

> 数年前まで、自然発生的な言語習得は、研究において重要視されてこなかった。今日でも多くの第二言語研究は指導をともなった学習を対象としている。さらに、自然発生的な言語学習を研究している者たちは、主に子供の第二言語習得にのみ注意を向けており、成人、または、第一言語を完全に習得し終わった年齢の人の自然習得に関わるものは非常に少ない。(Klein, 1986, p. 18)

クラインが述べているように、成人の自然習得の研究が進まないのは、明らかにデータへのアクセスのしやすさによるものである。教室内での SLA 研究のほうが、教室外の世界での研究よりもやりやすい。ただし、このような状況の中でも、成人移民の自然言語習得状況に関わる研究も複数行われており、主流派の SLA 研究者からも多少なりとも注目されている。そのような研究の 1 つが、1970 年代にアメリカのハーバード大学で行われたもので、もう 1 つは欧州科学財団により 1980 年代にヨーロッパ 5 か国で行われたプロジェクトである。ほぼ同じころ、ヒスパニック系の移民女性を対象とした大規模な地域 ESL リテラシー研究がアメリカで行われたが、主流派の SLA 研究者からはあまり注目されることはなかった。ハーバード大学の研究は第 6 章で詳述するが、ここでは、後者の 2 つの研究を取り上げ、移民女性を対象とした私の研究の重要な側面に焦点を当てたい。

欧州科学財団（ESF）の研究

成人移民の第二言語習得過程についてのもっとも意欲的な縦断的研究の 1 つとして、1980 年代中盤に行われた欧州科学財団（以下、ESF）によるものが挙げられる。研究の詳細は 1984 年に発表され（Perdue,1984）、より新しい研究の詳細と分析結果が 2 巻本として発表された（Perdue, 1993a, 1993b）。この研究の中で特に興味深いものは、ブレマーらによって著された、異文化接触における理解の達成についてである（Bremer, Roberts, Vasseur, Simonot & Broeder, 1996）。この研究は 5 か国で 5 年にわたって行われた、成人移民労働者の第二言語の自然習得に関する比較研究である。5 つの目標言語、6 つの母語と 10 の中間言語が含まれている。研究の第一の目標は、広く存在する化石化した中間言語と、第二言語習得の過程や決定要因を調査することであった。データ分析は主に、英語、ドイツ語、オランダ語、フランス語、スウェーデン語を学ぶ 26 人の調査協力者のデータに基づいている。これらのデータは、2 年半かけて、タスクと自然なコミュニケーション、あるいは、ロールプレイとシミュレーションを通して集められた。

ESF プロジェクトの大きな特徴の 1 つは、言語学習者と目標言語話者がコミュニケーションする際の、社会的、政治的な広い文脈にも焦点を当てたことである。そのなかで、他の問題とともに、成人移民はしばしば差別の対象となっていること、そして、それが社会的な相互作用に大きな影響を与えていることを指摘している。加えて、目標言語話者と言語学習者の間に生じる誤解は、言語/非言語を問わず、コミュニケーションはこう進むはずだという、それぞれの文化に固有の前提が異なることに起因するとしている。ESFプロジェクトは3つの大きな問いを立てているが、本書に特に関係するのは「母語話者と非母語話者がコミュニケーションする際の特徴は何か」というものである。この問いは、ESFプロジェクトの結論で、ブレマーらが中心的に論じた点であり、上述の本(Bremer *et al.*, 1996)の根幹をなしている(Bremer, Broeder, Roberts, Simonot & Vasseur, 1993)。

ブレマーらの知見と調査結果は広範囲にわたるが、その中でも以下の2点が特記に値する(Bremer *et al.*, 1993, 1996)。1つめは、ブレマーらが理解(understanding)という概念について、従来のSLA研究とは異なる見方を提案している点である。従来の、理解は聴解、読解の領域にあると考えていた研究とは対照的に、彼らは理解とは受動的ではなく、能動的な技能であり、学習者と目標言語話者との間で協働的に構築されるものだと論じている(Bremer *et al.*, 1993, p. 153)。彼らは、もし学習者、目標言語話者双方が意味交渉に能動的に参加するのであれば、言語は効果的に学習されることを示している。しかし、異なる民族間の接触の大半では、母語話者が学習者の理解を保証するのではなく、母語話者が理解できるよう努めることが学習者に期待されていると述べている。さらに、齟齬が生じているのに双方が気づかない「誤解(misunderstanding)」と、コミュニケーションの中ですぐに問題が明らかになる「理解の欠如(luck of understanding)」とを区別している。2つめは、ブレマーらは成人移民言語学習者が直面する、コミュニケーションをするためには言語を学ばなければいけないが、言語を学ぶためにはコミュニケーションしなければならない、そしてそれは往々にして社会文化的に難しい状況下で行われるという逆説的な状況に重大な関心を寄せている点である。さらにいえば、学習者がどうふるまえばいいかを学ぶには、コミュニケーションへの参加が唯一の方法ではあるが、学習者がどうふるまうかによって、参加できるかどうか評価されるという逆説について述べている。このような典型的なジレンマは、学習者が多数派と継続的に接触することで軽減される。しかし、学ぶ機会は官僚的で排斥的な接触に限られ、そこでは学習者は自分の限定的な目標言語能力と話し相手との間にある力の差という、二重に不利な立場におかれることになるとブレマーらは述べている。また、コミュニケーションにおける不均衡が軽減され、共有知識が明示的に構築されたときにはじめて、理解の難しさは和らぐと指摘している。この状況を達成するには、目標言語話者側の理解ある行動だけではなく、学習者側の理解の欠如を示そうとする意思も必要となる。どちらの場合も、メンツをつぶすことなく理解が達成されることを双方が保証することが必要である。

ESFプロジェクトは、その目標、成果ともに高く評価されるべきであるが、アイデンティティと言語学習の関係について、直接焦点を当てたものではない。ESFレポートの付録に学習者の経歴が載っており、学習者の簡潔な描写とともに示されているが、26名の協力者の個人史、記憶、欲望は分析の中心にはない。私の研究では、異なる生活領域における言語学習者の多元的なアイデンティティを幅広く分析することによって、言語学習についての重要な知見が得られることを示したいと考えている。

米国におけるヒスパニック系移民女性とリテラシー

ロックヒルが米国ロサンゼルスにおいて行ったヒスパニック系移民女性のリテラシーについての研究は示唆に富んでおり、英語リテラシーの習得と研究協力者の日常生活や経験とを結びつけた点において、ESFプロジェクトの研究と異なる（Rockhill, 1987a, 1987b）。ロックヒルは比較的多くの女性たち（約50名）を対象としており、5人を対象とした私の小規模なケーススタディとは異なるが、ロックヒルの研究は、アイデンティティと言語学習に関する私の研究成果を吟味する視点を与えてくれている。ロックヒルの研究におけるリテラシー概念は、第2章で論じたバートンとハミルトンの研究（Barton & Hamilton, 1998）と同様、単純な読み書きにとどまらないものであった。ロックヒルはこの点に関して、以下のように記している。「リテラシーは社会的な実践である。言説的かつイデオロギー的な実践でもあり、それは『教育を受けた』ことの象徴でもある」（Rockhill, 1987a, pp. 327-328）。ロックヒルがインタビューを行った女性たちは、直接文盲については語っていないが、英語を知らないことについて語っている。研究に参加した女性たちがおかれている社会的、物質的状況の中では、英語を学ぶことは非常に困難であるにもかかわらず、女性たちは英語でコミュニケーションできないことを恥じ、罪悪感を覚え、英語が上達しない自分たちを責めてもいた。すべての女性たちが学校に行きたい、英語を学びたい、文字が読めるようになりたいと述べてはいるものの、読み書きというものが夫や子供たちの権利ではあっても、自分たちの権利であるとは考えていなかったことを、ロックヒルは指摘している。才能があり、教育を十分に受けた女性たちでさえ、家族を優先し、自分たちに必要なものを後回しにしていた。これらの女性たちにとっての成功とは、どの程度子供たちや夫が成功できるかであり、彼女たちは自身のエネルギーを家族がよりよく暮らすことに注いでいた。

ロックヒルの研究は、リテラシーを社会的でジェンダー化された実践として掘り下げている点で、私の研究に大きな枠組みを提供してくれる。私は本書で、女性たちの英語の学び方や、英語との接触、英語を練習 / 実践する機会は、大部分が「女性」というアイデンティティによって構造化されていることを示したいと考えている。たとえば、私の研究では、年上の女性たちに比べ、子供のいない若い女性たちは、家事に対する責任も少なく、英語学習や英語話者と接触できるような仕事を見つけるためのエネルギーと時間があった。年上の女性たちは反対に、家事に対する義務と彼女らの英語を勉強したいという欲求との間で引き裂かれていた。ロックヒルの研究の中の女性たちのように、家族の欲求が優先され、彼女たち自身の欲求は二の次となっていた。第二言語学習はジェンダー化された活動であるという論を展開するにあたり、私は、私的空間の言語である母語の使用と公的空間の言語である英語の使用が、女性たちのアイデンティティ、そして、彼女らの英語使用実践と多様に交差している様子を探った。しかし、私の研究の参加者にとっては、英語の知識が教育を受けたことと同義ではないという点で、ロックヒルの研究とは対照的である。私の研究の参加女性は全員、比較的教育水準が高かった。しかし、彼女たちが憂慮していたのは、自分たちが受けた教育や経験は、カナダでは社会的価値がほとんどなく、彼女たちが本当に必要とした物質的資源へのアクセスをもたらすことがほぼないということだった。この現実は彼女たちが望む社会的ネットワークへのアクセス、階級アイデンティティ、英語を話す機会に重要な影響を与えていた。このような分析は、ロックヒルの研究にはない。私の研究はロックヒルのものとは異なり、縦断的なものであるうえに、私の研究参加者たちは、自身の体験を詳しく書くという方法を用いて、説明し内省することができたため、私は、彼女たちが移民女性、そして、言語学習者としてのアイデンティティをどうやって作りあげたのか、独自の知見を得ることができたのである。

移民女性にとってのカナダ社会

カナダへの移民という体験は、ニューカマーが世界のどこから来たのか、カナダのどの地域に移民するのか、そしてカナダの歴史のどの時点で来るのかによって異なっている。移民（という体験）の持つさまざまな意味は、カナダに移住する理由、カナダに来る前の体験、そしてカナダでの生活状況という点も考慮に入れて理解されなければならない。異なる背景を持った移民を受け入れ、尊重することを基本とするカナダ政府の多文化主義政策が存在する一方で、周縁化され、差別の対象になっている移民もいることが知られている。移民女性はこの点において特に弱者だといえるかもしれない。ボイドは、海外で生まれた女性が多くの場合、女性であるということ、海外生まれであるということ、そして彼女たちの出自や人種によって三重の意味で不利であることを明らかにした（Boyd, 1992）。結果として、特定の移民女性たち、特に来たばかりの人々やアジアや南ヨーロッパから来た人々は、しばしば社会経済的底辺に追いやられてしまう。さらに、ボイドは、移民女性は、カナダにかなりの年月いたとしても、同様の経歴の男性に比べ、公用語で会話を続けていくことができない人の割合が2倍も高かったことを指摘している。公用語を知らないということは、雇用機会が減ってしまうことを意味する。仕事が見つけられたとしても、同じ民族の人ばかりが働く、賃金の低い、言葉を使う必要があまりない職に就かざるをえない傾向にある。英語またはフランス語の知識がない女性の10人中7人は、サービス、加工、製造の仕事に就いている（Boyd, 1992）。以下では、エヴァ、マイ、カタリナ、マルティナ、フェリシアのそれぞれに固有の経験の真の姿を理解するために、5人の女性たちの物語を大きな社会歴史的な文脈の中に位置づけてくれるカナダでの研究を概観する。

ンーのバンクーバーにおける移民女性の研究

1978年の夏、ンーは移民女性の経験が、カナダの社会的、経済的な文脈において、どのように位置づけられているかを探る研究を行った（Ng, 1981）。ンーは特に「移民」や「エスニック（異民族）」というラベルが貼られるようになる社会的過程に焦点を当てた。ンーは永住権を取得した移民の中で、「エスニック」とみなされない人たちがいる一方で、カナダに50年以上居住しているにもかかわらず、依然移民とみなされる人々がいることを指摘している。私の研究にとって大切なのは、移民女性のエスニシティが大きな意味を持つのは、彼女たちの暮らしの中で、社会的組織と関わりがあるときだというンーの指摘である。つまり、社会福祉、労働市場、教育制度との関わりで、彼女たちがどのように位置づけられるかということである。ンーは次のように述べている。

> 移民女性のエスニシティ（異民族性）は彼女が、たとえば、バスの運転手、スーパーのレジ係、社会福祉士といった人々と社会的な関わりを持つとき、決定的に重要となる。エスニシティという属性は、外見が異なっていることや特定の場所で適切にふるまえないという事実を根拠として導き出される。自分のエスニシティのせいで、彼女は無能であるとみなされることになる。これが、エスニシティが障壁となって移民の前に立ちはだかってくる瞬間である。（Ng, 1981, p. 103）

ンーは、移民女性のカナダでの体験と母国での体験の違いは、単なる文化的な違いではないという事実を強調している。母国では、移民女性は適切な方法でふるまうことができ、外見的な違いも、より大きな社会でのやりとりにそれほど影響しない。カナダ社会、もしくは、その意味においてはいかなる新しい社会でも、個人の適切なふるまいは、その社会がどのように回っているのかという組織形態に関する常識的な知識を前提としている。移民女性がより大きな社会の成員と接触するとき、エスニシティは規定され、再生産される。日常の世界がどのように動いているのかということと、その世界に対する移民女性の知識や理解に乖離があると、エスニシティが強化されてしまうとンーは述べている。

カミングとギルのインド系カナダ人の研究

ンーはカナダの移民女性におけるエスニシティの構築に興味があったが、カミングとギルは、言語教育がある移民女性の集団に対してどの程度役立っているのかという点から研究を行った（Cumming, 1990; Cumming & Gill, 1991, 1992）。パンジャブ語話者の少人数の女性グループ向けに、2 言語を使った ESL リテラシー（識字）クラスと託児サービスが、バンクーバーの地域団体によって週に 2 回、午後に無料で行われていた。研究者たちは、女性たちがなぜ ESL の読み書きを勉強しようとしているのか、そして、日常生活の中でパンジャブ語と英語の読み書きをどのように使っているのかを明らかにしようとした。私の研究に関係して興味深いのは、彼女たちが、平均で 6 年（長い人で 13 年）カナダにいるにもかかわらず、誰ひとりとして英語話者の友達や知人がいなかったことである。近所の人とときどき英語で話す人が 1 人、そして定期的に清掃の仕事をしている人が 1 人で、たまに守衛さんや清掃会社の代表と話すと言っていた。ときおり英語話者が路上で彼女たちの赤ちゃんについて話しかけることはあったが、教育的介入以前には、女性たちはほんの少ししか英語を練習する機会がなかった。この観察に基づきカミングとギルは、第二言語を練習する機会が社会の多数派との私的な接触を通して得られるとする、カナダ社会の言語政策者たちの間に流布している見方に異議を唱えることになった。さらに、カミングとギルは「成人の動機や第二言語を学習する可能性を概念化する際に、ジェンダーは考察すべき基本的な事項である」（p. 248）としている。彼らの研究の中の多くの女性たちにとって、優先事項は、家族の世話をすることであり、家事であった。家事が終わった後にやっと、教育という贅沢を楽しむことができたのだ。加えて、ほとんどの場合、有能な英語話者である夫たちが大きな買い物をしたり、公的な機関と交渉したりといった公的な世界との交流で主たる責任を負っており、それが女性が多数派の社会と持つ交流の範囲や質をさらに制限していた。

ゴールドスタインの二言語使用の職場の研究

ゴールドスタインはカナダの別の場所で、異なるグループの学習者を対象に、二言語生活と言語選択についての批判的エスノグラフィを行った（Goldstein,

1996)。トロントの多文化 / 多言語の工場でその研究は行われ、そこでは多くの労働者がポルトガル語話者の移民女性たちだった。この研究は、オンタリオ州で働く移民の労働者たちにとって、仕事上の責任を果たすために必要だと考えられているコミュニケーション方法に関する思い込みに再考を迫るものであった。英語を使用することは、利益より、社会的、経済的コストにつながっているという結論が、私の研究と特に関連性が高い。工場では、ほとんどの生産労働者はポルトガル語話者で、ポルトガル語は製造ラインで働く「大家族」としての結束と所属意識の象徴として機能しており、彼らはお互いに姉妹、兄弟、娘と呼びあっていた。ポルトガル語の使用は、職場の家族がお互いに持っている権利や義務、期待と結びついていた。たとえば、製造ラインを維持したり、人員の穴を埋めたりといったことなどだ。母語がポルトガル語であれ、イタリア語であれ、スペイン語であれ、彼女たちが製造ラインで仲間のネットワークにアクセスするためには、カナダで広く使われている英語ではなく、少数派の言語であるポルトガル語を話さなければならなかった。職場で英語を使ったポルトガル語話者は、共同体のメンバーをバカにしたと責められ、職場の象徴的、物質的リソースへアクセスできなくなる危険性があった。ゴールドスタインは、友達関係や仕事を助けてもらうことの価値を低くみてはいけないと述べている。作業効率についての基準を満たすために、労働者たちは同僚からの助けが必要だからである。私が第 4 章で述べるように、この結果はマイの職場での経験に直接関わっている。

同時に、ゴールドスタインは英語への接触は、ポルトガル語話者家族のジェンダー構造と力学、および労働者たちがおかれたカナダ社会の政治経済的な階級を考えることなく理解することはできないとしている。製造ライン以外で、安定した給料のより高い仕事についているポルトガル語話者のほとんどは、英語話者との接点を持っており、工場で働き始めるまでに英語の読み書き能力を身につけていた。後者のグループは主に、カナダに 16 歳以前に移民してきて、英語が使われる学校に通ったことのあるポルトガル語話者の男女だった。カタリナやフェリシアの夫のように、ポルトガル人男性は、母国やカナダでの仕事を通して英語話者への接触を持っていたり、カナダ政府によって提供されている正規の英語学校に通ったりしていた。女性たちが正規の英語学校に行く機会がなかった理由には、教室に男の子が多すぎるという父親からの反対、家事に対する義務、夜に外に出ることが怖いから、自信がないからなどがあった。ゴールドスタインは、ポルトガルで4年しか学校に通ったことがない労働階級の女性たちは、工場での製造ラインの仕事やポルトガル語を使う仕事よりいい仕事があることを目にしたことがないと記している。

バーナビー、ハーパー、ノートン・ピアースのリーバイス工場における研究

この他にも、カナダの職場での英語学習に関して移民女性が直面する難しさを浮き彫りにした研究がある。これはリーバイス社（カナダ）の委託を受けて行われたもので、1990年代初頭、バーナビーとハーパーとノートン・ピアースが、カナダのリーバイスの裁縫工場3か所のESLプログラムの評価を行った◆[3]。調査の目的は、3つの工場の職場の英語学習プログラムが、関係者にどのような社会的影響を及ぼしているのか評価するものであり、これら3つの工場の労働者は主に女性たちであった。研究では、英語を練習する機会はほとんどないことが明らかになった。工場では、社会的な会話がほとんどみられず、時間給ではなく、出来高払いによるストレスの高い環境と、耳栓をすることが義務づけられるほどの騒音が、状況の悪化に拍車をかけていた。工場監督者はライン従業員ともっとも接触があったが、彼らは、ときに「リーバイス英語」と揶揄される型にはまった英語でコミュニケーションする傾向があった。友人関係は、基本的には共通言語に基づいており、英語話者は、ほとんど非英語話者とつきあいを持っていなかった。食堂では、従業員は共通言語を話す人同士で座る傾向にあった。

さらに、多くの非英語話者は、英語の能力の欠如、そして自分はカナダ人ではないという認識から、工場の中で周縁化されていると感じていた。たとえば、非英語話者の中には、工場監督者が、カナダ人をひいきして、扱いやすいジーンズの束を割り振ったりするとき、自分たちが搾取されないように英語を話さなければならないと言う者がいた。また、英語が話せないために自身が無力だと感じている者もいた。多くの者は、工場内のESLプログラムに参加する機会がなかったが、それは、周縁化された経験によって、沈黙することに慣れてしまったからだった。加えて、女性たちの家庭内の生活はESLプログラムへ

の投資にさまざまに関わっていたが、皮肉にも、多くの女性たちが、ESL プログラムに参加しないことの原因となっていた（Norton Peirce *et al.*, 1993）。多くの女性たちにとって、職場は、退屈な家庭生活から解放される場所であり、彼女らは自分の独立を危険にさらすことは、わずかでもしたくなかったのだ。ESL コースに参加すれば、仕事上の要求に応えられなくなり、仕事を失ったり、カナダでの数少ない友達をなくしたりするのではないかと恐れている女性もいた。また、家族の中で唯一の稼ぎ手で、その日暮らしをしている女性もいた。彼女らは持てるエネルギーのすべてを家族のために稼ぐことにあてたいと思っており、英語のクラスをとることで、出来高払いの仕事の効率が悪くなり、生産性が落ちるのではないかと恐れていた。さらに、妻が自分より教育水準が高くなることを嫌がった夫の反対によって、ESL クラスに参加しなかった女性もいた。

モーガンの移民女性たちとのアクションリサーチ

もう少し楽観的な研究として、モーガンの移民女性との、地域を基盤としたESL 教室のアクションリサーチがある（Morgan, 1997）。そのクラスはトロントで行われており、ESL 教師たちが、どのようにすれば教室内で社会的不平等を扱えるのか、いい例を示してくれている。中国からの移民女性たちが多数を占めるクラスでイントネーションを教えたときのことについて、彼は次のように書いている。

> この活動でもっとも特徴的なのは、社会的な権力とアイデンティティの問題を最前面に押し出すことにより、文レベルのアクセントとイントネーションは、ジェンダーとエスニシティに基づく社会的関係を（再）構築する戦略的資源となりうるという、より深い理解が促進されたように思われたという点である。

批判的な研究方法を使いながら、彼は発音という一般的な領域に、どのようにすれば、彼が言うところの「解放の可能性（emancipatory potential）」をもたせることができるのかを調査した。学習者は言語的なニーズと切り離せない社会的なニーズと強い願望を持っており、それを言語教師が認識する必要があるという点が彼の研究の中心的な論点であり、この点は私の研究においても必要不可欠な点である。

研究参加者の略歴とアイデンティティと言語学習

程度の差はあれ、上述したヨーロッパ、アメリカとカナダの研究は、移民の言語学習者たちが目標言語話者たちとコミュニケーションする中で、矛盾する立場に立たされていることを明らかにしてきた。移民の言語学習者は、言語を練習して上達するために社会的ネットワークへのアクセスが必要だが、その一方で、彼らが、これらのネットワークにアクセスすることは困難である。なぜなら、共通の言語があることが、ネットワークにアクセスするための前提条件だからだ。しかし、これらの研究では、特定の学習者の声とそれぞれの個人史、独自の未来への欲望が欠けている。このような個人史的な見方は、アイデンティティと言語学習の関係を理解するために重要である。ワイラー（Weiler, 1991）が述べたように、集団としての「女性」（women）というカテゴリーは、異なる人種、階級そして性的指向をもった女性たちを意味すると同時に、個人としての「女性」（woman）というカテゴリーは、多元的であり、時間によって移り変わる主体でもある。さらに考えてみると、「移民女性（たち）」は、画一的なグループで、教室であれ、コミュニティであれ、言語学習体験が共通する人々だと考えるべきではない。一人ひとり異なる５人の女性の、特定の場所や時間における声と個人史と欲望を描くことで、私はアイデンティティと言語学習の関係をより深く理解したいと考えている。そこで以下では、５人の女性を簡潔に紹介し、第４章と第５章でより詳述する導入としたい。

エヴァ

私がエヴァと初めて会ったとき、彼女の人懐こく、寛容な様子が非常に印象的だった。1967年にポーランドで生まれた彼女は、高校を卒業し、20歳でポーランドを出るまでバーテンダーとして働いていた。1989年に難民としてカナダに来る前の２年間、エヴァはイタリアで暮らし、イタリア語が流暢になった。彼女は学校でロシア語を習い、彼女が言うところのチェコスロバキア語とユーゴスラビア語◆[4] もわかったが、カナダに来る前は英語をまったく知らなかった。エヴァが移民したのは、経済的に有利な条件を求めたからで、カナダを選んだのは移民を積極的に受け入れていた数少ない産業化した国だったからだ。彼女は家族も友人もなく1人で来たが、ニュータウンには1人知りあいがいた。カナダに来てすぐに、エヴァはヤヌシュというポーランド人の男性といっしょにアパートに移り、ポーランド人ではない男性からのアプローチを拒んだ。エヴァは「私にとって、ポーランド出身の人のほうが好ましかったです。私のことをもっとわかってくれるからです。カナダ人とは違って」と述べ、ポーランド人のパートナーを選んだのは偶然ではないと言っている。家庭はエヴァにとって避難場所で、家庭内の状況は心地よいもののようだった。エヴァの家ではほとんど英語は話されず、たまにテレビを見たり、英語のラジオ局から流れる音楽を聴いたりする程度だった。

エヴァがニュータウンに来たとき、彼女が「イタリアの店」と呼ぶイタリア人街の中心地近くにある店で仕事を見つけた。エヴァ自身、最近の移民たちと同様、店の近くに住んでおり、イタリア語が流暢だということもあって、この仕事を手に入れた。彼女はイタリアの店で好かれていたが、それは多くのイタリア系カナダ人がこの店を利用しており、彼らはイタリア語で接客されるのが好きだったからだ。エヴァはその店でとても幸せだったが、英語を習いたいと思っているにもかかわらず、店では英語を練習する機会がないことが心配になり始めた。そのため、カナダに来てたった2か月で、ニュータウンにあるオンタリオカレッジの語学研修プログラムに入ることができたとき、彼女はとても喜んだ。エヴァは「イタリアの店」で働く時間を減らし、1週間に一度、土曜日だけ働くことにした。エヴァが語学研修プログラムを終えた後、彼女は英語が上手になれる場所での仕事を本格的に探し始めた。そして、彼女はニュータウンのレストラン「マンチーズ」で仕事を見つけた。そこでは、英語が流暢ではないのは彼女だけだった。マンチーズは高所得層向けのファーストフード店で、街の中でも流行の最先端の場所にあった。エヴァはいろいろな仕事をこなすフルタイムの従業員で、もっとも大切な仕事は、店の掃除と料理の材料の下ごしらえだった。マンチーズでの彼女の経験は、次の章でより詳しく述べる。

エヴァはカナダに来て幸せを感じていた。「カナダは『移民にとっていい国だ』

と考えている人がいます。あなたはそれが本当だと思いますか。説明してください」というトピックの作文で、彼女はこう書いた◆[5]。

> 私はその意見に賛成します。他の移民たちがどのように考えているのかわかりませんが、私自身は、この見方を支持する例をあげることができます。カナダ政府は、移民たちがこの国で定着するのに必要な基本的な技術を身につけるためのプログラムにお金を使っています。新しく来た人たちにとってもっとも大切なことは、英語でコミュニケーションできるようになることです。英語を習うことに興味がある人のために、地元の学校が昼も夜もさまざまなコースを提供してくれています。同時に、要件を満たした移民は、政府の経済的支援を受けられ、ほとんどの時間を学ぶことに費やせます。政府は移民が、以前の仕事と関係のある仕事を探すことを助けてくれます。全体的にみて、カナダは移民にとっていい国です。政府だけでなく、一般の人々も新しい国への同化という困難な過程において助けようとしてくれます。

エヴァは英語が上手になっていると感じていた。「私は外の世界とコミュニケーションできます。自信を持って、カナダ人と話すことができます。それに英語を話すことが必要とされる場所で仕事ができます」と彼女は書いていた。自分の進歩について説明するために、彼女は次のように教室と自然習得の言語学習の違いについて書いていた。「第二言語としての英語のコースは、英語の基礎を学ぶのに役立ちました。その後、日常生活で英会話を毎日練習することで、もっと流暢になりました」。しかし、彼女は、カナダ社会の社会組織のせいで、英語を練習する機会が常にあるわけではないことをよく理解していた。

> 英語学習を助けてくれる友達を作るのは難しいと思います。社会的生活の中で異なる人に出会うチャンスがあまりないというのがその理由です。仕事と結びついていない会話が、英語を学ぶ過程で非常に役に立つということがよくあります。

カナダに来てから2年後、エヴァは自信を持ってカナダ人と話すことができるようになり、主流派である英語話者がするような仕事が見つけられる自信も得た。ただ、英語が流暢になるために、さらに練習する必要があることをわかっていても、仕事以外でカナダ人と会う機会は多くなかった。彼女が「家ではポーランドコミュニティの中にいる」と言ったように、英語話者の世界と彼女の世界の間には隔たりがあった。しかし、この隔たりは、単なる違いというだけではない。エヴァは外の世界とコミュニケーションできていたにもかかわらず、外の世界から周縁化されていると感じていた。「私のくせのある発音のせいで、他の人から移民だとみられます。だから私はまだ移民だと感じます」と彼女は言っている。

マイ

エヴァと同じように、マイは若く、度胸があり、元気だった。彼女は1968年にベトナムで生まれ、カナダに1989年10月に来た。そのとき、彼女は21歳だった。彼女は、年老いた両親といっしょに、「自分の未来の人生のために」移民した。マイの父親は中国人で、母親はベトナム人だった。マイは広東語もベトナム語も堪能だった。英語についての知識は、カナダに来る前はまったくなかった。マイは9人兄弟で、そのうち2人はカナダに住んでいた。ニュータウンに住むそのうちの1人が、マイのビザの保証人になった。カナダに来る前、マイは他の国に住んだことがなかった。マイは、カナダに着いたときから、1992年5月に結婚するまで、ニュータウンの兄の家に住んでいた。結婚して夫の家族が住む隣町に引っ越した。兄の家には、彼女の兄夫婦、3人の甥、彼女の母と父が残された。第4章で詳述するように、マイの家では、英語がかなり話されていた。甥たちが3人とも英語しか話せなかったためだ。ただ、エヴァとは異なり、家は外の世界からの避難場所とはなっていなかった。

マイはカナダに来る前に高校を卒業していた。そしてベトナムで裁縫の訓練を受けていた。1990年1月、ESLコースを始める前に、短期間、マイはニュータウン地域の箱詰め工場で働いた。ESLコースを終えるとすぐに、ニュータウンの小さな裁縫工場で仕事を見つけ、結婚するまでそこで働いた。マイはフルタイムで働いていたにもかかわらず、オンタリオカレッジで夜のESLコースを続けていた。当初、マイの裁縫工場の仕事では、英語を聞いたり話したりする機会がたくさんあった。マイは、カナダで生活していれば、英語がたやすく学べると言っていた。なぜなら、「ここでは、私は仕事に行かなくてはいけないから。私は仕事でたくさんの人に会います。みんな英語を話します」と言っている。それにもかかわらず、第４章で述べるようにこの状況は、従業員が一時解雇されたとき、劇的に変化した。マイは、最終的には学校に戻って専門的な学位をとることを望んでいた。

マイはカナダに来てから最初の２年間、多くの困難に直面したが、移民したことについては肯定的に、以下のように書いていた。

> カナダの人はとても親しみやすく、親切です。大きな国だから、多くの会社や工場や農場があって、たくさん仕事があります。英語の知識や経験はそれほど必要ではありません。人々はカナダに来てすぐ、容易に仕事を見つけることができます。それにカナダ政府も移民の生活をとても気にかけています。政府は６か月学校に行くことを支援してくれます。もし仕事を見つけられなければ、カナダ政府の雇用移民局に行くことができます。多かれ少なかれ、そこに行くと大変な時期を乗り越えるための、何らかの支援が得られます。

マイは、カナダ人は親しみやすく、親切だと書いていた。彼女は裁縫の技術があったため、仕事を得るのになんの問題もなかった。しかしながら、エヴァとは異なり、このような仕事は、英語能力とはあまり関係がなかった。彼女はカナダ政府が提供する社会福祉事業にも驚いていた。ただ、このようにカナダ人とカナダ政府に対する肯定的なコメントをしていたにもかかわらず、マイはカナダでまだ移民だと感じると書いていた。彼女の発音は別にしても、マイは白人カナダ人と同じ外見を持っておらず、知らない人からもすぐに違っていると思われると言った。これらの理由から、自分がカナダ社会の主流派の一部だと認識されることはないだろうと書いていた。

> 私はカナダにおいては移民です。たとえ私がこれからの人生すべてをカ

ナダで過ごしたとしても。なぜなら、私はいろいろな点でまったく違うからです。訛り、習慣。ときどき、私のことをよく知らない人が、あなたは中国人ですかと聞いてきます。こんなことがあると、私は自分のことを中国系カナダ市民か移民であると考えます。

英語学習に関連して、マイは「私は英語が読めます、書けます、そして話せます。話しかけられても、多くのことは理解できます。そして、必要なときには、私から話すことができます」と述べ、自分の英語がカナダに来て以来、大きく伸びた点に自信を持っていた。そして、英語学習においていちばんの助けになったのは、「職場のコミュニティ、テレビを見ることと本や新聞を読むこと」と述べている。エヴァのように、マイは英語を友達や家族内の英語話者とは気楽に話せたが、知らない人や職場の上司のように、自分より上の立場にいる人と英語で話すときは緊張した。ただし、マイは家庭で個人的な問題が生じたときは、英語を使うのが不安になったと述べており、この点は重要な点であるといえる。

私は英語を話すときはほとんどの場合、何か問題があるとき以外は落ち着いて話せます。問題があるとき、その問題がいつも心にあり、そのため、落ち着いて英語が使えなくなります。

カタリナ

カタリナは、ポーランドで1955年に生まれ、1989年4月に夫と当時6歳だった娘マリアといっしょにカナダに来た。一家は「共産主義が嫌い」という理由でカナダに移民し、カトリック教会が難民のビザの保証人となった。カナダに来る前、家族は1年、オーストリアで過ごした。カナダに来たとき、母語であるポーランド語以外に、カタリナはドイツ語とロシア語が少しできた。カタリナは英語についての知識がなかったが、夫はポーランドで国際貿易の仕事をしていて、英語を仕事で使っていたため、ある程度英語が上手だった。ニュータウンに来てから、エヴァと同じ建物の中に2LDKの部屋を借りるまでは、保証人の家にしばらく住んでいた。ポーランドで、カタリナは生物学の修士号を持つ教師で、彼女の夫も同等の経歴を持っていた。カナダに来た当初は、カタリナはドイツレストランで調理補助として８か月、フルタイムで働いた。それから、ESLのコース修了後、コミュニティサービスと呼ばれる組織で家事代行のパートの仕事を見つけた。この仕事は、日常的に英語を話す機会があった。1990年９月、彼女は英語のレベルをさらに上げるために、英語力上達クラスに入ったが、1991年の初めごろ、高校（12年生）のESLのコースに移った。12年生のESLの修了証をもらってから、18か月間のコンピューターのコースに通い、1992年12月に卒業した。彼女の将来の計画は、給料の高い、よい仕事を見つけることだった。

カタリナは、多様な人々が暮らしているカナダでは、多くの人が幸せに暮らしていると書いていた。

> ほとんどの人は、カナダでは幸せです。多くの人々が、第二次世界大戦後に来ましたが、ここ何年かの間に来た人も多くいます。多くの人は、オーストリアやドイツ、ギリシャやイタリアで１年か２年過ごしました。オーストリアはきれいな国で、訪れるにはいいですが、住むにはあまりよくありません。他の国籍の人は、あの国であまり幸せではありません。なぜなら、ほとんどの人がそこで生まれた人だからです。移民たちは、カナダで幸せです。なぜなら、いろいろな国籍の人がいることに気づくからです。カナダでは、生活水準が高いです。政府が勉強する機会を与えてくれます。夫がいないシングルマザーも政府から支援が得られます。働けない人や仕事を見つけられない人は、社会福祉が受けられます。私は、カナダは移民にとっていい国だと思います。

カナダでの生活水準は高く、カナダ政府から移民には支援が与えられていたが、カタリナは自分の移民という立場に対し相反する感情を持っており、カナダの主流派の社会に受け入れられているのかどうか確信が持てずにいた。彼女はカナダ社会で著しく不利な立場におかれていると感じていた。なぜなら、彼女は高い教育を受けたにもかかわらず、英語が流暢ではなく、また、すべての時間を英語学習に費やせるほど経済的支援もなかったからだ。「私は自分の国では教師でした。17年も勉強しました。でも、英語を上手に話せません。5年から7年は英語を勉強しなくてはいけないけれど、そんなお金はありませんから」◆6。彼女は英語のしっかりした教育と知識は人生に選択肢を与えると書いていた。その選択肢とは、たとえば、いろいろな仕事ができるということだった。「他の人とコミュニケーションでき、考えていることがきちんと説明でき、仕方なくするのではない仕事ができると、人生は楽になります。なぜなら、しっかりした教育を受け、かつ英語のよい話し手だからです」とカタリナは述べている。

ただ、カタリナは英語の学習に進歩があり、カナダ人と話すことができ、新聞を読み、ラジオを聞き、テレビを見て理解できることを喜んでいた。彼女は、当初、教室での言語学習が英語の上達の役に立つと、大いなる信頼をおいていた。1990年12月、彼女は教師、そして教科書が英語を学ぶのにもっとも役に立つと述べていた。「もっとも大切なのは、教師です。次に大切なのは、教科書です」。しかしながら、1年後、カタリナはその意見を少し変えた。ESLクラスの価値を認めながらも、彼女は人々と話したり、言語だけを教えるのではないクラスを受講したりすることの価値を強調していた。エヴァやマイと同様、カタリナは、友達と英語を気楽に話すことができた。しかし、教師や、医者のような専門職の人とはそれほど気楽には話せなかった。そして、「私は1人または小さいグループでは気楽に英語で話せますが、大きなグループで話すのは緊張します」と付け加えた。

マルティナ

マルティナはチェコスロバキアで1952年に生まれ、1989年3月、37歳のときにカナダに来た。夫ペトルと彼女の3人の子供（当時ヤナ17歳、エルスベット14歳、ミロス11歳）といっしょだった。彼女は「子供たちにとってよりよい生活」のために、カナダに来た。カナダに来る前、マルティナは19か月をオーストリアで、1か月をユーゴスラビアで過ごした。マルティナの母語はチェコ語だったが、学校でスロバキア語とロシア語も習った。オーストリアでビザを待っている間、ドイツ語も話せるようになった。彼女も夫も、カナダに来る前は英語を知らなかったが、子供たちは、オーストリアで英語の研修を受けた。マルティナと家族は、公式には難民として位置づけられていて、カトリック教会がビザの保証人だった。ニュータウンに来たのは、保証人が彼らに家を見つけたからだ。彼らの部屋は一軒家の地下で、うるさく、とても高かった。1年後、マルティは、エヴァとカタリナが住んでいるのと同じ建物内に2LDKの部屋を見つけた。ペトルが仕事を見つけてウィンチェスターに1991年7月に移るまで、1年間そのアパートに住んでいた。

チェコスロバキアでは、マルティナは、測量士としての専門学位を持っていた。マルティナがニュータウンに来たとき、彼女はファーストフード店の調理補助として働いていたが、ESLコースを始めるとき、その仕事を辞めた。ESLコースを辞め、家族でウィンチェスターに移ってから、彼女は10か月の英語スキルアップコースに入った。ウィンチェスターでは、マルティナは地元のコミュニティカレッジでレジ係の仕事を見つけ、同時に税務申告書作成者養成コースをとった。彼女はクラスでトップの成績で卒業した。将来について、マルティナは、見通しがあるわけではないが、やりがいのある仕事がしたいと言っていた。

12月、マルティナは、英語の能力のせいでいい仕事を見つけるのが難しいと述べていた。「私は仕事を怖がっているわけではないし、今よりも英語が上手になれば、たぶん仕事は見つかるだろう」と言った。しかしながら、1年後、彼女は自分がしたいと思うような仕事は、カナダでの（何らかの）経験が求められていて、英語の知識だけでは仕事を得ることは難しいと考え始めるようになった。「私は測量士のような、数学をたくさん使う仕事をしたいです。仕事を得るためには、私はもっと英語が必要だと思っていました。でも、今はそれが本当かどうかよくわかりません。どこに行っても、カナダでの経験や照会人を求められるからです」と述べている。マルティナの夫ペトルも配水管工だったが、自分の専門分野で仕事を見つけるのに非常に苦労しており、何度も一時解雇されていた。これは、マルティナの家族にとって大きなショックだった。チェコスロバキアでは、失業するとは想像もしていなかったからである。マルティナは「とても難しいです。すべてのルールが違うからです。私の国では、すべてのものが国有で、すべての申請書類は政府のもとに送られました。そして、自分たちがしっかり働いてさえいれば、仕事を失うかもしれないと怖れる必要はありませんでした」と言っていた。彼女の家では、英語はほとんど話されず、職場では、ほとんど英語を練習する機会はなかった。さらに、彼女が住んでいた地域には、英語話者があまり住んでいなかった。「私にとって英語を話すことは大きな問題で、もしニュータウンに移民が多かったら、英語を話し、間違いを直すチャンスは少ないです」と述べる一方で、彼女は自分の英語が上達しており、英語でさまざまな仕事ができるようになったとも言っていた。

マルティナはカナダに来るという家族の決断に対して、相反する感情を持っており、「とても親しみやすく、親切な人もいますが、その反面、私たちを利用する人もいます」と、カナダでいい体験も悪い体験も両方したことを書いていた。そのようなカナダでの不愉快な経験と仕事の不安定さにもかかわらず、マルティナはまだカナダは移民にとっていい国だと思っていた。「能力と勇気」のある勤勉な人は、カナダで幸せな人生を送ることができるのである。

> 世界中で景気がよくない今の時期でさえ、カナダは移民にとっていい国だと思います。特に勤勉な人にとっては。カナダはとても大きな国で、もし若かったら、自分の想像力を信じ、あちこち行くことができます。まず、人々と話したり、人々が言っていることを理解したりするために、英語を学ばなければなりません。そして、もし自分の専門分野の仕事を見つけることができなければ、何らかのコースで勉強して、そのあとで、自分の能力と勇気を頼りに、よりよい仕事を見つけることができます。

マルティナは、カナダにおいてはまだ移民であり、カナダ人よりも価値のない人だと感じると言った。「(特に私が仕事を探しているとき) 私のくせのある発音のせいで、私に価値がないかのように扱う人もいました」と彼女は書いていた。マルティナは英語が上手になれば、そのような扱いも変わるだろうと思っていた。なぜなら、「カナダ人の中には、英語で上手にコミュニケーションできない人にうんざりしている人もいた」からだ。彼女が英語を話すのが簡単だとは思わなかったのは、母語のときと同じように、物事を完全に説明することができなかったからだ。「英語を母語とする人々の中で英語を使うとき、居心地が悪く感じます。彼らは何の問題もなく流暢に話すからで、私は劣っていると感じます」と付け加えていた。

フェリシア

5人の女性の中で、もっとも年上のフェリシアは、ペルーのリマで1945年に生まれた。彼女は1989年3月に、永住権を持つ移民として、専門職のビザを持っている夫と3人の子供たちといっしょにカナダに来た。当時、上の2人の男の子たちは16歳と14歳、下の女の子は6歳だった。彼らは「テロがペルーで増加しているから」カナダに来た。研究に参加した5人の女性の中で、フェリシアはカナダに来る前、もっとも裕福な生活をしており、唯一いくらかの英語の知識があり、北アメリカに旅行で来たことがあった。彼女の家族は、リマの高級住宅街に住んでおり、海辺にコテージを所有していて、週末には保養に出かけていた。彼らがカナダに着いたとき、「私たちが住んでいたところみたいだから」ニュータウンに来た。彼らは、中流階級の地区にある3LDKのマンションに住んでいた。その地区に住んでいる人々はほとんど年老いた人々で、英語が第一言語だった。そして彼らは1992年にニュータウンに家を買った。

フェリシアの母語はスペイン語だが、イタリア語とポルトガル語もわかった。彼女の夫と2人の息子は、ペルーにある英語で授業を行う私立学校に通っており、夫は仕事でも英語を使っていたため、カナダに来る前から英語が流暢だった。末っ子の娘のマリアは、公立の小学校で、すぐに英語を身につけたが、スペイン語が家庭内で使われる言語であった。フェリシアはペルーで小学校の教師としての経験があったが、子供ができたときに仕事を辞めていた。カナダでは、ただのパートとして新聞配達をしたり、フェアローンズレクリエーションセンターで、ベビーシッターをしたりして働いていた。将来は、「何か仕事になるような勉強をする」ことを望んでいた。

フェリシアと彼女の家族は、カナダで非常に大きな感情的、経済的ストレスを感じていた。フェリシアの夫がカナダで自分の専門分野の仕事を見つけることができなかったからだ。彼は、数えきれないほど多くの仕事に応募し、何度も面接を受けたが、適した仕事を見つけるのに苦労した。フェリシアは、この苦しい立場はカナダ人の移民に対する差別のせいだと考えていた。フェリシアは、5人の女性の中で唯一、カナダに来てから不幸だとはっきり述べ、1990年6月に次のように書いている。

これまでのところ、ここでの生活はとても静かできちんとしていると思います。でも、私たちはこの国で、自分たちが生きていく道をまだ見つけることができません。ときどき、私は、移民を見下すカナダ人もいるように感じます。その理由はわかりません。「すべて」のカナダ人が他の国から来ているではありませんか。カナダは移民によって成り立っています。カナダ領事館の役人たちは、自分の専門分野で経験があり、大きく成功している人は、この国では仕事を見つけにくいとはっきり真実を伝えるべきです。カナダ人は、ここには差別がないと思っていますが、私はそうは思いません。この先、私の意見が変わればいいなと思います。

1 年半後でも、フェリシアは考えを変えていなかった。彼女は 1991 年 12 月に、専門職を持つ移民たちは、共産主義国から来た人や貧困の中で生きてきた移民より、カナダで苦労すると言っていた。こういう人々は、「どんな仕事でもできる」とフェリシアは言っていた。裕福な人にとって、母国と同じような恵まれた生活を送ることは難しいと述べながらも、いったん子供たちが根をおろしてしまうと母国に帰ることも難しいと言っていた。フェリシアにとって、カナダで唯一いいことは、比較的平和で法が守られていることだった。

カナダはある種の移民にとってはいい国でしょう。共産主義の国から来た人は、ここで幸せだし、国で何も持っていなかった人もここでは幸せです。どんな仕事でもできるし、物を手に入れることもできます。でも専門職の人々と裕福な人々は、カナダに来てたくさんのものを失います。彼らは、母国でカナダ領事館の人が言ったような歓迎を受けていません。たくさんお金を使いますし、子供たちが人生の道を見つけてからは、帰ることも難しいです。専門職や裕福な人々にとって、チャンスを見つけることは難しく、無為に人生が過ぎていきます。私が見つけた唯一のいい点は、テロがなく、泥棒が少ないことです。

フェリシアは移民としての体験に失望し、カナダへのどんな帰属も否定した。彼女は移民としてラベルづけされることに強く抵抗し、ペルー人としてのアイデンティティに逃げようとした。カナダに住んでいる裕福なペルー人としての帰属意識があり、彼女自身「偶然ここに住んでいる外国人」だと考えていた。

> 私は、カナダで自分のことを移民だと思ったことはありません。ただ、偶然ここに住んでいる外国人であるとだけ考えていますし、また、カナダ人だと思うこともこの先もないでしょう。なぜなら、カナダは親しみやすい国ではないからです。カナダは人々を受け入れていますが、それは自分たちが必要としているからであり、助けたいからではありません。

ただ、フェリシアは自分の英語がカナダに来てから伸びたと言い、彼女が言うところの「練習、練習、練習」の必要性も認識していた。彼女は、スペイン語を習いたがっているカナダ人女性と定期的に家で会っていた。彼女は、職場で聞いたり話したりすることで英語が上手になったと書き、「私と働いている女性たちが話しているのを毎日聞くのは役に立つ」と書いていた。ただ、マイのように、彼女はときどき、英語を学ぶのは難しいと言っていた。「なぜならここでの生活は心休まるものではないからです。私はたくさんのことをしなければならないし、勉強する時間も充分にないからです」と、その理由を述べている。フェリシアもエヴァやマイ、カタリナと同じように、「私は、よく知っている人とは気楽に話せます。知らない人と話すときは、緊張しています」と、英語話者の友達とは気楽に話せたが、知らない人と話すときは緊張したことを教えてくれた。つけ加えて、彼女は英語を話すためには自信を持つことが大切だと述べていたが、そのような自信は、英語が上手なペルー人の前では消えてしまった。

> 知っている人、特に英語とスペイン語の会話の練習をするために会っている女性と話すときは、気楽に英語を使うことができ、また自信を持って話すことができます。知らない人と話すときは緊張するし、英語を正しく話せるペルー人の前では、英語が話せません。

著者解題

ここで紹介した5人の女性たちはすべて、よい言語学習者であることを指摘しておかねばならない。ダイアリースタディに参加するという機会を逃さなかったのは、日常的に英語に触れ、英語を練習しようという意欲の表れである。彼女らは英語で話そうという強い意欲を持っていたが、周縁化という状況におかれたときには、話すのに困難を感じていることがデータから明らかになった。女性たちが引け目を感じる状況では、話すことに対し不安を感じていた。これは学習者が内気な性格だからというわけでもないし、間違いを犯したくないという思いからでもない（Rubin, 1975）。ほとんどの場合、これらの女性が周縁化されたと感じたのは、個人的特性からではなく、移民として位置づけられたと感じたからだ。彼女たちはカナダ人と違うところはなく、同等の能力を持っていると感じていたが、マルティナの言葉を借りれば、カナダ人より「価値がない」としばしば感じていた。このように彼女たちは日々のやりとりの中にある社会的な権力関係に敏感であり、唯一、よく知る友人たちと話すときにだけ安心感を覚えていた。

フェリシアの物語を除く、これらの物語に共通するものとして、カナダ政府は移民に寛容で、困難な状況にあるときには十分な社会保障を提供してくれると彼女たちが思っていることがあげられる。エヴァ、マイ、カタリナ、マルティナは政府の公的な政策と日々の生活におけるカナダ人とのやりとりの経験を区別していた。マルティナは「世界中で景気がよくない今の時期でさえ、カナダは移民にとっていい国だと思います。特に勤勉な人にとっては」と述べている。彼女たちは全員、カナダ政府は手厚い保健および社会福祉制度を持っており、特定カテゴリーの移民向けの語学研修コースのために多額の資金を提供していると認識していた。加えて、彼女たちがカナダで経験してきた否定的な出来事の多くは、経済的な状況と関連があった。エヴァは仕事を見つけるのに苦労し、マイの職場では人員の削減があった。カタリナと彼女の夫は専門分野での仕事が見つけられなかった。マルティナは自分の専門分野では職を見つけることができず、夫のほうは一時解雇もされた。そして、フェリシアと彼女の夫も専門分野で仕事を見つけられなかった。そのため、彼女たちがカナダに持ってきた象徴的リソースは、彼女らの就職先では通用しなかった。これは年上の女性たちに特に当てはまることであるが、もし、彼女たちがそれぞれの専門分野でなんとか仕事を見つけていれば、英語話者の社会的ネットワークに比較的容易にアクセスでき、英語を話したり、練習したりする機会も得られたかもしれない。

第４章と第５章ではそれぞれ、エヴァとマイという２人の若い参加者、カタリナ、マルティナ、フェリシアという年上の参加者の物語の綿密な分析を行う。それぞれの女性のアイデンティティの多元性は理解してはいるが、それぞれの女性の英語への投資に関わる、特に重要なアイデンティティだと思われるものについて把握を試みた。さらに重要なことは、これらの女性の物語は「彼女たちの」物語であるということだ。私は、彼女たちの出来事に対する解釈とカナダ社会における文化実践に対する理解を真剣に受け止めた。彼女たちが理解しているとおりにこの世界を理解することを目指し、さらに、出来事に対する彼女たちの解釈が正しいか、本当かといったことは問題にしなかった。アイデンティティと言語学習についての理解に努めていたため、言語学習者が理解するとおりにこの世界を理解することが必要不可欠であった。

注

◆１　https://metropolis-international.org/ を参照のこと［原著の注に掲載されている URL、www.international. metropolis.blobalx.net はリンクが切れている］。

◆２　Auerbach（1997）、Benesch（1996）、Burnaby（1997）、Morgan（1997）、Roberts, Davies and Jupp（1992）、Wallerstein（1983）を参照のこと。

◆３　Burnaby, Harper and Norton Peirce（1992）、Harper, Norton Peirce and Burnaby（1996）、Norton Peirce, Harper and Burnaby（1993）を参照のこと。重要な点として、これらの出版物はそれぞれの時点での最新の実践を記録したものではあるが、特に出来高制に関しては、これらの職場では数多くの変化があったことがあげられる。

◆４　エヴァはチェコ語とスロバキア語、そしてセルビア語とクロアチア語、スロベニア語、マケドニア語の区別はしていなかった。

◆５　参加者の作文には、特に理解を阻害するものに関しては、小さな修正を行った。

◆６　カタリナと彼女の夫は十分な可処分所得がなかったにもかかわらず、将来における技術職の確保を視野に入れ、カタリナの資格を向上させるために資金を使っていた（第５章を参照のこと）。

第4章

エヴァとマイ：歳よりも大人びている

> 盗まれた白い地に生まれた私たち子供は、そこには自分の根っこを見つけることはできない。自分たちの手で安全で小さな家を作って、憩いを見つけなければならない。（Yee, 1993, p. 19）

エヴァもマイも英語の能力を伸ばしたが、その方法も理由も異なっていた。この章では、この2人の若い女性たちの生活と経験に対する私の理解を描いて、投資、アイデンティティ、言語学習の関係を検討する。特にある場（家庭）でのアイデンティティ構築が、別の場（職場）でのアイデンティティ構築とどう関わっているのかに注目したい。マンチーズ（エヴァが働くレストラン）での体験については、エヴァが働き始めた当初、彼女の象徴的、物質的リソースが職場で価値を持たないものだったため、どのように周縁化され、沈黙させられたかを明らかにする。この周縁化は、エヴァの職場での仕事、英語が流暢ではなかったこと、自民族中心的な力関係から説明できる。エヴァが同僚たちに、しだいに受け入れられ、認められるようになるまでには数か月を要したが、彼女は英語話者の社会的ネットワークにアクセスし、英語を話す機会を増やすことができた。どのようにして、この変化が起こったのか、詳細は後述する。マイに関しては、彼女の家庭の言語状況を描写し、その状況がより大きな家父長的、物質的、人種差別的な社会構造という文脈の中でこそ、よりよく理解できることを示す。彼女の英語学習への投資は、家庭での家父長的な構造に抵抗し、私的な領域で、自分のアイデンティティの意味を変えたいという欲望と照らしあわせて理解する必要性を示唆する。ここでは、マイの職場が、なぜ、どのようにマイに英語を使う機会を与えたのか、そして職場で力を持つ言語が移り変わるにしたがって、そこでの言語実践と英語を使用する機会がどのように変わったかを考察する。ひるがえってこの変化が、どのように、マイの家庭と職場におけるアイデンティティと英語に対する投資を脅かしたのかについても述べる。

エヴァ

「私は、カナダ人と同じ可能性を持っていると思う」

エヴァがなぜ英語に投資するのかは、彼女がカナダに来た理由、彼女の将来の計画、そして彼女の移り変わるアイデンティティと照らしあわせなければ理解できない。エヴァがカナダに来たのは、カナダには仕事があり、大学に行ってビジネスの学位をとるという最終的な目標があったからだ。エヴァは、自分がしたい仕事をし、行きたい大学に行き、移民というアイデンティティを払拭するためには、英語をうまく話す必要があると思っていた。言い換えれば、英語は彼女にとって、公共の世界、エヴァの言うところの「外の世界」につながるための切符としての価値を持っていたのだ。彼女には子供がおらず、家事の責任もほとんどなかったことから、自分のキャリア目標を達成するために時間を費やすことができた。

エヴァの家庭：避難場所

エヴァは英語学習にかなりの投資をしていたが、私生活ではポーランド人でいることを望んでいた。第3章で述べたように、エヴァはポーランド人のパートナーと暮らすことを選んだが、それはカナダ人の英語話者より、ポーランド人の彼のほうが彼女のことをよく理解してくれると思ったからだ。彼女の友だちはほとんどポーランド人で、私生活では「ポーランドコミュニティ」に住んでいると言っていた。彼女は家では英語のテレビを見て、英語の新聞を読んでいたが、彼とは常にポーランド語で話していた。「ポーランド人とは英語で話せません。やってみない、しないっていうか、やってみようとしても、すぐにポーランド語に変わってしまうんです。ポーランド語で言ったほうが簡単なので」と述べている。ポーランドコミュニティの中にある彼女の家は、エヴァにとっては避難所のようだった。そこでは、彼女は尊敬され、慕われ、そして比較的自立した生活ができていた。

エヴァの職場：移民から大切な同僚へ

彼女の職場「マンチーズ」は、エヴァが日常的に英語に接触し、英語の練習ができる唯一の場所だった。従業員の中で、非英語話者は彼女だけで、最近カナダに来た移民も彼女だけだった。他の従業員も店長もカナダ人の英語話者だった。マンチーズはファーストフード店だったため、主な仕事は、客から注文をとり、その注文を他の従業員に伝え、客から代金を支払ってもらうこと、食べ物の下準備をし、テーブルと床を掃除すること、在庫を確認し、そしてそれを店長に伝えることだった。その中で話さなくてもいい仕事は、掃除することと、食べ物と飲み物の準備だけだった。他の仕事は、ある程度の英語力が必要とされていた。

エヴァは居心地がよく、安定した職場であった「イタリアの店」をやめ、英語を練習するために職場を変えた。しかし、エヴァがマンチーズで働き始めたとき、彼女に与えられたのは、床やテーブルを掃除したり、ごみを出したり、飲み物の準備をしたりといった「きつい仕事」ばかりだった。これらの仕事は、1 人でする仕事で、他の人と英語で話す機会がないだけではなく（「私は 1 人で仕事をして、他の人は違う仕事をしています。誰と話せばいいのでしょうか」）、「バカ」な人の仕事だと捉えられていた。エヴァは英語の環境におり、英語話者との接触もありながら、職場での社会的なつきあいをする機会も、客と英語で話す機会もなかった。エヴァが職場の社会的ネットワークや客と接触するまでの道のりは、長く、険しいもので、社会的な力との関係が複雑にからみあっていた。ここでは順に、エヴァが同僚たちの英語の社会的ネットワークや、なじみ客たちとの接触から遠ざけられていた様子、その後、同僚たちに受け入れられていく過程と、その結果、職場で手に入れた待遇について論じる。そして、エヴァの英語を使用する機会を分析と結びつける。

職場での英語話者からの締め出し

エヴァは、英語を使用するためには、職場の社会的ネットワークの中に入る必要があるということを理解していた。つまり、同僚としての社会的関係や結びつきを作らなければならなかったのだ。しかし、社会的ネットワークは職場において価値のある物質的、象徴的リソースを持っている人たちに有利に作られていた。そういう人たちは、店の中で「よい」仕事をしている人たちで、英語が流暢だった。エヴァはどちらのリソースの面でも不十分だと感じていた。エヴァは誰もしたがらない、地位の低い「きつい仕事」をしていた。結果として、彼女は同僚からあまり認められず、同僚は彼女と交流を持ちたくないと思っていると感じていた。

E◆[1]：どうしてかというと、私が話しかけなかったときは、誰からも話しかけられなくて。たぶん私のことをただの、……それは、私の仕事は最低の仕事だったから。まあ、当然でしょう。

B：どうしてそうなんですか、エヴァ？

E：私が働き始めたとき、アイスクリームを作るところにいたり、ごみの片づけをしたりしていて、誰もそんなことしたくないですよね。

エヴァは彼女の仕事と職場での立場について、鋭く観察していた。彼女はごみ出しなど「最低の仕事」をする人で、自分には職場で話す権利がないと思っていた。最低の仕事をする人は、職場にあまり貢献しない「バカ」な人だと思われているとエヴァは説明した。

B：前に手紙で一度質問したと思うんだけど、どうしてみんなに尊重されることがそんなに大切なんですか。どうして他の人があなたをどう思っているか気にかけているんですか。

E：私は、他の人に「バカ」って思われたくないんです。何も知らなくて、床を掃除するだけの人だというように。

このような関係が言語学習と結びついていることについて、エヴァは以下のようにはっきりと述べている。

> 私１人で全部しなければならなくて、誰も私のことを気にかけていないなら……私はどうやって話しかけたらいいでしょう。あの人たちは私のことを気にかけていないと聞いたし、私も彼らに笑いかけて、話しかけたくありません。

エヴァは自分がもっとも嫌がられる仕事をしているから、職場の同僚が誰も彼女に話しかけたいと思わないのも当然だと思っていた。同僚たちはエヴァが「バカ」で、「何も知らない」と思い込んでいた。エヴァが言ったように、同僚たちがエヴァのことを気に留めないから、彼女は同僚に笑って話しかける自信が持てなかった。つまり、エヴァが英語の練習をする機会を持てないことは、技能のない労働者を教養がないとみなして言語実践から排除する、この職場の社会的な力関係によっても構造づけられているのだ。ただ、現実はこの説明よりもっと複雑である。データ収集の後半で、マンチーズの同僚の１人が「私はカナダ人じゃない人と働きたくない」と言ったとエヴァが指摘したのだ。つまり、エヴァは「最低の仕事」をしている移民であるという事実が、マンチーズでの周縁化を助長していた。このように周縁化されたことが、エヴァのアイデンティティに影響を与えただけではなく、英語を練習する機会をも制限したことは、特記に値する。彼女は自分の仕事、彼女自身、そして他の人との関係に肯定的になれないことから、同僚との会話に入っていくことができなかった。彼女はたしかに、社会的ネットワークに快く受け入れられていなかった。重要なことは、エヴァの高い情意フィルター（Krashen, 1981, 1982）が彼女の持つ固定的な個人的特性ではなく、職場における不平等な力関係の中で作りだされたということである。さらに、エヴァの英語はそれほど滑らかではなく、他の人にとってわかりにくいものだった。

> 「マンチーズ」は、私が英語でコミュニケーションできるようにならなければならない最初の場所でした。他の人を理解したり、話したり、会話したりするのは、本当に大変でした。いっしょに休憩をとる機会がたくさ

んあって、彼らは何か話していました。話題がわからないこともあったし、わかる場合でも、会話に入るための正しい言葉が十分にわかりませんでした。英語を話すのに問題があって、私が何か言っても、他の人がわからなかったりしました。会話をするのは難しかったです。その理由は、人と話したり、会話を始めたりするには、私の単語が少なすぎたからでした。

エヴァは第3章で述べたような、ジレンマに陥っていた。レストラン内の社会的ネットワークにアクセスするためには英語能力が必要とされ、しかし、その社会的ネットワークにアクセスできなければ、英語を上達させることができなかったのだ。つまり、英語を使用する機会が少ないという状況は、逆説的に、エヴァの英語能力が限られていたことによって作りだされていた。また、重要なことに、エヴァが職場の社会的ネットワークから排除されていることによって、エヴァを搾取する状況も作りだされていた。

職場では1日に30分の休憩があります。そこでは、しなければならないこととか、その日の計画について話します。もし、時間が余ったら、他のことも話しますが、だいたい私はあまり話しません。なぜかというと、話している内容がわからないか、私が話さないようなすごくバカなことを話しているからです。もうちょっと説明しましょう。私といっしょに働いている女の子は19歳で、少し変わり者です。その子はずっと話していて、それに、もう書きましたが、彼女が話していることは、とてもバカなことです。みんなその子の話を聞いて、笑っています。仕事があっても、その子は一人ひとり回って、同じことをくり返します。その子の分まで、私は1人で仕事しなくてはいけません。私が何も言わないって思っているから、私は利用されています。いつか、私が英語がもうちょっと楽に使えるようになっても、あの人たちは気づかないでしょう。気づきたくもないでしょう。あの人たちは、自分たちが話している間に仕事を押しつけられる人がほしいから。あの人たちのせいで、私はずっと忙しいんです。

エヴァの社会的ネットワークからの排除が搾取に等しいとする理由の1つは、

彼女が自分の権利を守るために英語を使うことができなかったためである。彼女ははっきりとその事実を「私が何も言わないって思っているから、私は利用されています」と認識しており、エヴァの英語が上手になったとしても、それは同僚たちの利益にはならないとエヴァは感じている。社会的ネットワークは力の象徴なのだ。周縁化の過程を通して、職場における支配的な社会的ネットワークや力のある言語へのアクセスがない人に、望まれない仕事を押しつけることができる。そのような状況の中で、エヴァの権利は尊重されていなかった。エヴァは特に同僚のゲイルにいら立っていた。ゲイルはエヴァと同年代(ひょっとすると何歳か若いかもしれない）だが、この抑圧に加担していた。彼女らは2人ともよく似た仕事をしていたが、2人の間に連帯感はなかった。エヴァにとって同僚たちが、彼女よりもゲイルを尊重することが何よりも許せないことだった。ロックヒル（Rockhill, 1987a, 1987b）の研究の中の女性たちのように、努力しているにもかかわらず、エヴァは職場で最低の仕事をしていると感じ、また自分の英語を恥ずかしく思っていた。

はじめのうちは、エヴァが英語で接客することも、同僚たちとの会話同様、制限されていた。マンチーズの店長はエヴァが客への対応をきちんとできるという確信がなく、どうしようもないときだけエヴァに接客をさせていた。たまにエヴァがレジに立っていると、店長はエヴァのまわりをうろついて、エヴァを不安にさせた。それで彼女は失敗してしまうこともあった。もう一度言うが、エヴァの情意フィルターが高いのは、個人的特性によるものではなく、彼女の話す能力を制限する不平等な力関係によって作られたものであった。

E：誰かが夏休みをとっていたりして、（人手が足りず）私が注文をとることになって、私がレジに入るでしょ、そしたら店長が来て、私が何を言っているか聞いているんです。彼女が私のミスを探しているんじゃないか、何かミスをしたんじゃないかって思ってしまいます。
B：状況がより悪くなるってことですか。（店長のせいで）もっと緊張しますか。
E：んー……はい。

しかし、エヴァの不安は、話すタスクと書くタスクを同時にすることができないということにも起因していた。つまり、客の注文を聞きながら、それを同時にメモするということである。マンチーズの従業員たちには、両方の作業を同時にこなすことが求められており、それはノートン・ピアースら（Norton Peirce, Swain & Hart, 1993）で述べられているように、非常に難しいものである。

> 彼ら［管理職］は、私が仕事をちゃんとこなせるかどうか心配しています。私はお客さんとしゃべりません。なぜならお客さんと話す自信がないから。お客さんと話す時間が十分ないから。そして、たとえばゲイルは「いらっしゃいませ。調子どう？」という感じで、すべてのお客さんと何か話します。でも、私には時間がありません。

重要なのは、自信の欠如や不安がエヴァの英語への投資を損なわなかった点である。彼女は英語を学ぶことに対するやる気を失わなかった。職場での孤立無援の立場に反し、イタリアの店には戻りたいとは思っていなかった。そこに行けば、みんな彼女の仕事を尊重し、気持ちよく自信を持って働けるにもかかわらずである。

> どう言えばいいかな。［イタリアの］店では、私がそこで感じることを気にしなくてもよかったです。仕事があって、私に大事な仕事を任せてくれました。私はちゃんと仕事ができているって思えました。でもあそこ［マンチーズ］では忙しいときはドリンクを作ります。でも私にはいっしょに仕事する人がいません。私に他の人たちといっしょに仕事をさせたくありません。どうしようもないときだけです。

職場で英語話者との接触を得る

数か月後、エヴァは職場の社会的ネットワークの壁を突き破ることに成功し、接客にも自信が持てるようになった。この成功は、職場の内外で行われた社員活動、そして、エヴァ自身が職場の社会的関係にどう働きかけ、どう周縁化に抵抗したかと結びつけることで、ある程度説明できる。ウォルシュが取り上げた学生たち、ウィリスの少年たち、モーガンの女性たちと同じように、エヴァは自分が周縁化されることに甘んじていなかった（Walsh, 1991; Willis, 1977; Morgan, 1997）。彼女は、職場で同僚に何も提供しない教育のない移民と位置づけられることをよしとはしなかった。

職場外での活動との関連でいえば、マンチーズでは会社の方針で、約１か月に１回、職員を招いて、他のレストランに食べに行くことになっていた。これは、エヴァが「最低の仕事」にふさわしい「バカ」な人と位置づけられていた職場の環境から抜け出し、彼女の若さと魅力を象徴的リソースとして発揮できる機会となった。また、同僚たちがエヴァのボーイフレンドに車で送迎してもらう機会にもなった。担当する仕事によって力関係が決まるマンチーズという職場の枠組みの外では、異なった人間関係が生まれていった。同僚の目に映ったエヴァのアイデンティティは、より複雑なものになり、エヴァと彼らとの関係も変わってきた。社会的交流も大きく変わる可能性が開かれつつあった。

B：ここでは、ゲイルのほうがあなたより大事にされているって言っていたと思うんですけど、今でもそうですか。

E：今はそれほどでもないです。ときどきはそうだけど。前はもっと感じていました。

B：どうして？　どうしてそうだったと思うんですか、エヴァ。

E：どうして？　どうしてかわかりません。そう感じるだけです。

B：あなたがしていた仕事のせいですか。床の掃除をしたり、そんなことをしていたじゃないですか。

E：たとえば、昨日、私たちが出かけたとき、店長が、彼女は私より１歳だけ年上なんだけど、「あなたは働いているときとぜんぜん違うわね」って言ったんです。私が働いているときは、私がきつい仕事をしているときは、わからないけど、私はここにいるのと違うんです。

トゥーイーは小学校の言語学習者を対象とした研究において、ジュリーという名の幼い女の子が自分の味方になってくれる大人や子供を見つけだし、幼稚園の教室の中でより強力なアイデンティティを発揮しようとした例を紹介している（Toohey, 2000）。トゥーイーは特にジュリーの学校外でのアイデンティティが、英語話者とのコミュニケーションにも影響を与えたのではないかと述べている。午後はよく、ジュリーはいとこで英語が上手なアガサと、運動場で遊んでいた。アガサは幼稚園には通っていなかったが、この時間的には限られた教室外での、強く長期にわたるつながりが、教師や他の子供たちのジュリーへの見方に大きな影響を与えていたのではないかとトゥーイーは論じている。同様に、エヴァの同僚たちが、職場外では、つながっていて損はない人として、エヴァのことを認識し始めた可能性がある。実際には、エヴァのアイデンティティは当初考えていたより多彩であることがわかり、エヴァに対して好意的に対応するようになった。

レストランの中での活動との関わりでいうと、エヴァは徐々に責任の重い仕事に就くようになった。より高い地位と尊敬が得られるにつれ、気楽に話せるようになっていった。

> 今日は特に職場で驚かされることがありました。普通は店長が朝、みんなに何をしなくちゃいけないか言います。その子（その子については以前書きました）が、ずっと忙しいふりをしています。これでは、私が仕事をすべてしなければなりません。今日は店長が私たち（それぞれに別々）に仕事のリストをくれました。私は驚きましたが、あの女の子はもっと驚いていたようです。その後、私が自分の仕事を全部終えたら、彼女（店長）は、必要な野菜の注文をするように言いました。私がするのはきつい仕事ばかりでしたが、今回は違いました。それで気分がよくなりました。気分がいいときは、他の人ともっと話せます。今日、いつもよりたくさん話しました。

エヴァは同僚よりもいい仕事をしたいというわけではなく、彼らと対等に仕事がしたいと思っていたと説明してくれた。このおかげで、他者と会話する可能性が大きく広がった。

B：つまり、よりよい仕事をしていたら、他の人と話せるようになるということですか。
E：いい仕事じゃなくて。この仕事をしているのは私だけじゃないですし。

私はずっとレジがしたいわけじゃないんです。それは無理なのはわかっていますし。でも私がゲイルと同じ仕事をしているのは、私たちが同じポジションだから。

B：なるほど。つまり、２人がいっしょに働いているとき、あなたは気分がよくなって、話せる。でも、働いているのがあなただけで、他の誰もがしないようなことをしていたら、当然、話しにくくなる。

E：うんうん。

私はエヴァの仕事の内容と英語を話す機会の関係について、より詳しく聞いた。彼女ははっきりとその関係について話してくれた。

B：じゃあ、もうちょっと知りたいんだけど、あなたがどんな仕事をしているかが、英語を話すか話さないか、英語を話すことをどう感じるかに影響を与えているってことですか？　言い換えると、職場で責任を持つ仕事をして、他の人にあなたが認められれば認められるほど、気楽に英語が話せるようになるってことですか？

E：そうだと思います。たとえば、彼女［店長］は私が全部できると知っています。たとえば、下準備のこと。私は下準備の担当なんですけど、店長は私と話すのが好きで、私も店長と話すほうが気楽で、ときどきは、たとえば、休憩のときに、店長はこれをしなくちゃいけないとか話すんです。たとえば玉ねぎとか。私はもうわかってるんだけど、店長はわかってないんじゃないでしょうか[◇1]。だって、全部気づけるわけじゃないですから。

B：だから、店長はあなたが役に立つことを認めてくれている。

E：私は店長の役に立つし、それを店長も知っています。

しかし、エヴァは職場での構造的な関係が変わり、英語を話す機会が増えるのをただ待っていただけではなかった。彼女は同僚たちがお客さんに話すのを聞く機会を見つけだしたり、また社会的な会話に参加したり（同僚を驚かせたが）、レストランの運営全般に予期せぬ方法で貢献したりと、職場で行動を起こした。次の引用では、職場の同僚たちが、どうお客さんと話しているのか、エヴァが注意深く聞いていた様子を描写している。

E:私、お客さんの注文をとり始めたんです。たとえば、ベーコンサンドウィッチだと、BLT っていうから。

B：そのとおり、「ベーコン、レタス、トマト」。

E：そうですよね。お客さんがときどき、それが何かわからなくて、私が全部説明しなくちゃいけないんですけど、私には難しいんです。だって他の人は英語を上手に話せるから、それほど難しくありません。それに、書きながら話すこと。これはいつもできるわけではありません。昼食の時間帯は、それがさらに難しくなります。なぜって、注文をできるだけすばやくとらなくちゃいけないから。でもそれはまだ大丈夫です。私は他の人がどうやって説明するのかを聞いて学べるし、それを横で聞いて、同じことをすればいいんです。カナダ人がしていることだから、それは正しいわけですし。

エヴァは、同僚たちの会話の中にも入ろうとした。彼女の目的は、職場の人に自分の来歴を知ってもらうことで、自分が持つ象徴的リソースの価値を認めてもらいたいということであった。これには同僚たちも驚いた。

B：エヴァ、前に言っていたでしょう。他の人と話し始めたって。そこで働いている人たち。

E：ええ、なぜって、前は。

B：そこにいる人はみんなカナダ人？

E：ええ。そこにいる人はみんなカナダ人で、私にじゃなくて自分たちだけで話していて、私は他のことをやらされていたから、嫌な感じだったんです。今も、あまり変わってないけど、やらなくちゃいけないことがあります。私は話そうとしています。

B：どうやって？

E：たとえば、30 分の休憩があるんです。ときどき、話に入ろうとします。たとえば、カナダについて、ここの何が好きだとか、どんなところが好きだとか。

B：旅行に行くところ？　バケーションで？

E：ええ、そしたら、私はヨーロッパの生活はどうだって話し始めるんです。そうすると私に質問してくるでしょう。でも、それはまだ難しいんですけど。うまく説明できないから。

B：どうやって会話の中で何かを言うチャンスを見つけますか。お互いに話しているとき、彼らの話を止めるんですか。

E：いいえ。

B：じっと待っている。それで、どう言うんですか。

E：いいえ、みんなが話し終わるのを待ってなんかいません。みんなが話していることについて、私が何か言えるときを待っているんです。

B：あなたが話し始めたとき、みんな驚きましたか。

E：少しね。

ここではっきりとしているのは、エヴァは、ブルデュー（Bourdieu, 1977）の言うところの、英語の「正統な話者」（legitimate speaker）としてみられようとしていることである。ブルデューは、誰かの発話が正統的言説（legitimate discourse）であるためには、4つの条件が必要であると述べている。第1に、「ペテン師」（imposter）ではなく適切な人物によって話されること。たとえば、司祭だけが、宗教的な言葉を話す権限を与えられている。第2に、正統な状況で話されなければならないこと。たとえば結婚の誓いは、結婚式でだけ行われるのが妥当であろう。第3に、正統な受け手に向けて話されなければならないこと。たとえば、幼い子供は学問的講義の正統な受け手ではない。第4に、正統な音声的、統語的形式で話されなければならないこと。このコミュニケーションでは、休暇についての会話で、エヴァは自分が話せる部分を抜け目なく判断した。彼女は、カナダの旅行先について話せないため、多くのカナダ人があこがれているヨーロッパでの休暇について話したのだ。彼女は同僚たちがこのような発話の正統な受け手だと判断したのだ。状況は正統で、彼女は「彼らの話題の中で、自分が何か言える機会を」注意深く選んだ。彼女は、正統な音声的、統語的形式で話すことには難しさを感じていたが、相手が理解できるように話すことができた。彼女が正統な話者と考えられたかどうかは明らかではないが、同僚たちは彼女が話に参加したことにいくぶん驚いていた。それでも同僚たちは、ヨーロッパの生活について質問することによって、彼女を会話に受け入れた。

エヴァはまた、同僚たちの生活に自分がいろいろな形で役立つことを示すことにより、社会的なネットワークにアクセスしようとした。エヴァは店長が、夫を驚かせるためにイタリア語を習うことを手伝ったと言っている。

B：だから、ヨーロッパとかについて話していたとき、他のことについて質問されましたか。どんな反応でしたか。

E：いくつか質問されて、それから言葉について話しました。店長はイタリア人と結婚しているから、私はいくつかの言葉をイタリア語で教えてあげました。

B：マンチーズでイタリア語を話さないようにしていたんじゃないんですか。

E：（笑い）いいえ。彼女は英語話者です。そして彼女の夫も英語を話します。店長は彼を驚かせたいだけなんです。

B：みんなあなたがイタリア語もできるから感心したでしょう。

E：うーん。みんなもう知っていました。他の言葉もできるかって聞かれたこともあったから、私はロシア語とチェコ語がわかるし、それからドイツ語を習ったこと、それから、イタリア語もよく知っていると話しました。みんな驚いたと思います。

第3章で議論したように、ブレマーらは目標言語話者と学習者のコミュニケーションは、双方が理解しようと積極的に動いたときに、いちばん生産的であると述べた（Bremer *et al.*, 1993, 1996）。これらのデータからわかることは、目標言語話者が学習者と同じぐらいに会話に投資したときには、理解を達成するために、学習者はよりいっそう努力するだろうということだ。エヴァが彼女のリソース（ヨーロッパの知識やいくつかの言語についての知識など）の中で、何が職場で価値を持つのか理解したとき、エヴァと話し相手との力の不均衡は軽減され、エヴァは自信をもって話すことができた。さらにエヴァは、同僚のゲイルが仕事のノルマに遅れたときにも手伝おうとした。第1章でクレス（Kress,

1989）の研究についてふれたときに述べたが、制度上の言説の力とは、よい同僚、役に立つ労働者、模範的な従業員になるとは何を意味するのかを素早く理解することである。そのような有能さは、職場において価値あるリソースとして捉えられ、エヴァの英語の運用能力の限界を補った。

> テーブルの上にそれほど片づけるものがないとき、あと、何もすることがないとき、ランチの時間が終わって、下準備の仕事がなければ、後片づけすれば終わりです。それはゲイルがします。たとえば、皿洗いとか、そんなことです。私がテーブルを片づけていて、ゲイルがたくさんお皿を洗わなければならないとき、私の仕事が終わっていたら、ときどきゲイルを助けます。そして、彼女はそれを見ていました。

職場で英語話者に接触するという特権

やがて、エヴァは徐々に、職場での社会的ネットワークに接触できるようになった。マンチーズで仕事を始めて何か月かしたとき、彼女は漏れ聞いた会話を次のように描写していた。1人の同僚は、他の同僚とすれ違ったときに、こう言った。「カナダ人じゃない人といっしょに仕事するのは好きじゃない」。すると話しかけられた方が「エヴァを除いて」とつけ加え、話しかけた方も「エヴァを除いて」と言った。このようなデータは、エヴァは最初、マンチーズで周縁化されていたにもかかわらず、次第に職場での正統性の獲得に成功したことのはっきりとした証拠となる◆2。エヴァがインタビューで言ったように、「今、職場の人たちは、私に他の仕事がなかったから、経済のせいで他の仕事の可能性がなかったから、私が英語を知らなかったから、『マンチーズ』で働き始めたとわかってくれている」のだ。同僚たちはエヴァのことをもう「バカ」だとは思わなくなり、そのような状況の被害者だと思っているとエヴァは感じていた。英語のレベルのせいで、彼女が周縁化されることは、もうなかった。つまり、彼女の英語のレベルが低いことが無知と結びつけられることはなくなった。それどころか、彼女がどうしてそんな仕事をしなければならなかったのかを説明するものとなった。言い換えれば、以前は、彼女があのような仕事をしていたのは、彼女固有の能力の欠如によるものだと考えられていたが、今では不幸な状況のせいだと考えられるようになった。

エヴァが同僚たちとより気楽な関係になり、自信を持つようになるにつれて、もっと英語を話すようになり、もっと英語を話すようになると、さらに気楽になり、自信を持つようになった。この気楽さ、もしくは自信を感じる度合いと英語の使用の関係は入り組んだものである。

B：想像してみたんですけど、マンチーズではもっと英語を話すようになりましたか。

E：ええ。

B：どうしてですか。

E：まず、練習できるようになりました。私は職場で話すとき、もっと気楽になって、それで、何か言うのも怖くなくなりました。以前はもし私が何か話しても、それが正しい話し方かも、彼らが私のことをわかりたいのかもわからなかったんです。ときどき、私が何か言ってもわかってもらえなかったから。

B：英語が上手になったから、もっと自信を持てるようになったと思いますか。それとも自信を持ったから、英語をもっと話すようになったと思いますか。

E：うーん両方。両方。

エヴァが同僚を理解しているかどうかだけでなく、同僚がエヴァの言っていることを理解しているかどうかについてもエヴァが考えていたことは、非常に重要である。ESF プロジェクトの大きな発見の 1 つは、第 3 章で議論したように（Bremer *et al.,* 1993, 1996）、異なる民族間のコミュニケーションのほとんどで、学習者のほうが相互理解を達成させるための多くの責任を負っているということだった。これは、そのコミュニケーションに対して、学習者の話し相手が同等の投資をしていないということから部分的に説明がつく。エヴァは同僚との交流にかなりの投資をしていたが、それは社会的ネットワークに入ろうとしていたためである。つまり、そのネットワークがなければ彼女は英語を上達させられないし、よりよい職場を見つけられなかったからだ。これは古典的なジレンマといえよう。それにもかかわらず、上述したエヴァが同僚にイタリア語を教えるという例では、イタリア語を教えてもらう側の同僚は、少なくとも最初は、彼女とのコミュニケーションにわずかな投資しかしていないようだった。

社会的ネットワークへの入り口を持つことで、エヴァは、以前は参加が難しかったいろいろな社会的な交流に参加できるようになった。つまり彼女はもはや職場において無力ではなくなったのだ。次の引用では、エヴァが自分で仕事をしてしまうのではなく、同僚のゲイルにいつまでに仕事を終わらせなければならないのかを伝えられるようになったと述べている。その結果、彼女は搾取に抵抗できるようになった。おもしろいのは、エヴァが自分の権利を主張する方法の1つがユーモアの使用であったことだ。エヴァはゲイルが仕事をきちんと分担しないと文句を言ったりしなかった。エヴァはゲイルと冗談を言いながら、軽い感じで話しかけた。ヘラーとバーカー（Heller and Barker, 1988）、ランプトン（Rampton, 1995）では、学生たちが駄洒落とコードスイッチングで社会的境界線を突破する方法が述べられているが、エヴァも同様にユーモアを使って彼女の意図を伝えようとした。

> 今、彼女［ゲイル］は少し変わってきています。彼女は、えっと彼女はたとえば、今日は何かしているときに私が「ゲイル、週末のために、たくさんしておくことがあるでしょ」「本当？　どうして言ってくれなかったの？」「当たり前じゃない。週の終わりだから」と私は言ったんです。そしたら彼女は私のすることを手伝ってくれました。なぜなら、今は彼女ともっと親しくなったって感じるからです。今は「ゲイル、私たち、何かしなくちゃ」って言えると思います。でも、誰も知りあいがいなかったとき、彼女は……前みたいに……そのときは、彼女のところに行って、「ゲイル、何かしなくちゃ」とは言えませんでした。

ゲイルとエヴァのつながりは、賃上げの交渉に行く相談をするようなものになった。この意味で、第3章で紹介したゴールドスタインの研究（Goldstein, 1996）が示しているように、社会的ネットワークは、象徴的価値を持つだけではなく、物質的価値も持つのである。

B:給料について話したことありますか。ゲイルがいくらもらっているか知っていますか。

E:ええ、ゲイルがもらっているのは、私と同じです。私は店長にゲイルがいくらもらっているか聞けないから。

B:でも、ゲイルとあなたはだいたい同じなんですか。

E:ゲイルが私に聞いたからです。いっしょに給料を上げてくれって言おうかって。

B:本当？

E:私たちは言ったんですけど、店長は「まだだ」って。彼女はオーナーにまだ聞けないって。不景気だから、夏の前には聞けないって。

B:本当？　ゲイルがいっしょに上げてって言おうって言ったんですか。

E:うん。

著者解題

SLA理論と照らしあわせてみると、これらのデータから、教室外のインフォーマルな自然習得状況では、英語を練習する機会は、社会的な力関係と切り離しては理解できないことが明らかになった。エヴァは職場で英語話者との接点はあったものの、当初は職場の従業員たちの社会的ネットワークやよく来るお客さんたちに接触することができなかった。このことから、支配的なコミュニティとの継続的な接触だけが大切なのではなく、ブレマーら（Bremer *et al.*, 1996）が主張したように、コミュニティ内で社会的なネットワークにアクセスすることも大切であるといえる。エヴァがマンチーズで働き始めたとき、彼女の物質的、象徴的リソースは職場で価値を持たなかった。地位の低い仕事をし、英語で自分自身をきちんと表現できなかった。さらに、彼女の職場には「カナダ人ではない人」である移民に対する心理的抵抗があり、社会的な交流に同等に投資をしていたとはいえなかった。エヴァは周縁化されてしまっていたため、職場での言語実践に参加する機会がなく、搾取の対象となっていた。彼女の自信のなさと不安は個人的特性ではなく、不公平な力関係の中で社会的に構築されたものであった。エヴァが職場での社会的なネットワークにアクセスできるようになったのは、何か月もたってからで、ようやく話す権利と機会をもった。このようにアクセスが得られたのは、エヴァが職場に働きかけ、周縁化を拒んだからであり、また、職場外での従業員たちの活動が、彼女に技能のない移民としてのアイデンティティから距離をおく機会を提供したからである。

あるダイアリースタディのミーティングで、私はエヴァに、カナダ社会の一員だと思うかと聞いた。彼女はカナダは居心地がいい。なぜなら、職場の人々が、彼女を好きでいてくれて、受け入れてくれるからだと答えた。ここで大切なのは、エヴァがカナダ人との接触を持っていたのは、職場だけだったという点だ。いろいろな意味でエヴァにとって職場が「カナダ」であった。エヴァは職場で社会的なネットワークに接触できるようになったため、英語を使用することが日常的にでき、運用能力の高い英語話者になった。実際、彼女はニュータウンの他のレストランに転職して、英語を流暢に話すことが求められるウェイトレスの仕事ができるほど英語が上手になった。この職場は、稼ぎがいいだけではなく、お客さんと会話することが求められており、英語を話す機会が増えた。エヴァは「カナダ人」ではないかもしれないが、もう周縁化されてはおらず、無力ではなくなった。エヴァも「私は、カナダ人と同じ可能性を持っていると思う」と述べている。

議論の余地はあるが、エヴァは古典的な多文化市民である。彼女はカナダでポーランド人であることが心地よいと言った。ポーランド語はプライベートな空間における言葉であり、英語は公的な空間での言葉である。さらに、もし人が彼女のことを変な目で見たとしても、それは彼らの問題であって、彼女自身の問題ではないと考えている。エヴァがカナダに来た当初なら、人々が彼女に対して失礼な扱いをしたとしても、それは彼女自身の限界のせいだと思ってしまっていただろう。エヴァは英語コースのおかげで、適応過程において、よいスタートを切れたと言っていた。もし、コースがなかったら「もっと長くかかっただろう」と。しかし、彼女にとっていちばん重要な英語教師は「実際の生活」であった。さらに、仕事が彼女を助けた。英語への接触が増え、英語の練習になったからだけではなく、カナダ人がどのようにお互いに話しているのかをみる機会にもなり、他の人にどのような態度で接するのか、カナダ社会で「物事がどのように進むのか」をみる機会にもなったためである。マンチーズでは、エヴァのアイデンティティは彼女の同僚とは「異なるが対等な」人としてのものであった。彼女が職場の同僚によって周縁化されておらず、彼女は受け入れられ、尊敬されていたから、同僚と話すことができ、英語の練習ができ、英語のよい話し手になった。同様に、エヴァが受け入れられることだけを望んでいたのではなく、自分が「異なること」が尊重されることを望んでいたことは重要である。「私があそこで働き始めたとき、同僚には当たり前のことであっても、私が全部理解したり、知っていたりすることが難しいということが、彼らにはわかっていませんでした」と彼女は書いている。この言葉は、いっしょに働いている人たちが「他の国に来て言葉を知らないことが難しいということが理解できない」と以前に述べたことと呼応している。エヴァは同僚たちが彼女のことを理解しようとしてほしかったし、彼らにとっては当たり前のことを、彼女がすべて知っているわけではないことを受け入れてもらいたいと思っていた。しかしながら、彼女は異なることを認めることが周縁化の代償になることを望んではいなかった。

それゆえに、ダイアリースタディが終わった後で彼女に会ったとき、彼女が以前と同じように職場での尊敬を得るために戦っており、また、カナダ人が彼女を受け入れる際に彼女の英語の運用能力が壁になる場合があるのをみて、私は心がかき乱された。彼女は私にある男性の客とのやりとりを聞かせてくれた。その男は、彼女に「もっとチップをもらおうと思って訛りをつけているのか？」と言った。エヴァは怒って彼に言い返した。「こんな言葉を聞かなくてすむんだから、訛りがなかったらよかったのにと思います」。エヴァはもはや、自民族中心主義の言葉を投げかけられて黙っている存在ではなかった。彼女のアイデンティティは変容し、それにともなって、彼女は公的世界で話したいと思うようになった。

マイ

> 「私は両親や甥たちが可哀そうでたまらない。お互いに話せないから。私はいつも真ん中にいる」

よりよい未来のためにカナダに来たマイは、エヴァのように公的世界へつながるものとしてだけではなく、家という私的な場所で力を与えてくれるものとして、英語に多くの投資をした。家で、彼女は「言語的仲介者（language broker)」として、兄の家父長的な権威に抵抗しようとした。マイが家と職場で英語を使用する機会は、かなり複雑な社会的関係の中にあり、時間とともに大きく変化をした。興味深い類似点と相違点があるため、ここでは必要に応じて、マイの経験をエヴァのものと比べる。エヴァもマイもほとんど同じ年で、カナダに同じときにやってきた。カナダに来たときにはパートナーがおらず、英語をまったく話さなかった。そしてカナダに来た直後にフルタイムの仕事を得たのも、5人の女性の中でこの2人だけだった。大きな違いは、マイは目にみえるマイノリティで、カナダに来てから結婚するまで大家族の中で暮らしていたこと、彼女は家で英語が話されているのを日常的に聞いていたこと、そして、彼女の裁縫の腕は、カナダでは経済的に好ましいものだったことである。

マイの家：バベルの塔

マイといっしょに暮らしていた兄のミンは、マイより10年近く前にカナダに来ていた。彼は少なくともマイより10歳は年上で、ベトナム人のタンと呼ばれる女性と結婚しており、3人の息子がいた。14歳のトロンはベトナムで生まれたが、マーク（12歳）とケビン（8歳）の2人はカナダで生まれた。一家はニュータウンの中の裕福な、新しく大きい家々が細かく整備された区画に建ち並ぶ地域に住んでいた。マイの兄は政府機関に職を得ており、経済的にカナダで成功していた。マイの義姉タンは、自分の縫製ビジネスを自宅で営んでいた。マイもマイの年老いた両親も、もともとは兄の家に同居していた。同居していたのは、マイの両親、マイの兄夫婦、3人の子供とマイだった。マイがカナダに来たときには、マイの弟もいっしょに住んでいたが、マイが来てからすぐに、別の家に移って行った。つまり、エヴァとは異なり、彼女は家庭内において複雑な関係性の中にいたといえる。彼女は両親にとっては娘であり、兄夫婦にとっては妹（そして義妹)、兄の3人の息子たちにとっては叔母だった。

エヴァと大きく違うのは、家の中で常にベトナム語、広東語と英語の3言語が話されていたことだ。マイの両親はベトナム語と広東語を話したが、英語は話さなかった。マイの兄と義姉はベトナム語と広東語を話した。兄は英語が上手だったが、義姉は英語がうまいとはいえなかった。甥たちは英語しか話さなかった。これはマイの両親と甥たちはお互いにコミュニケーションできないことを意味し、マイの甥たちと彼らの母との間のコミュニケーションにも制限があったことを意味している。

> 私の家族のことを考えるとおもしろいです。あまり大きくないのに、いつも3言語を話しています。私の両親は英語ができません。私は彼らとベトナム語か中国語で話さなければいけません。家族の友だちがトロントからやってきたときは、私はいつも中国語を話します。彼らはみんな中国人です。私の兄とその妻とは、私はベトナム語で話します。2人はお互いにベトナム語で話していたからです。それから私の甥たちは、英語以外知りません。それで、甥たちとは英語を話しており、英語が私がいちばんたくさん話す言語です。私にとっては、ベトナム語でも、中国語でも英語でも、話しかけられるのは問題ありません。たった1つとても残念に思っているのは、私の両親と甥たちの間に通じあう言語がないことです。家族の中でいちばん悪いことです。私は、もし将来、自分に子供ができたら、そうならないようにしたいです。

マイの家での言語の使われ方は、家の中とそれをとりまくカナダ社会における社会的な力関係と非常に密接に結びついていた。これらの力関係は、家父長的で、人種差別的で、物質的な歴史を持ち、マイの家庭における大家族の構造に複雑な形で断絶をもたらしていた。この断絶は、同様に、マイのアイデンティティ、家庭内での英語の地位、マイの英語を練習する機会に大きな影響を与えていた。最初に私が検討するのは、マイの甥たちと彼らの両親との関係である。次の会話は、タンと3人の息子たちの間の限られたコミュニケーションを描いている。

B：家ではたくさん英語を聞きますか。

M：ええ、そうです。私の甥たちは英語しか話さないから、私も英語を話さなくてはいけません。

B：中国語やベトナム語は話さないんですか？◆[3]

M：彼らは話しません。

B：何も？　ぜんぜん？

M：はい。

B：どうして？　お義姉さんは、子供たちに中国語やベトナム語で話しかけないんですか？

M：いいえ。なぜかというと、うーんと、お義姉さんはこのビジネスをやっているから、英語を話さなくてはいけません。それで子供たちと中国語で話したら、お義姉さんが英語を（話す機会）を失ってしまうから。だから彼女は英語を話そうとがんばっているんです。甥たちはここで生まれたし、学校にも行っているから義姉さんより上手です。

B：でも、ベトナム語で子供たちに話しかけないの？

M：いいえ、いいえ、ぜんぜん。

私はマイに、子供たちがベトナム語を話さず、また、タンの英語がそれほど上手でなければ、タンはどのように子供たちに話しかけるのか聞いた。マイは彼女がほとんど子供たちに話しかけないと言っていた。タンが話すときは、わかってもらうまでにかなりの時間がかかり、子供たちはその努力をからかった。マイは、兄と義姉がお金を儲けることに一生懸命になりすぎたあまり、子供たちは、お母さんのことを「マミー（お母さん）」ではなく、「マニー（お金）」と呼ぶほどだと言っていた。甥たちは自分たちのお母さんが英語ができないからと尊敬せず、お母さんに向かって「黙れ、マニー」と言うとマイは言った。

タンは子供たちに英語で話せば、自分の英語が上手になると考え、子供たちにベトナム語で話すことを避けているようだった。彼女が英語を習いたかった理由の１つは、経済的な利益だった。子供たちは英語話者の学校に通っていたので、英語がすぐに上手になり、彼女は子供たちに対する権威を失い始めた。事実、男の子たちは、自分たちの母親に対して権力を行使し、英語を武器として使った。自分たちの母親を軽視する理由の１つは、父親が彼自身の母親や妹に、敬意を持って接していないのを見ているのが原因のようだった。母親への態度が悪いと言って、マイの兄が男の子たちを厳しく叱ったとき、真ん中の子であるマークが「じゃあなぜ、お父さんはおばあちゃんとおばさんに対して態度が悪いの？」と言った。つまり家庭内における家父長的な権力関係が、家庭内の言語の使われ方に影響を及ぼし、世代間の断絶を深刻にしていたのである。

他にも重要なポイントがある。あるダイアリーミーティングの帰り道、マイは彼女の家庭における英語使用と家族の断絶が、彼女の兄が持つカナダにいるベトナム人や中国人への見方とどのように関わっているか述べた。兄はベトナム人や中国人は「低く」、カナダ人は「高い」と考えていた。彼自身もベトナム人 / 中国人で、妻はベトナム人であったが、彼はベトナム人や中国人が好きではなく、「悪い人々」だと考えていた。彼女の甥たちはカナダ人として育てられ、ベトナム語を習うように勧められたこともなかったとマイは述べている。ただ、いちばん上の子だけが多少ベトナム語を理解していた。彼らはベトナムやベトナム人について知ることにまったく興味がなく、ときおり自分たちの外見が大嫌いだと言っていた。マイは兄が自分のことをカナダ人だと思おうとしているが、他の人はそうは思っていないと言っていた。兄はベトナム人よりもカナダ人の友だちを作ろうとし、2つのグループの人たちへの扱いが大きく異なっていた。カナダ社会における人種差別的社会的慣習が、マイの大家族のメンバーのアイデンティティに陰に陽に有害な影響を与えていた。そのような現象は、北アメリカの他の文脈においてウォン＝フィルモアやマッケイとウォンによって総合的に研究されており、第6章で詳しく述べる（Wong Fillmore, 1991; McKay & Wong, 1996）。

マイと彼女の両親がカナダに来たとき、彼女が見たのはこのような状況だった。英語は家庭の中で力のある言語であり、男性は権威があり、カナダ人は中国人やベトナム人よりも優れていると考えられていた。しかし、マイは自分の兄の家父長的で人種差別的な見方を拒絶していた。マイがカナダに来たのは、彼女が21歳のときで、彼女はベトナム人 / 中国人の血を引いていることに何の問題も感じていなかった。兄が自分のベトナム人としての過去を消してしまいたいと思っていることや、甥たちが自分たちの祖先のことをほとんど考えないことをマイは嘆いていた。彼女は自分の兄があまりにも変わってしまい、自分の両親のことをほとんど敬わないことにショックを受けていた。「人は世代から世代へと受け継がれてきたものをそう簡単に捨てることはできない」と彼女は述べた。また、同時に、マイは両親にはカナダで「声（voice)」がないと言っていた。そのため、マイは兄の保護の下にいなければならなかった。マイはタンに相談することもできたが、タンは自分の夫がマイに対して家父長的な権威を持つことを支持しているようだった。以下で述べるように、マイは甥たちと特別な関係を築き、その関係によって、英語を話す機会を作り、兄の家父長的な権威に抵抗し、彼女のジェンダー化されたアイデンティティを再定義することになったのだ。

マイは「未来の人生」のためにカナダに来たが、その未来と、彼女の兄や義姉が抱いていたマイの未来とは相いれないものだった。マイは自立し、英語を習い、車を運転し、会計のコースをとりたいと考えていたので、家庭内での家父長的な構造と衝突することになった。彼女の独立心を削ごうと、兄と義姉はいろいろな手を使った。たとえば、言葉による圧力をかけた。兄と義姉は彼女のことを「資格バカ」と呼んで、「運転免許、英語の証明書、会計士の資格」をとりたいというマイの欲望をバカにした。そして、兄はマイに給料を全額渡すよう要求し、マイの経済的な独立を制限した。さらに、マイの個人的な時間をも管理しようとした。毎日、マイが仕事から帰ると、地下で義姉がしている裁縫の仕事を手伝うよう命じられた。あげくにマイが独身女性であることをけなして、彼女は学校に行く必要のない女の子だと言った。「若くてお金持ちの男を見つければいい」と彼らはマイに言った。実際、マイがカナダに来たときから、兄夫婦は彼女の夫を探していた。最初に彼らがマイに紹介した人はタンの仕事関係者で、マイを空港に迎えに行った人だった。マイはのちのインタビューでこのときの出会いを次のように語った。

> 私がここに来た夜、初めてカナダに来たとき、彼は空港に迎えに来てくれました。その後、2回目のとき、私に何かを持ってきました。彼は私のボーイフレンドになりたかったのです。うん。でも彼のことを知った後、私はそうなりたくないと思いました。私は嫌です。彼はバカではない、でも私にとってよくないと思ったんです。うん、それで私は彼に言いました。「もし友だちや妹になってほしいのであれば、私はとても喜んでそうします。

でもボーイフレンドは嫌です」。いいえ、私はそう思いません。それで彼は言いました。「いいですよ。私はあなたの兄弟になりましょう」。

マイはこの圧力に複雑な反応をみせた。ときに、彼女は、将来のために自立した存在でいたいと言って兄を説得した。ときに、「少なくとも誰にも迷惑はかけていない」と自分の行動を弁護した。ときに、マイは黙って何も言わないほうが楽だと言った。エヴァは職場ではしばしば沈黙せざるをえなかったが、マイはしばしば家の中では認められようともがいていた。重要なのは、マイが自分の兄と直接対決しなかったことだ。マイは兄がしていることには反対していても、兄が彼女の生活を管理する権利を持っていることに対して疑いを抱いたことはないようだった。マイは家父長的な構造に歯向かったことはなかったが、独立に向けた他の道を探ることで、適応しようとしていた。反対に、エヴァは職場での差別や、自分の権利に対する侵害に苛立っていた。2人が経験した抑圧への対処法は、大きく異なっていた。ロックヒルの研究に登場した多くの女性たちのように、マイは自分に独立する権利があるとは思っておらず、我慢してやっと手に入る特権だと思っていた。

マイの家族内の分断、そして、それまでマイを支えてきた大家族の感情的、物質的ネットワークのせいで、マイは家族内の関係性を見直さざるをえなかった。マイの両親はあまりマイの支えにならなかった。英語が話せない父親は、もはや家長ではなかった。マイは、父はカナダでは無力だと言った。マイの母親は、家を掃除し、料理をしたが、それ以外の時間を寝室で、1人で他の家族から離れて過ごしていた。義姉は家の中で権威がなく、自分の息子たちとあまり関わりがなかった。彼女は昼も夜も、地下で顧客のために衣服を作り、フリルを縫っていた。ある意味、マイが自分の立場を見直さないかぎり、彼女の選択肢は希望のないものだった。つまり、タンのように家族の一員としてアイデンティティや権威を少ししか持たない、家の中での経済的な囚人になるか、自分の母親と同じように、周縁化された立場を受け入れるか、あるいは、可能性を広げてくれる他の立場を探すかというものだった。兄はマイをタンの立場に追いやったり、なるべく早く結婚させたりしたがったが、マイは最後の選択肢を選んだ。

マイの方略は 2 つあった。まず彼女は家の外で仕事を見つけた。これにより家族の経済的な豊かさに貢献し、英語を練習する機会も増やすことができた。2 つめは彼女の英語が上達すると、特に ESL の 6 か月のコースの後、それまで兄しか成功したことのない家庭内での言語的仲介者としての役割を担い始めた。そして、その立場のおかげで、マイはある程度の力と権威を得た。ダイアリースタディのミーティングでマイは、彼女の両親と甥たち、ときには甥たちと彼らの母親の間というように、自分はいつも真ん中にいると表現した。このことでマイは甥たちにとって尊敬と権威の対象となり、甥たちは兄の家父長的な権威に対抗する重要な味方となった。上述したように、自分たちの父親に対してどうしてマイを不当に扱うのかと詰問することで、マイを守ろうとしたのは甥たちだった。また、カナダに 10 年以上もいる自分たちの母親よりもマイの英語が上手なことに、彼らは感心していた。マイは「トロンが私に言ったことがあります。『僕はおばさんが、お金のことだけを気にかけて、英語のことを忘れるような人になってほしくない。将来いいことがない』と。私はその意味がわかりました」と書いている。マイが理解したことは、彼らは自分たちの母親が象徴的リソースよりも物質的リソースの獲得に没頭していることに腹を立てているということだった。彼らはマイが母親の二の舞にならないか心配していたのだ。甥たちとの親しい関係や言語的仲介者としての役割は、家の中で日常的に英語を練習する機会を数えきれないほどマイに与えた。

マイの兄は、彼女と自分の息子たちとの関係が深まることに慎重だったが、それでもマイは依然として家にとって価値のある存在だった。マイはただの「女の子」以上の存在だった。マイは、家に現金をもたらし、家の中では言語的仲介者で、甥の面倒をみたおかげで兄夫婦は旅行することができた。マイに対する兄の相反する態度にもかかわらず、マイの兄がベトナムに 1 か月行っている間、甥たちの面倒をみたのはマイであり、マイの両親ではなかった。この時点までに、子供たちとマイの関係は相互にとって利益があるものになっていた。マイが書いているように、彼らはマイが英語の練習をするのを助けたし、マイは彼らの面倒をみた。

私の兄と兄嫁がベトナムに4週間行きました。彼らが行ってから、私は3人の甥たちの面倒をみなければなりません。私は両親が2人ともいなくなって、彼らは悲しいだろうと思いました。だから私は家の中の活動を、彼らの両親がいたときと同じようにしようとしました。私は彼らが食べたいと思うものをいつも作ろうと決意しました。夜、寝る前には、2人のまだ小さい甥たちが大丈夫か確認しに行きました。うれしいことに、彼らはみんなとてもいい子でいましたし、私が言ったことをよく聞いてくれました。彼らが出かけたいときや何かをしたいときは、私に聞いてくれました。よく手伝ってくれて、英語を助けてくれたのはケビンです。彼は8歳半で、私の3番目の甥です。私がディクテーションなどを手伝ってと頼むと、喜んで手伝ってくれました。他の甥たちより手伝ってくれました。彼は私がディクテーションをするために（文を）読んでくれました。トロンはいちばん大きい甥で、高校生です。彼は私を手伝う時間があまりありません。2人目のマークもそうです。私は2人とも忙しいことを知っています。それであまり邪魔したくありませんでした。でもケビンがちゃんと説明できないような問題があると、トロンやマークに頼まなければなりません。彼らは喜んで、私によくわかるようにはっきり説明してくれました。

マイの言語的仲介者としての立場と英語への投資には、興味深い関係があった。英語は彼女の兄の家父長的な権威への武器となり、彼女の私的世界と公的世界での価値の象徴ともなった。マイは非常に真面目な学習者で、機会を見つけては英語を使い、話した。夜、長時間の仕事の後に英語の授業に参加するのはとても不便であったにもかかわらず、英語のクラスを次々と受講していった。彼女は家で甥たちと練習をし、ダイアリースタディのミーティングにもほとんど休まずに出席し、かなりの量の日記を書いた。マイと両親がカナダに来てから1年後に、マイの兄は両親を家から追い出したが、マイには家に残るという選択肢が与えられた。マイはこのショッキングな出来事を次のように書き記している。

私は、今とても悲しくて、寂しいです。今晩は、私が母の近くにいられる最後の夜です。明日になれば、彼女は他の人の家に行って、そこで暮らすことになります。彼女はそこで、6か月の子供の世話をするのです。生まれてからここに来るまで、私はいつも両親のそばで生きてきました。私は10日も離れていられませんでした。でも今、私には何もできません。両親と離れることを考えると、とても傷つきます。ベトナムにいたときは、私たちがここに早く来て、長く会えなかった家族に会いたいと思っていました。そして私たちはいっしょに楽しい時を過ごせると思っていました。でも今、たくさんの悪いことが起こってしまいました。それは私の両親の気分を害しました。なぜなら彼らはそんなことが起こるとは夢にも思っていなかったからです。私の両親は、兄の家にこれ以上いたいとは思っていません。私もどこに行けばいいのかわかりません。私は混乱していて、これから先、私や両親に何が起こるのかよくわかりません。私のまわりでは今、嵐が吹き荒れていて、この状況の中で立っていられるぐらい自分が強いのかよくわかりません。

ここまでマイの家庭において、どのように言語が使われているのか、そして、英語使用の機会はどのように社会的に構成されているのか検証してきた。ここからは職場においてマイが英語を使用する機会とはどのようなものであったか、それらの機会がどのように社会的に構成されていたのか、そして、マイの英語への投資との相互関係について検討する。

マイの職場：内部の者であり外部の者

ESLコースが終わったとき、マイはニュータウンのファブリックファクトリーという場所で裁縫の仕事に就いていた。彼女はそこでいちばん若く、唯一のベトナム/中国の背景を持つ職人だった。ほかにも7人の職人がいたが、全員女性で（「7人の女の子だけ」）、カナダで生まれた者はいなかった。「誰もカナダ人じゃない」とマイは言った。マイがこの職場に来たとき、他の人々は英語を共通して話していたが、イタリアの背景を持つ女性が4人、ポルトガルが2人、インドが1人だった。ある女性が他の女性に母語で話しかけることもごく稀にあった。「私たちに知られたくないことがあるのかもしれません。仕方がないことで、すごく早口で話します」。第3章で述べたように、移民が親しい関係を職場でどのように作っているのか、ゴールドスタインは詳述している（Goldstein, 1996）。そこでは、従業員たちは、姉妹、兄弟、娘と呼びあっていた。この文脈において、仕事上の関係性が家族やコミュニティの関係として表わされているとゴールドスタインは論じた。たとえば、上司との関係があまりうまくいっていない従業員の問題は、家族の問題として捉えられた。このような関係は、製造フロアでの言語の使われ方に大きな影響を与えており、ポルトガル語は、グループの結束と所属意識の象徴として機能していた。言語はコミュニティのメンバーがお互いに負っている権利、義務、期待、たとえば休みの人の穴埋めをしたり、遅い人を手伝ったりすること、などと関連していた。

マイはファブリックファクトリーで、このような一連の関係性の中におり、そこでは、英語が結束の言葉として使われていた。エヴァとは異なり、マイは職場で社会的ネットワークに入るのが難しかったということはなく、英語を使用する機会も多くあった。エヴァとは異なり、マイは工場の中で最低の仕事をすることはなかった。マイは優れた技術を持つ職人で、経営者からも職人たちからもすぐに尊敬されることになった。エヴァの場合とは異なり、英語が上手な人によい仕事が保証されているわけではなかった。すべての職人が同じタイプの仕事をしており、いい職人になるために英語が上手になる必要はなかった。さらに、マイの同僚は、みんなカナダへの移民であった。エヴァの職場とは違って、マイは女性たちの仲間の一員だった。また、マイは工場の他の職人よりも若く、親しみを込めて「ヒヨコ」「お嬢ちゃん」と他の職人に呼ばれていた。ある意味で、彼女は他の年上の経験のある職人たちにとって娘のようだった。マイは事実、工場の中でいちばん経験のある職人を「私たちのお母さん」と呼んでいたのだ。エヴァの場合と同じように、マイの職場はマイにとって外の世界の象徴だった。職場は単に英語にふれ、英語の練習をする場所以上のところであった。家庭内のストレスから逃げるマイを受け入れ、感情的、物質的な支えを提供するという代理家族的な存在であった。

私が初めてマイにインタビューしたのは、1990年12月だった。そのとき、彼女は自分の職場環境に充分満足していた。彼女はそこでたくさんの英語を話し、上司から多くのサポートを受け、いっしょに働く女性たちから愛されていた。

B：それで、仕事をしているとき、たくさん話しますか？　それともただ座って仕事、仕事、仕事？

M：いいえ、私はたくさん話します（笑い）。ときどき他の人に止められるぐらい。なぜなら、話さないで仕事をしていたら眠くなるんです。機械の音を聞いていると、何か……。

B：眠くなる。

M：私じゃなくて他の人です。それで私は起こしたいんです。もし私がとても、私がとても静かで、じゃあ、そうすると……。私はいろいろ慣れたから、そこにいる人たち、それでもっと話すようになって。ええ。なぜなら私は英語を話すのを練習したいから。それで私の主任にも、彼女に前に言ったんです。私は英語を話すのが上手じゃないって。私が職場にいるときは、読んだり書いたり、話したりするのを教えてくれないかって。彼女は、「いいよ」って。それで。

B：彼女はカナダ人？　主任は？

M：彼女はイタリア人です。でも、彼女はとても若いときにここに来ました。

B：じゃあ、彼女は英語が上手なんですね。

M：はい、彼女は英語が上手です。

B：彼女はあなたにたくさん話しかけますか。仕事をしているとき。

M：彼女は私とたくさん話します。

B：彼女は優しいですか。いい人ですか。

M：彼女は優しいです。先日、私が事故にあった日は、私のことをとても心配してくれました。

B：ああ、そうなんですか。

M：はい、私はあの工場で働けて幸せです。みんなが私のことを愛してくれるから。

この引用は非常に重要である。職場はマイにとって自尊心を感じさせてくれる重要な場所であったことがわかるだろう。彼女は、まわりの人が彼女のことを気にかけてくれるとき、幸せに感じ、彼女が幸せなとき、彼女はたくさん話せるのだ。本研究の年上の参加者たちは家族の中に癒しを見いだし、またエヴァにはパートナーがいた。しかし、マイは家族の中にあまり癒しを見いだせなかった。マイが自分を有能だと思え、彼女のことを愛してくれる友だちがおり、たくさん英語を話す機会があったのは職場だった。彼女の本当の母はもはや声をもっていなかったが、「私たちのお母さん」であるリタが工場では非常に力を持っていた。

みんなに十分な仕事があるときは、職場は非常に明るい雰囲気で、マイは英語の使用に何の困難も感じなかった。事態がマイにとって悪くなってきたのは、工場が不況のあおりを受け、女性たちを一時解雇しなければならなくなってからだ。マイは非常に有能だったため、一時解雇の対象ではなかった。しかし一時解雇は、マイの英語を使用する機会、そして、工場内における社会的な相互作用と言語の使われ方に大きな影響を与えた。マイは次のように書いている。

> 職場であることが起こりました。私は悲しくなり、居心地が悪くなりました。今日、昼ご飯が終わってから、エミリアは2人の女性に対して、みんなに行きわたるほどの仕事がないから、明日は家にいるようにと言っていました。主任は、上から下まですべての作り方を知っている人だけを残すと決めました。ここでどれだけ働いたかは関係ありません。みんな8か月以上は働いていました。私だけがそれほど長い間働いていません。でも主任は私に残るように言いました。私はそれが気に入らない人がいることがわかっていました。でも私は何も言えません。他の女性たちが気分を悪くしても、私が悪いのではありません。彼女たちは私の前で話していました。1人が「これは不公平じゃない！　私はここに長くいたのに、彼女（エミリア）が私に一時解雇を告げるっていうのはどういうこと？」また、「すべてができない人もいるわ。なぜ彼女たちは同じように一時解雇されないの？」と言う人もいました。それから彼女たちは自分たちの言語、イタリア語やポルトガル語で話し始めました。彼女たちはまだ働いている人たちを、とても変な表情で見ていました。彼女たちは私が理解できないことをたくさん話しました。彼女たちが私のことをどう思っていたのかわかりません。私は、ただ主任に従わなければならないのです。

一時解雇の後、女性たちの結束は失われ、言語の使われ方は著しく変わった。マイ以外で工場に残った女性たちはみんなイタリア人だった。エミリア（主任）、リタ（もっとも経験の長い人）、イルサだった。彼女らはもはや英語を話さず、みんなイタリア語を話した。なぜなら、職人は誰ひとりとして顧客と話す必要はなかったからで、イタリア語を使うことに制限はなかったし、マイにイタリア語を習うように言う職人もいた。マイはこれに、英語を習わないといけないと言って抵抗しようとしたが、同僚たちはマイを、他の言語を知っていることはよいことだと説得しようとした。この文脈において重要なのは、カナダの公用語のうちの１つの言語運用能力が限られているという理由ではなく、少数派の言語が使用できないという理由で、マイが周縁化されたと感じていたことである。

先週の火曜日から、工場で私はずっと静かに働いています。職場には３人しかいません。リタと私とイルサと主任です。私たちは前みたいにラジオをつけません。なぜならみんなイタリア人で、イタリア語をいつも話しているからです。ときどき、私は自分１人で働いているような気がして、すごく寂しいです。それに他の人はみんな私にイタリア語を習ってほしいと思っています。私もはじめはそうしようと思っていました。リタが私にありがとう、おはよう、わかりますの言い方と１から10までの数え方を教えてくれました。私が英語を習ったときよりずっと、発音ですら難しかったです。私がリタに「もう習うのをやめます。私に必要なのは、英語だから」と言いました。そこでは、私はいちばん若く、みんな私をからかって、いろいろな名前で私のことを呼びました。リタが私に言いました。「何言っているの、ヒヨコ、他の言語を学ぶことはいいことなのよ」。彼女は、何か頼むときや、何か取ってもらいたいとき、私にイタリア語で話しかけるようになりました。そんなとき、私は彼女が何を言っているのかよくわかりませんでした。私はおかしな顔をして突っ立っていました。エミリアがそんな私を見たとき「このお嬢ちゃんはどうしちゃったの？」と私に聞きました。それでイルサが説明すると、彼女は笑いだしました。私はリタがマイペースで気分屋な女性だと思っています。リタはいつでも誰に対しても怒ったり、機嫌よく接したりできるのです。でもここ最近は私にとてもやさしいです。ときどき、私に彼女の仕事の仕方を教えてくれます。それは、私のやり方より早いし、簡単なやり方でした。

一時解雇の後、力のある言語はもはや英語ではなく、イタリア語となった。これによってマイは難しい立場に立たされた。もし、彼女が英語を放棄したら、彼女は家の中で言語的仲介者の役割を通して手に入れたわずかな交渉力を失うかもしれない。しかし、一方で、もし彼女が英語を話すことに固執したら、職場での親しい関係を失うかもしれない。友情どころか、経験と技術に接する機会をも失うかもしれない。これらの経験と技術は職場における象徴的リソースであり、より有能な職人になるために必要なものでもある。マイが言ったように、リタは、マイのやり方よりもっと早くて簡単な方法を教えてくれた。もしマイが職場で力を持つ言葉を尊重しなければ、このようなサポートを失ってしまうかもしれないのだ。一時解雇されていた2人の女性たちが、書類の手続きをしに職場に戻ってきたとき、マイに挨拶さえしなかった点は重要である。そのときのことをマイは、1人の女性が嫌そうにマイのほうを向いて、非常に冷たく、マイは男がいなかったから残れたのだと言ったと書いている。一時解雇された女性たちは、マイが勤勉さと有能さで職場に残れたことを認めなかった。彼女たちの言葉は、マイには養ってくれる夫がいなかったため、解雇を免れたということを示唆していた。

その言葉の社会的な意味は、マイのジェンダー化されたアイデンティティの構築と合わせて理解しなければならない。家の中では、マイは「女の子」でしかなく、教育ではなくて、金持ちの男性が必要だとする兄の家父長的な抑圧の下でもがいていた。職場では、彼女はヒヨコで、お嬢ちゃんとして位置づけられたが、結局、彼女の独身という立場が、ファブリックファクトリーにおける経営者からの特別扱いについての説明に使われていた。エヴァと同じように、マイも他の人よりいい仕事がしたいわけではなかった。特別扱いではなく、ただ公平に扱われたかった。しかしながら、ジェンダー化されたアイデンティティによって、マイは他の人より特別扱いされる人として位置づけられた。1年もしないうちに、マイは結婚した。彼女の夫は、彼女を兄の家父長的な権威と、独身という立場を理由に周縁化し、彼女を冷笑した同僚たちから「救った」。

マイの夫は、カナダにおいて、彼女に妻という立場を与えた。これがどのようにマイの英語との接触や練習に影響を与えるのか、まだ明らかではない。マイの夫は、マイに外で仕事をしてほしくないと思っている。マイが言うには、よくても勉強させて「くれる」程度だという。

著者解題

エヴァとマイにとって職場はカナダそのものであったが、彼女たちの職場において学ぶ機会と経験は根本的に異なっていた。エヴァの場合、彼女のアイデンティティは教養のない移民女性というものから、有能な同僚というものに変わった。マイの場合、能力のある元気な同僚というものから周縁化された独身の同僚というものに変わった。レイヴとウェンガーの状況的学習についての研究（Lave & Wenger, 1991）は、エヴァとマイが職場で、まずどのように位置づけられ、そして、彼女らのアイデンティティと学ぶ機会がなぜ時がたつにつれて変わっていったのかを理解するうえでの手がかりとなる。レイヴとウェンガーは、人類学的な枠組みを用い、学びと学びが起こる状況との関係について主に考察している。正統的周辺参加（legitimate peripheral participation）と彼らが呼ぶ過程を通して、新参者は、すでにある社会環境の中で古参とやりとりをし、そのコミュニティを特徴づけている実践への経験を徐々に積んでいく。この視点はSLA分野（Toohey, 1998, 2000を参照のこと）において有益である。なぜなら、コミュニティに密着した分析に焦点を当てるとともに、学習者は孤立した個人ではなく、社会的、歴史的集団の一員として概念化されるからだ。さらに、レイヴとウェンガーは、あるコミュニティにおける特定の社会的仕組み（arrangement）がより十全的な参加への動きを制限したり、促進したりすることを認識したうえで、所与のコミュニティにおいて、実践が学ばれ、習得（appropriate）される状況が、より詳しく検討される必要があることを指摘している。

職場のコミュニティにおいて、当初、エヴァの十全的参加を阻んでいた制約が特に問題であった。というのも、その制約が新しく実践共同体に入る者が抱く期待に反していたためである。ここでの期待というのは、新参者があらゆる形態において、中心的な実践にアクセスできるという期待である。レイヴとウェンガーは以下のように述べている。

> 正統的周辺参加への鍵は、新参者による実践共同体へのアクセスであり、そのメンバーシップがもたらす全てのものである。しかし、これは、共同体の再生産にも必要不可欠ではあるが、同時に常に問題でもある。実践共同体の十全的参加者になるためには、幅広い現在進行中の活動、古くからいるメンバーや、その他のメンバーへのアクセス、そして、参加のための情報、リソース、機会が必要となる。（Lave & Wenger, 1991, p. 100）

エヴァのケースで特筆すべきは、そのようなアクセスを得るために彼女が経験しなければならなかった葛藤、そして、コミュニティの中で参加のための情報、リソース、機会を与えられるにしたがって、彼女のアイデンティティが変化した様である。

しかしながら、マイの場合は、彼女は多くの点で新しい実践共同体の古参であった。彼女は経験のある裁縫職人であり、共同体の実践に積極的に貢献できる人としてすぐに認められた。コミュニティが彼女の期待に応えるかぎり、彼女は自信と有能さを感じることができ、同僚との会話に日常的に参加していた。しかし、一時解雇の後、彼女の有能さは他の同僚たちには脅威として映り、彼女と会話をしない者も現われた。彼女が経験した孤立は友情と専門的技能へのアクセスの両方が損なわれるという、象徴的、物質的な帰結をもたらした。このような古参と新参者の逆転は、レイヴとウェンガーではあまり注目されておらず、さらなる検討が期待される（Lave & Wenger, 1991）。しかしながら、私が論じた（Norton, 2001）ように実践共同体という視点とウェンガーの最近のアイデンティティに関する研究（Wenger, 1998）は、教室とコミュニティにおける第二言語学習に関する理論化の可能性が大いにあることを示している。次の章では、カタリナ、マルティナ、フェリシアの職場における特徴と実践をより詳細に検討する。

注

◆1　すべてのインタビューにおいて名前は以下のように略されている。B は筆者、M はマイ、もしくはマルティナ（状況による）、K はカタリナ、F はフェリシア、E はエヴァ。ダッシュ（—）は間をおいたこと、角括弧［　］は補足説明を示している。

◆2　しかし、彼女は一部の同僚が一般の移民に対して持っている自民族中心主義的な見方を変えることには成功しなかったという点は注意しておく必要がある。

◆3　この時点では、私は中国で話されている言語の違いについて認識していなかった。

訳注

◇1 「私は玉ねぎの準備が必要なのはわかっているんですけど、マネージャーは、私がわかっていることに気づいていないんじゃないでしょうか」という程度の意味。

第5章

お母さんたちと越境と言語学習

「おまえには英語を話してほしいの。いい仕事を見つけるには英語が上手じゃないとね。せっかく学校に行かせても、あいかわらずなまった英語しか話せないんじゃ何にもならない」と母は言うのだった。私がメキシコ人みたいな英語を話すのが、どうも恥ずかしくて。(Anzaldúa, 1990, p. 203)[◇1]

ジェンダーと言語学習の理論化と研究は、複雑さをともなう。言語使用におけるジェンダーについての包括的な論文の中でフリードマンは、ジェンダーと言語使用をめぐる研究を2つの系統に分類した(Freedman, 1997)。1つは、レイコフやタネンなどの社会言語学に関連した研究で、社会的な場面で男性と女性がどのように言語を使うのかに焦点を当てたものだ(Lakoff, 1975; Tannen, 1990)。たとえば、レイコフは女性が男性よりも付加疑問文や曖昧な言い方を頻繁に使用し、よりためらいがちに話すとしている。タネンはこの観察には同意しているが、なぜこのような違いが起こるのかを分析する際には、女性と男性の力の違いをレイコフほどは強調しなかった。フリードマンが指摘する2つめの系統は、オックス(Ochs, 1992)などの言語社会化(language socialization)研究者による人類学的な研究と関係がある。オックスは、言語学者は、行為、立場、活動を通して、どのようにジェンダーが構築されるかにもっと目を向けるべきであるとした。これらの行為、立場、活動は、文化的に好まれるジェンダー役割と結びつき、文脈に応じた言語化がなされている。具体的には、彼女は、文化によって異なるコミュニケーション習慣が、どのように女性一般、特に母親のイメージについて、幼児や小さな子供を社会化するのか明らかにした。

2つの系統はどちらも、ジェンダーと言語学習についてそれぞれに豊かな研究可能性を示しているが、この章では、言語学習研究におけるジェンダーの重要性について考察するために、それらとは異なった枠組みを提案する。「女性はどのように話しているのか」や「文化特有のジェンダー役割に関わるコミュニケーション習慣とは何か」ではなく、私は「どのような状況のもとで女性は話すのか」と問いたい。より具体的には、移民女性のジェンダー化された母親としてのアイデンティティが、どの程度、目標言語への投資や目標言語話者とのやりとりに関わっているのかに注目する。前章では、エヴァとマイの若く魅力的で、独身女性というジェンダー化されたアイデンティティが、それぞれの職場での目標言語話者との関係に重要な影響を与えていたことを示した。エヴァにはボーイフレンドがおり、彼がエヴァの同僚をパーティー会場まで車で送ってあげたという事実は、同僚たちから高く評価されただろうし、社会的な相互交流も増えただろう。マイについていえば、若く独身であるという身分から、職場では相反する扱いを受けていた。ある同僚は、彼女に対して保護的な態度をとり、彼女をヒヨコやお嬢ちゃんと呼んで、会話に誘った。一方で、一時解雇された者たちは、彼女をパートナーがいないために一人前ではないと位置づけた。「男がいないんでしょ」と立ち去りぎわに彼女らは言った。どちらの場合でも、マイは自分の足でしっかり立ち、独立している女性としては認められていなかった。

ここでは3人の年上の女性たちに焦点を当てたい。カタリナはカナダに来たとき34歳で、マルティナは37歳、フェリシアは44歳だった。カタリナが3人の中ではいちばん若く、小学校に通っている子供が1人いた。マルティナとフェリシアはそれぞれ子供が3人いた。10代が2人と、思春期前の子供が1人だった。3人の女性たちはみな母国で大学レベルの教育を受けており、母国で結婚して子供をもうけていた。彼女らは全員、母国では長期にわたって働いた経験があったが、カナダでは彼女らの専門にあう仕事が見つけられなかった。カナダに来た理由をはじめとして、3人の間にある違いは大きかった。カタリナと彼女の家族はポーランドから来たが、カナダに来たのは、「共産主義が嫌い」で、資本主義体制とキリスト教的志向の国を好んだためであった。一方、マルティナは、子供たちにとってよりよい生活を求めてチェコスロバキアからカナダに来た。フェリシアがカナダに来たのは「ペルーでテロが増えてきた」からだ。また、彼女らは母国で非常に異なった生活を送っていた。カタリナは17年間教育を受けており、自身に教養があるということを強調していた。マルティナは測量技師で、大学レベルのトレーニングが終わってからずっと同じ会社で働いていた。フェリシアは小学校の先生で、ペルーで富裕層の住む地区で生活しており、週末になるとビーチの別荘を訪れていた。この章では、彼女たちの英語への投資と英語を使用する機会は、母親として、妻としてのジェンダー化されたアイデンティティ、母国で手に入れた象徴的資源とそれらのカナダでの評価の落差、そして、カナダという彼女らにとって新しい国での自民族中心主義的な習慣に影響を受けていたことを示す。ここからは、それぞれの女性の経験を比較対照しながら分析する。

カタリナ

> 「私がコンピューターの授業を選んだのは、話さなければならないからではなく、考えなければならないからです」

カタリナと彼女の夫には子供が1人いた。一人娘のマリアだ。家族でカナダに来たとき、娘はわずか6歳だった。カナダに来たときから、カタリナは、娘が母語であるポーランド語を話せなくなるのではないかと心配していた。カタリナはカナダに来たとき、娘が英語を話しながら成長していくことに気づいて、毎日泣いていたと言った。私が説明を求めたとき、自分が上手に話せない言語をマリアが話しながら成長することが怖かったと言っていた。カタリナは娘との接触を失うのが怖かったのだ。カタリナの教会のポーランド人神父が、彼女の懸念に理解を示していた。カタリナによると、その神父はすべての教区民に家では母語を話すように強く薦めていたそうだ。それは、「祖国愛のためでも言語に対する愛のためでもなく両親のため」であった。子供が大きくなり、大切なことを話したいと思ったとき、親は英語を母語ほど気楽には使えないと神父は言った。子供たちとの接触を維持するために、彼は教区民たちに家で母語を話すことを強く薦めた。子供たちはいつも、英語を上手に話すようになるから、親は子供がどうカナダ社会に溶け込むか、心配しなくてもいいと彼は言った。

このように、ポーランド語はカタリナにとって過去とのつながり以上のものだった。それは彼女の未来との重要な関わり、つまり母親としてのアイデンティティと進行中の娘との関係だった。最初のダイアリースタディのミーティングで、カタリナはもうすぐ初めての聖体拝領を行う自分の娘について長く語った。カタリナは娘に初めての聖体拝領はポーランド語で行ってほしいと思っていた。それは「私もそうしたから。今でも白い長いドレスを着たのをよく覚えている」からであった。また、もし「主の祈り」と「十戒」がポーランド語で唱えられたら、マリアが覚えるのを手伝ってやることができるが、もし英語だったら手伝えないとカタリナは言っていた。現在、マリアはそれらのお祈りをすべてポーランド語で覚えていた。子供を父親に託して湾岸戦争に行った母親のことを非難し、カタリナは彼女にとって母親であることが重要であると次のように日記に書いていた。「母親が戦争に行って、父親が子供といっしょに家にいる。私には理解できません。戦争と子供とどちらが大切なんでしょう」。

カタリナは地域の教育委員会が運営している継承語クラスを強く支持しており、娘を毎週土曜日の朝、ポーランド語クラスに連れていっていた。教室での母語学習に対する強い支持を表明したのは、本研究に参加した3人の母親の中で彼女だけだった。しかしながら、ときおり、カタリナはマリアがポーランド語を忘れつつあるのではないかと不安を口にしていた。「私は娘にポーランド語で読み聞かせをしています。娘はポーランド語の単語を忘れています。しばらくしたら、上手に読めるでしょう」と言っている。カタリナは娘との関係を心配していたため、家庭における主要な言語はポーランド語だった。彼女は娘にも夫にも英語で話したことは一度もなく、エヴァとも重なるが、英語で話すことは難しいことだった。

カタリナの家庭での言語使用状況は、マイのそれと比較すると興味深い。カタリナは最初から、家庭での英語使用は家族に利益をもたらすものではなく、娘と彼女との間に亀裂を生じさせる可能性があると気づいていた。私はカタリナの家で何度もインタビューをしたが、カタリナは明らかに娘の前で英語を話すことに気まずさを感じていた。あるとき、カタリナが英語のテキストをテープレコーダーに吹き込んでいる際に、娘が横を通りがかり、お母さんは子供みたいな話し方をすると言ったそうだ。これにカタリナは大いに動揺した。この言葉が持つカタリナにとっての社会的な意味は、彼女の母親としてのアイデンティティへの投資と娘との関係性を考慮したうえで理解されるべきだろう。彼女は英語のテレビ番組を娘といっしょに見たり、英語の新聞を読んだり、英語でニュースを聞いたりするのを楽しんでいたが、断固として、家庭での言語はポーランド語であるべきだと述べた。

マルティナとフェリシアの議論を先取りすることになるが、カタリナの夫はカナダに来る以前に、すでにかなり上手に英語を操ることができた点に注意する必要がある。カタリナの夫は貿易の仕事をしていたために英語話者との接触があり、その中で英語を学んだ。カタリナはカナダに最初に到着したとき、公的な世界との接触や電話の応対、学校の先生との会話などはすべて夫がしてくれたと言っていた。カタリナの英語は急速に上達したが、それでも自分が家族の中でいちばん英語が下手だと考えていた。彼女の娘は英語が流暢で、夫は非常に有能であった。ロックヒルの研究の多くの女性たちの経験とは異なり、カタリナが英語を学ぶことに対し、夫は協力的であった。夫は家族が日々必要としているものを賄うのには十分な収入があったため、カタリナは学校に行くことができ、のちにはコンピューターの授業もとった。カタリナは家計の補助のためにパートとして働いたが、次のように述べている。

> 私は1990年9月からスキルアップコースに通っています。夫が働いているので、私は住居や食べ物の心配をする必要がないからできるのです。娘は9時から3時半まで学校に行っています。その間、私はきっかり9時から12時まで英語の授業を受けています。コミュニティサービスで家事代行として週に9時間だけ働いています。私にとって時間的にはいい仕事です。

それにもかかわらず、彼女の年齢と生活の切り盛りが原因で、勉強するのは難しかった。「30歳過ぎで家族がいる者にとって勉強することは、簡単ではありません。私たちが英語を学ぶのには、多くの困難があります」と彼女は書いている。

カタリナは家で英語を使うことには消極的であったものの、英語学習にはおおいに投資していた。彼女は英語の知識が、ポーランドを出るときに失った専門職としての地位を取り戻すのに役立つと信じていた。「私はポーランドにいたときのように、また普通に暮らしたい」と彼女は言った。彼女の将来の計画について尋ねたとき、カタリナは過去のポーランドでの生活のこと、特に彼女の学歴について「私は自分の母国で教師をしていました。17年も勉強したんです」と言及している。彼女は、「普通」の生活ができる仕事に再び就けるぐらいの英語の運用能力がほしいと思っていた。しかし、家事の延長線上にあるような仕事がしたいとは思っていなかった。彼女は自分が皿洗いや台所仕事の補助をしているとき、自分は「別物だ」と感じると言った。カタリナは高い教育を受けた人がするような仕事がしたいと考えていたし、よい収入や知的なやりがい、そして、教育を受けたカナダ人たちとの社会的ネットワークが得られる仕事を熱心に探していた。彼女が自分自身の価値を高めるためにコンピューターの授業を受けたのも、カタリナが自分で語ったように、自分と同じような人々に出会うためだった。同様に、「私がコンピューターの授業を選んだのは、話さなければならないからではなく、考えなければならないからです」とも言っていた。

カタリナがポーランド人であるからではなく、移民であるからという理由で周縁化を感じたのは、彼女が自分の仕事を探しているときだった。ポーランドで専門職の地位に投資していたがゆえに、カタリナは技能がなく、無教養であるとみなされることにひどく抵抗していた。エヴァと同じように、カタリナがカナダに来たばかりのときに見つけられた仕事は、「エスニックな」職場での仕事だった。カタリナの場合はドイツレストランで、そこで彼女は主にドイツ語を話した。カタリナはあるミーティングで、移民局の職員たちは「移民は最初の10年間は皿洗いをするべきだ。『君たちは移民だ』」と思っていると言っていた。カタリナがコミュニティサービスで家事代行のパートの仕事を見つけたとき、この種の仕事は「さしあたり」いい仕事で、一時的なものだと考えていた。皮肉なことにこの種の仕事は、彼女に英語を使用する機会をたくさん与えた。カタリナは孤独な老人たちと多く接触するようになった。老人たちはコミュニティサービスによって無料で提供されるカタリナの支援に感謝していた。

彼女は自分の担当する老人と 1 対 1 で仕事をしており、英語を話すために社会的なネットワークへの入口を探す必要がなかった。彼女が担当する老人たちは、喜んで彼女と話した。

> コミュニティサービスでまだ働いています。昨日私は老夫婦のところで働きました。2 人とも 80 歳以上です。どれほど孤独でしょう。私は以前には考えもしませんでした。多くの人も考えたことがないでしょう。もし若かったら、何でも自分でできます。年老いた人は何もできないことがしばしばあります。1 人で暮らしていて、とても悲しいです。家には子供たちや孫の写真が飾ってあるだけです。

カタリナは担当している老人たちに比べ、力のある立場におり、疎外感や劣等感を職場で感じたことがなかった。反対に彼女はこれらの孤独で、1 人で生きていくことができない老人たちをかわいそうに思った。話している間に、彼女の不安感（「緊張」）は徐々に薄れ、たとえば、老人が彼女に、なぜ英語を知らずにカナダに来たのかと聞いたときにも腹を立てることはなかった。

> 1990 年 9 月から私は仕事でカナダ人と接しています。毎月、話すときには私はそれほど緊張していないと感じます◇2。私はいろいろな話し方の人と接します。よく理解できる人もいれば、気をつけて聞かなければならない人もいました。早口ではっきり話さないんです。1 か月ぐらい前、私はあるカナダ人の女性を担当しました。彼女はどうして私が英語も知らないのにカナダに来たのか聞いてきました。彼女は 84 歳でした。担当している他の人は、私に理解できないことがあったら、説明しようとしてくれます。

つまり、カタリナには英語を使用する機会がたくさんあったのだ。「私はカナダ人との接触があります。私は彼らと話をします。私はときどき上司に電話をします。私はカナダ人が話すことを聞かなければなりませんし、答えなければなりません」と、彼女が英語の練習がたくさんできたのは、多くの人と接触したからで、仕事が英語の上達につながったと考えていた。彼女はまた、ESL コースを終えたとき、自分の英語はとても下手だったと次のように言っている。「私はすべての時制を理解していました。でも使うのは難しかったです」。1991 年 2 月 17 日、過去 6 か月に行った 2 つのインタビューを比べて、彼女は自分の英語の伸びについて以下のように述べた。

> 水曜日、ニュータウンのオンタリオカレッジでインタビューがありました。私はスキルアップコースの後、コンピュータープログラマーコースをとるつもりです。数学のテストには合格しなくてもいいです。英語のテストにだけ合格しなければなりません。このインタビューを 6 か月前のインタビューと比べました。最初のインタビューは、コミュニティサービスでしました。ESL コースの後のインタビューでは、自分のことをたくさん話すことができませんでした。水曜日は私のコースについてや他のコースについて、そして、それらのコースをとるための条件などを質問したり理解したりできました。

まとめると、カタリナは、娘との関係に問題を引き起こすため、英語に対して相反する態度をとっていたが、ポーランドで得た専門的地位を評価してくれる人々、つまり、彼女と同じような考え方をする人たちと社会的ネットワークを作るために、英語を学びたいと強く思っていた。教育のある人々から尊敬を得ることのできる普通の暮らしを再びしたいと思っていた。彼女は職場での刺激と同じ考えの人との出会いを求めて仕事を変えることまでした。工場から抜けだし「きれいな仕事」をしたいと思っていたロックヒルの研究参加者たちとは異なり、カタリナはすでにきれいな仕事をしたことがあり、そこに戻りたいと考えていた。カタリナのストーリーは、言語学習者の目標言語に対する投資が、ジェンダーと人種とともに、階級の問題も参照して理解する必要があることを示唆している。エヴァのデータが自民族中心主義と言語学習の関係性を浮き彫りにしたのに対して、マイのデータは言語学習と家父長制の関係性を浮かび上がらせた。カタリナのデータは言語学習と階級の関係に注目する必要性を示している。

ポーランドでカタリナと彼女の夫は、高い責任と相対的自律性を有する専門職階級の一員として、その地位と他者からの尊敬をすでに確立していた。この文脈において、彼らに力と名誉へのアクセスを可能にしたものは教育であった。カタリナと彼女の家族がカナダに来たとき、彼らの専らの関心は、カナダにおいて、同じような階級の地位を得ることであり、教育は、このような機会を彼らに提供してくれるものとして考えられていた。英語が流暢ではなかったため、カタリナは自分がカナダで教員としての仕事を見つけることは難しいだろうと考えていた。それゆえ、彼女は自分の第二言語でもできる専門的職業として、コンピューターサイエンスで仕事を得ようとした。彼女は技能の必要のないフルタイムの仕事に就くことを辞め、仕事に対する長期的な満足感を得られるように、18か月のコンピューターコースへの支払いに家族の資産を使った。彼女の夫もこのような目標を共有していた。英語はカタリナにとって教育訓練を保証するリソースであり、究極的には、自律的に働ける責任のある仕事をもたらすリソースでもあった。彼女は、彼女の言葉によれば、「テストのための72の定義」を習うことに興味はなかった。話せるようになるための英語の勉強にはもともと興味がなく、刺激のある仕事をし、自分の職業的階級の人々との関係を作るための英語の勉強に興味があったのである。

私は、カタリナがESLクラスで、以前教師だったフェリシアと友達になったのは偶然ではないと考えている。実際、同じ専門職の人間で、女性で、母親であるが、専門職を確保できるだけの言語的リソースを持ってカナダに来た私[◇3]に対しては、相反する関係性を持っていたのを感じていた。たとえば、あるとき、電話で彼女は私に言った。「あなたがポーランドかロシアにいて、皿洗いや家事手伝いをしているのを想像してみてください。あなたは言語に問題はないでしょう。あなたは言語で苦労する必要はないでしょう」。それにもかかわらず、カタリナは私が提供した援助を使うことに抵抗感はなかったようだ。私はカタリナと彼女の夫が仕事を探していたとき、履歴書の準備を手伝ったし、彼女の娘にとって最適な学校はどこか数限りない議論をしたし、コンピューター業界での仕事を探すのを手伝った。データ収集の期間中、カタリナにとって、自分の人生は一時中断された状態にあり、カナダでしていることはすべて彼女の人生における一時的な回り道であると感じているように私は感じた。皮肉にも、おそらくカタリナの英語が上手になったのは、現役の専門職にはいない人々と彼女が日常的に接触したからだった。カタリナが言うように、彼女は教師や医者と話すのは気まずいと感じる一方で、彼女が家事代行の仕事で世話をする人々と話すのはとても気楽だと感じていた。これにより彼女は、職場というインフォーマルな状況で英語を使用する機会を多く得られた。第7章では、カタリナの職業的アイデンティティに対する投資が、教室での英語学習をどのように中断させたのか、より詳細に論じる。

マルティナ

「もし習いたいんだったら、1人でしなくちゃ」

マルティナと彼女の家族がカナダに来たとき、マルティナも彼女の夫であるペトルも英語をまったく知らなかった。しかしながら、彼女の子供たちは、カナダのビザが出るのを待っている間、オーストリアで英語を勉強していた。当初、新しい国で落ち着くための公的/私的な用事は子供たちに頼っていた。カタリナと違い、マルティナの夫は、マルティナ同様、英語能力が限られていたため、そういった用事を夫に任せることはできなかった。マルティナが仕事を探していたとき、彼女はいちばん上の娘を連れていったが、いくら探してもマルティナを雇いたいところが見つからず、娘は泣き出してしまった。マルティナがファーストフード店で接客の仕事がしたいと思ったとき、マルティナは娘にどんな言葉を使えばいいのか聞いた。マルティナの英語が上達するにつれ、家での公的/私的な用事を自分でこなすようになっていった。マルティナの日記には、家やコミュニティでのいろいろな仕事でどう英語を使ったのか、書かれるようになった。家を見つける、電話を設置する、電化製品を買う、子供たちの学校を見つけるなどの家族の用事をしたのは、夫であるペトルではなく、マルティナだった。彼女は子供たちを多方面にわたって支えた。息子のミロスが病気のときは、新聞配達の仕事を彼の代わりにこなした。また、娘のTOEFLの試験に付き添い、文房具を買ってやった。マルティナは夫が英語で公的な用事をするのも助けた。ペトルが一時解雇されたときは、失業保険の申請をするのもマルティナに頼ったし、彼が配管工の資格をとるときにも、対策本を英語からポーランド語に翻訳して助けてやった。

マルティナの英語への投資は、家族内の主たる扶養者としてのアイデンティティによって大きく構造づけられているのではないだろうか。子供たちから公的/私的な用事を引き継ぐため、彼女は英語を習いたいと考えていた。子供たちによりよい生活をさせることこそが、マルティナとペトルがカナダに来た理由であった。マルティナは子供たちに必要以上に家庭内や公的な世界の用事をさせて、子供たちの将来を危険にさらしたくないと思っていた。同様にマルティナは公的な世界に対処するという責任があるので、カナダ社会では、どのように物事が進むのか、カナダ人の生活を理解できるか気がかりであった。カタリナとは異なり、夫に頼ることができなかった。実際、彼女の英語の知識は夫にとっても頼みの綱となっていた。カタリナと同じように、カナダで専門職を見つけるために、マルティナは英語を習いたいと考えていたが、後述するように、マルティナの可能性のほうがカタリナより制限されていた。

マルティナが住んでいた地域には、マルティナが英語の練習ができるような英語話者はほとんど住んでいなかった。マルティナはインタビューで以下のように述べている。

M：この建物の中で英語を聞いたことがありません。

B：そう。

M：この部屋には中国人が住んでいるんです。その人たちは、カナダにたぶん９年ぐらい住んでいるけど、ドアを開ければ、よくわからないけど、中国語かベトナム語を話しています。それに洗濯室でも、ポーランド語か、ユーゴスラビア語、ポルトガル語、もしくは私が知らない言葉が聞こえてきます。でも英語じゃないんです。英語の人もいるかもしれないけど、いても１家族か２家族だけです。

B：そう、マルティナ。ここにはたくさんの移民が住んでいるんですね。

M：そうですね。ここはかなり安いからだと思います。人がたくさん出たり、入ったりしているから移民が多いんだと思います。

すぐ近くの地域にはあまり英語話者がいなかったが、マイのように、マルティナは英語を練習するために家族のリソースを利用した。彼女の娘たちは、マルティナにどうやって接客するのかを教え、マルティナは子供の学校の本を借りて、読もうとした。子供たちは、図書館から本を借りてくることもあったし、マルティナがスキルアップクラスで勉強してきたことを子供たちに試してみることもあった。マルティナは英語の練習のために、わざわざ必要のない電話をかけたりもした。たとえば、彼女の夫のペトルがウィンチェスターの英語コースを受講したいと考えた際、質問の練習をするために、いくつもの教育委員会に電話をしてみることにした。彼女は以下のように述べている。

> 2週間ぐらい前、ウィンチェスターのセパレートスクール◇4の教育委員会に電話して、学校のしおりを頼みました。もらってから、ペトルのための夜間のESLコースを探しました。水曜日の6時ごろに電話するように言われました。ニュータウンのいくつかの学校に練習のために電話してみました。

マルティナは家庭内の主たる扶養者だったので、カナダ人とやりとりするときに感じていた不安や緊張に負けるわけにはいかなかった。彼女は投げ出せなかったのである。心理的に難しいと考えられることでも、彼女は沈黙しなかった。彼女の母親としてのアイデンティティは、移民としてのアイデンティティより強かった。

> 最初、私はとても緊張していて、電話で話すのが怖かったです。電話が鳴ったとき、家族はみんな忙しくて、娘が電話に出なければなりませんでした。ESLコースの後、私たちが引越しをしたとき、大家さんが私たちに1年分の家賃を前払いするよう説得しようとしました。私はびっくりして、電話で大家さんと1時間以上話しました。私は時制のルールなどは考えませんでした。私は自分が投げ出せないことを知っていました。子供たちは私が話しているのを聞いて、とてもびっくりしていました。

カタリナと同様、マルティナもよい母親であろうとした。しかし、カタリナと同じようには、自分の母親としての役目を考えていなかった。カタリナとは違って、子供との関係が英語によって脅かされるだろうとはほとんど思っていなかった。たとえば、「私の子供は、家でチェコ語を習えば十分だと言っています」と述べているように、子供たちが学校でチェコ語を習わなくても彼女は気にしなかった。マルティナの子供たちは、カタリナの一人娘より年上で、チェコ語が十分に話せるようになっていたという点から、マルティナの立ち位置が説明できるだろう。彼女の子供たちは、ほぼ成人で、親との間で第１次社会化（primary socialization）を終えていた。さらに、マルティナは家での公的 / 私的な用事をたくさん受け持ち、夫であるペトルよりも手ぎわよくこなしたことから、カタリナやマイの兄嫁のタンとは違い、家の中での権威と評価を得ていた。

家族の主たる扶養者として、マルティナは英語の練習だけに興味があったわけではなく、カナダ人がどのように公的世界でふるまうのかを理解したいと考えていた。マルティナと家族はカナダで、悪徳家主のせいで不幸な出来事に何回も出会っていた。しかし、彼女は自らが経験した搾取を黙って受け入れるのではなく、積極的にカナダ人の生活について探るため、さまざまな方法を模索した。概して彼女はカナダ人との接触を多く持っていなかったので、テレビの連続ホームドラマを参考にした。彼女は次のように書いている。

> 私が『一度きりの人生』(*One life to live*) を選んだのには、長い理由があります。オーストリアに来たとき、いろんな人が私たちに移民が嫌いだと言っていましたが、私たちを好きになってくれる人々にも多く出会いました。みんな同じではありません。オーストリアでの最初の１か月は、「電化製品の日」◆[1]で、そこで私たちは、洗濯機やアイロンや他の物を拾いました。新しくはなかったけど、使えました。カナダに来て最初の１か月はとても大変でした。話せなかったし、わからなかったからです。冷蔵庫を買ったとき、動きませんでした。熱くなったんです。２週間ごとに修理の人が来て、１週間したらまた止まりました。だから私たちは、返品して、小さな冷凍庫を買おうとしましたが、ありませんでした。責任者の人は娘に「待たなければいけないし、毎月電話する必要がある」と言いまし

た。私はとても失望しましたし、私はカナダ人について知りたかったです。最初、私たちは『ボスは誰？』(*Who's the Boss*) と『コスビー・ショー』(*The Cosby show*) を見ました。とても可笑しかったですが、違うものを見たいと思いました。ESL コースの後、私は面接を受けました。学校では勉強したことがない内容を質問されたので、びっくりしました。それで私は、毎日ではありませんが、『私の子供たち』(*All my children*) と『一度きりの人生』を見始めました。どちらも連続ホームドラマですが、本当の人の経験が描かれていました。仕事の話はあまりありませんでしたが、異なる性格の人がいました。人生は愛と憎しみと危険と嘘にあふれていました。子供にこの話をしたとき、いくつかの英語の言い回しを使いました。「ほっといて (leave me alone)」「どうなってるの (what's going on)」などです。こういう言い回しは英語のほうがかっこいいです。

マルティナはカナダの連続ホームドラマに夢中なのは、チェコスロバキアで見た同じようなドラマとはかなり違うからだと説明した。彼女の母国のテレビドラマは、国の経済のために一生懸命働く勤勉な人たちのことを描いていた。彼女は冗談めかして、ペトルはチェコスロバキアのテレビを見ているだけで、手が痛くなると言っていたと教えてくれた。カナダのホームドラマでは、反対に、仕事はドラマの登場人物の背景として使われるにすぎず、登場人物は、愛と憎しみと危険と嘘にあふれた人生を生きていた。これらのドラマは、マルティナがカナダで経験したことを理解するのに役立った。加えて、ドラマはマルティナにとって比較的理解しやすい口語英語に接する機会ともなった。

カタリナのように、マルティナも日常的に英語が練習でき、母国で身につけた技術が使える仕事を見つけたいと切望していた。しかしながら、測量技師としての仕事を探そうとする試みは実を結ばなかった。彼女はこの失敗を、カナダの自文化中心主義的な慣習のせいだと考えた。「私のくせのある発音のせいで、私が自分たちより価値がないかのように扱う人もいました（特に私が仕事を探しているとき）」と彼女は書いている。彼女の理解に従えば、移民とはカナダ人より価値がない人たちである。しかしながら、周縁化されていると気づいても、マルティナはそれに抵抗しようとはしなかった。事実、彼女は英語が話せない人々に対して「うんざりしている」カナダ人に同情をしていた。彼女は英語が上手ではないことと、カナダでの経験が少ないことが足枷となっていると言っていた。重要なことに、マルティナは自分の専門の仕事を見つけることができなかった原因の1つは、彼女がカナダの文化的慣習を十分に理解していないことだと考えており、インタビューで次のように話していた。

M：カナダでは、「自分を売り込む」必要があると聞きました。
B：たしかに、たしかに。
M：でも、私はそんな人じゃありません。私は今まで仕事で苦労したことはありませんでした。学校を修了し、学校で申込書を書いたら、学校が私たちを雇いたい会社を教えてくれたのです。そして私は1つの会社のいろいろな支店で16年働きました。

マルティナは自分自身をどう売り込めばいいのかわからないと言っていた。この点に関して、彼女がチェコスロバキアで身につけた就職面接の受け方に関する知識は、カナダの文脈では役立ちそうにないと説明した。

そこで、私は約2時間面接を受けました。面接をした人たちは、私のすべてを聞き出そうとしました。いろいろな質問をされました。そんな質問は聞いたことがありませんでした。たとえば「もし上司があなたに怒鳴ったら、どうするか」などでした。私はとても驚きました。私は「上司は私に絶対に、絶対に怒鳴ったりしない」と考えました。どう答えればいいかわかりませんでした。「もし私が悪かったら、もっとよくしようとします。そして謝ります」と言いました。でも、私はそんなこと、まったく考えたこともなかったので、私にはわかりません。

マルティナが持つカナダの文化的慣習に関する限られた知識では、マルティナが得意とする仕事や同僚と英語を使用する機会がある仕事に就く機会は限られていた。エヴァとマイの例でみたように、仕事における有能さは、その人のすばらしい象徴的資本となり、発言したり、会話をしたりする権利をもたらした。

マルティナは彼女の持っている技術に見合った仕事を見つけることができなかったため、話す能力を伸ばす努力をしつつも、調理補助やレジ係といった、技能が不必要な仕事に就くことを考え始めた。彼女はカタリナほど、そういった仕事に対する抵抗を感じなかったようである。それは単純に、カタリナほど選択肢がなかったからかもしれない。夫であるペトルは配管工で、失業する可能性が常にあったし、事実彼は、ウィンチェスターに移ってからも一度一時解雇されていた。加えて、マルティナは年齢のせいで若い人よりも新しい仕事に就くことが難しく、彼女の専門とする仕事に就くには、第二言語の能力とカナダ社会での経験が乏しいことが問題であることを受け入れているようであった。彼女にとっていちばん重要なのは、カナダの専門職の階級に入ることではなく、家族が日々過ごしていけるようにすることだった。

マルティナはときどき絶望し、憂鬱に感じながら家にいるよりましだと考えて、「人生をすべて清算したい」と思った。家ではテレビと読書を通して英語に接していたが、英語を話す練習にはならなかった。しかしながら、マルティナが就くことができた仕事では、英語話者との社会的なネットワークに参加はあまりできなかった。彼女がファーストフード店の調理補助として働いていたとき、彼女が接することができた人は、店長とパートの若い従業員だけであった。店長とパートの従業員たちは社会的な関係を持っていたが、マルティナはそのやりとりから排除されていた。エヴァのように、マルティナは職場における社会的ネットワークに入る象徴的資本を持っておらず、顧客には自分から率先したときだけ話しかけることができた。ただ、マルティナが積極的に自分から話しかけようとしていたことは指摘しておきたい。彼女は周縁化を従順に受け入れたわけではなく、次のように書いている。

> 私の若いカナダ人との経験は、非常に悪いものでした。たぶん私は運がなかったのでしょう。私はふだん、店長とのみいっしょに働きます。でも学校の教員の研修日や学校が休みの日には、店長は自分のオフィスにいて、私は学生たちと働きました。私はよくジェニファー(12歳)とヴィッキー(15歳)という姉妹と、レジにいる副店長といっしょに働きました。この2人の女の子は、話すのが本当に好きですが、私とではありません。私がとて

も忙しくしていても、若いお客さんと話して笑い、ときどき私のことを見ます。私のことを笑っているのかどうか、わかりません。お客さんがあまりいないとき、店長のいるオフィスに行って、店長がコンピューターで「スロットゲーム」をするのを手伝っています。お客さんが来たので、私は女の子たちを呼びました。彼女たちは来ましたが、しかめっ面をしていました。私は気分が悪く、この状況を避けたいと思いました。夜になって、私は娘にお客さんに何と言わなければならないのか、聞きました。娘は「いらっしゃいませ」、それから「もう一度お願いします」「他には」と教えてくれました。私が初めて2人のお客さんを接客してみたとき、お客さんは私のことを変な目で見ていましたが、私は諦めませんでした。私は彼らが欲しいと言うものをすべて渡してから、女の子たちを探しに行って、いつものように「レジ」と言いました。彼らは驚きましたが、何も言いませんでした。あまりチャンスがなかったので、数回しかできませんでした。

ただ、マルティナの周縁化は、彼女が他の同僚よりも年上であるために、いっそうひどくなっていた可能性もあった。彼女は以下のように話している。

レストランでは、子供がたくさん働いています。子供たちはいつも私のことを、よくわからないけど、たぶんほうきか何かだと思っています。彼女らは「あっちに行って、リビングを片づけてきて」と言います。それで私は皿を洗ったりしますが、彼女らは何もしません。自分たちだけで話していて、私がすべてしなくてはいけないと思っているようです。私は「いや」と言いました。その子はたった12歳です。私の息子より若いのです。私は「あなたは何もしていないでしょ。あなたが行って、テーブルなどを片づけてきて」と言いました。

このコメントは、私は、非常に重要だと考える。学習者のアイデンティティは社会的相互作用によって構成されるだけではなく、それが社会的相互作用を構成していることを明確に示しているからだ。マルティナは、私的領域での母親というアイデンティティによって、公的領域における若い同僚たちの言動を家庭という枠組みの中に位置づけていた。彼女は同僚を自身の子供より若く、彼女に命令する権利を持たない者と位置づけた。そのため、マルティナが女の子たちの言動に付与した社会的な意味は、社会的空間を横断するマルティナのアイデンティティ構築に照らしあわせたうえで、理解しなければならない。これは第6章でより詳しく述べる。

マルティナはファーストフード店で、8か月間、非常に勤勉に実直に働いたにもかかわらず、彼女はそこでは、ほとんど透明人間のようだった。たとえば、彼女が家を探すために、ファーストフード店から必要書類をもらおうとしたとき、ファーストフード店では誰も彼女の存在に気づいていなかった。彼女はこのときのことをインタビューで説明してくれた。

M：私たちが引っ越したとき、大家さんは誰か、私の身元保証人をほしがっていました。それで私は「彼ら［ファーストフード店の人］は私の身元保証人になってくれるだろうか」と言いました。なぜなら、私はそこで8か月働いていましたから。私はそこで6時半から2時か3時まで働いていますが、学生が来ないときは、「もう1、2時間長くいてくれないか」と頼まれることもありました。私の子供たちが家に帰って来ても、私はだいたい夕方料理をしておいて、彼らが帰ってきたら、少し温めればいいから問題ありませんでした。私は「大丈夫です」と言いました。ですから、私はファーストフード店を、この家のための申込書類に記入しました。そして、管理人がその人たちに電話しました。その人たちは私はそのレストランで働いたことがないと言いました。それで管理人が電話してきて、「私が嘘をついた」と言ってきたので、私は「嘘じゃない」と伝え、彼のもとに給料の小切手を3枚持っていきました。そしたら信じてくれました。でも、すごく……

B：ひどい。

M：ひどいことです。私は「何をしたらいいの」と言いました。

B：マルティナ、どうして彼らはそんなこと言ったの？

M：ファーストフード店では、いつも学生たちに電話がかかってきて、学生たちはたぶんあまり長く働いていません。誰かから電話がかかってきても

「いいえ、彼女は働いていません。私は会ったことがありません。じゃあ」と言うかもしれません。私たちは家が見つからなかった可能性があることがわかりました。大家さんは私たちが仕事をしているかどうか、人となりを知りたいと思っていましたから。

仕事に就いたり、家を借りたり、銀行から融資を受けたりするために、照会先を必要とするのがカナダ社会でのやり方だ。ニューカマーであるマルティナも家族も、自身の人となりを保証する社会的ネットワークを持っていなかった。しかしながら、マルティナは8か月間、カナダの組織で働いたにもかかわらず、この文化的慣習を満たす際に、同僚や経営者を頼ることができなかった。このような周縁化は、ときに移民を声がなく、見えない存在にする不平等なカナダ社会の力関係を参照しなければ理解できない。実際、ある会社がマルティナにカナダ人の友達はいるかと尋ねたとき、マルティナの頭に浮かんだのは私だけだった。マルティナは時間、一生懸命働くこと、そして、勇気だけが自分たちの生活を変えることができると信じていた。

まとめると、マルティナの英語に対する当初の投資は、家族との日々の暮らしと子供たちのよりよい生活を手に入れるためであった。母親であり、主たる扶養者であるというアイデンティティは、私的な世界、および公的な世界と彼女との関係を構築しており、職場で英語を使い交流する機会をどう作るかという点に大きな影響を与えた。家族の主たる扶養者として、マルティナはカナダでは「何でも自分でしなければならない」とすぐに学んだ。たとえば、マルティナは子供たちが学校で英語の文法の授業を受けたことがないことに対して、「子供たちは本で自分たちで勉強しました。もし私が学びたければ、自分でしなければなりません」と言っている。そして、英語を話したり、カナダ社会について学んだりする機会を積極的に自分自身で作りだしていった。ESLクラスに参加することから、電話をかける練習をすること、そして、テレビドラマを見ることまで、マルティナはたえず努力を続けた。彼女は周縁化されても黙ることはなかった。彼女は諦められないことを知っていたのである。

第二言語学習において高い処理能力と上達をみせたにもかかわらず、マルティナは英語が上手に話せないから自分はバカであるとか、劣っているとよく言った。彼女は、電話の設置にきた業者がトイレを貸してほしいと言ったときに台所に案内したからバカだった。彼女は時給4ドルの調理補助として働いているからバカだった。彼女は店長を助けるために余分な仕事をしたからバカだった。彼女は英語が流暢に話せないから劣っていた。マルティナは周縁化されても黙ることはなかったが、自分が移民として位置づけられることを受け入れているようであった。事実、彼女は英語話者のカナダ人に同情してこう言った。「英語でろくにコミュニケーションできない人にうんざりしているカナダ人もいます」。マルティナは、人生における進歩と成功は、個人の能力と勇気によるもので、より大きな構造的要因によるものだとは考えていないのではないかと私は思っている。成功した人は、自分で考え「自分から動いた人」である。この考え方でいくと、失敗は個人の力不足や個人的な失敗のせいになる。このような理由から、マルティナは、周縁化されていたにもかかわらず、カナダ人やカナダの社会制度に対し、ほとんど恨みを抱かず、カナダは移民にとっていい国だと考えていたのではないだろうか。成功するためには、移民は一生懸命働かなければならず、我慢強く、勇気を持たねばならない。このような立場から、自分が持つカナダ像と矛盾するような証拠に出くわすと、マルティナはよく戸惑っていた。マルティナは家主が彼女を搾取したり、電化製品の業者が彼女をだましたり、雇用主と同僚が彼女のことを無視したり、経営者が夫の雇用を打ち切ったりするとは考えもしなかった。彼女の勇気と、英語を学び練習しようとする意思とは裏腹に、マルティナはカナダ社会で受け入れられ、尊敬されているとは感じていなかった。実際、彼女は移民するという家族の決断に、相反する感情を持っていた。それにもかかわらず、彼女は諦めなかった。マルティナから聞いた最後のニュースは、彼女は税務申告書作成者のコースを、99点というクラスでトップの成績で卒業したというものだった。彼女のいちばん上の娘は、専門職の資格が得られる大学に合格し、下の2人は、学校でいい成績だったそうである。彼女の勇気が報われる日もそう遠くないかもしれない。

フェリシア

「私は、カナダで自分のことを移民だと思ったことはありません。ただ、偶然ここに住んでいる外国人であるとだけ考えています」

ペルーで、フェリシアは成功したビジネスマンの妻として、居心地のよいアイデンティティを獲得していた。彼らは町の高級住宅街に住み、海辺にコテージを持ち、旅行を楽しみ、子供たちを私立学校に通わせていた。しかし、彼女の夫は仕事がら、命を狙われる危険性があり、恐怖の中で暮らしていた。家族がペルーを離れ、カナダに移ったのは、「ペルーでテロが増加している」ことが理由だった。ペルーからカナダへ移り住むことは、フェリシアにとって困難をともない、フェリシアは移民したことに不満を感じていた。フェリシアはペルーの地方公共団体が彼女と夫を騙し、カナダに移民するようにそそのかしたと考えていた。カナダへの移動を特に難しいものとしたのは、カナダでフェリシアの夫がよい仕事を得られず、生活の質が本質的に変わってしまったことだ。フェリシアは以下のように書いている。

> カナダで私たちは生活水準を下げました。私たちは母国で余裕のある生活をしていました。夫はとてもよい仕事をしていました。カナダで夫は仕事をする機会が得られません。私はなぜ政府が専門家のビザを出したのか、理解できません。

フェリシアはペルーで慣れ親しんできた恵まれた生活習慣から、多くの適応を強いられ、カナダの生活はとても大変だと言った。「仕事、仕事、仕事だけ」。ペルーでは、週末は家族で海辺のコテージで過ごしたが、今はチラシ配りをして過ごしている。階級が変わったことが、フェリシアの英語への投資や練習にどのように影響したのかは非常に複雑な問題で、フェリシアのアイデンティティ構築と照らしあわせて理解しなければならない。第3章で述べたように、フェリシアは移民を出身国で「何も持っていなかった」人と「専門職を持ち、豊かだった」人に階級で区別した。彼女は、国で何も持っていなかった人は、仕事を選り好みすることもないし、いろいろな物を買うことができるので、カナダでは幸せだと言った。しかし、専門職だった人は、カナダに来て、期待していたほど歓迎もされないため、得るものより失ったもののほうが多い。フェリシアの見方によれば、カナダ政府は移民に多くのお金を使わせたがるが、その見返りの機会は提供しなかった。フェリシアは、彼女と家族がペルーで享受していた象徴的、物質的リソースがカナダの文脈ではそれほど価値がないことを、非常に腹立たしく思っていた。コネルら（Connell *et al.,* 1982）が議論しているように、階級関係を理解するうえで、誰であるか、もしくは、何を持っているかが重要なのではない。自分のリソースで何をするのかが重要なのである。家族が技能や教育といった象徴的リソースを持っていながら、母国で確立した階級を維持するために使おうとしてもうまく使えないことに、フェリシアは腹を立てていた。フェリシアの夫は、数えきれないほどの履歴書を会社に送り、会社のヘッドハンターに接触し、仕事を探す手伝いをしてくれと友達に頼んだ。たとえば、私も彼の履歴書を見直したり、ヘッドハンターに紹介してほしいと頼まれたりした。私はさらに、フェリシアが近隣の学校で保育の仕事を見つける手伝いもした。興味深いことに、私を（ただの照会先としてではなく）リソースとして利用した2人の女性はカタリナとフェリシアで、2人とも専門職としての階級に強い興味を持っていた。

ペルーでは、フェリシア自身の地位、自尊心、物質的繁栄は、夫の仕事および収入と関連していた。子供の誕生から移民するまでの15年間、フェリシアは自分の専門である教師としては働いておらず、専業主婦をしていた。カナダでフェリシアが得ることができたのは、チラシを配る仕事と、子供の世話をする仕事だった。カナダに来たとき、彼女の夫は、仕事を見つけることができず、フェリシアが夫や家族のためにできる組織的、物質的支援はほとんどなかった。あるとき、フェリシアは悲しそうに、家族はみんな何らかの才能や成果があるが、「英語が下手な」自分だけは何もないと打ち明けた。カタリナの夫のように、フェリシアの夫もカナダに来る前から英語が上手だった。ペルーで彼女の夫は英語で授業をする学校を卒業して、仕事で英語話者たちと接し、国際的な土俵で働いていた。フェリシアがペルーで育ったときは、英語は女性には必要だとみなされておらず、スペイン語で授業がなされる女子高校を卒業していた。彼女が習った英語は、「動詞の to be 以外何もなかった」。ペルーでは、テレビや国際的なコミュニケーション、国際的なビジネスの影響があり、英語は重要になってきていると彼女は述べた。そして、彼女の子供たちは、ペルーでは英語で授業を行う私立学校に通っていた。それゆえ、子供たちも夫もペルーから移民して来る前から、すでに流暢に英語を話すことができた。当然、フェリシアがカナダに来たとき、公的世界とやりとりをする責任は夫が負っていた。マルティナの家庭における状況とは異なり、フェリシアの家族はよりよい生活のために彼女の英語に頼ってはいなかった。それゆえ、フェリシアにとっての英語の価値は、家族が十分に機能するために公的世界とやりとりする責任があったマルティナとは異なっていた。さらに、カタリナとは異なっていて、マルティナと同じなのは、英語はフェリシアと子供たちとの関係を脅かすものではなかったという点だ。フェリシアの家では、スペイン語が一貫して家庭内の言語として使われていた。両親はともかく、上の２人の息子たちはスペイン語をいつも使っていたし、下の娘も同じだった。フェリシアは、娘が母語を失うのではないかという不安をまったく表さなかった。彼女は娘がスペイン語を維持できるだけの十分な支援を家族から得られると確信していた。結果として、マルティナのように、フェリシアは子供たちが学校で母語を習ったりする必要性を強く感じなかったし、自分と娘との関係を脅かすとも思っていなかった。

カナダは「テロがなく、泥棒が少ない」社会ではあったが、フェリシアは専門職階級に入ることができず、低い生活水準に満足することもできなかった。フェリシアは不運な状況にある理由を、カナダが親切な国ではないことに求めようとした。事実、フェリシアは次第に、カナダ社会の中で移民に位置づけられつつあるという結論に達したが、次の引用でわかるように、その位置づけを彼女は腹立たしく感じていた。

> ときどき、私は、移民を見下すカナダ人もいるように感じます。その理由はわかりません。「すべて」のカナダ人が他の国から来ているではありませんか。カナダは移民によって成り立っています。カナダ人は、ここには差別がないと思っていますが、私はそうは思いません。この先、私の意見が変わればいいなと思います。

母国で手にしていた階級をとり戻すために大きな投資をしたカタリナと同様、フェリシアはカナダ社会で移民として位置づけられることに強く抵抗した。カタリナとフェリシアは、自分たちが移民として位置づけられてしまったら、それぞれの教育水準や物質的地位にあった社会的ネットワークへの接触が拒否されてしまうのではないかと感じていた。カタリナは移民というレッテルに対し、教育的目標を達成することで抵抗しようとしたが、フェリシアはカタリナより10歳年上で、新しい専門職には踏み出せなかった。そのため、フェリシアは裕福なペルー人というアイデンティティに籠り、移民という位置づけを受け入れることを完全に拒否していた。彼女は「私は、カナダで自分のことを移民だと思ったことはありません。ただ、偶然ここに住んでいる外国人であるとだけ考えています」と痛烈に述べた。「外国人」とは観光客のように、ホスト社会における社会的力関係の対象ではない人たちのことを指している。一時的な旅行者であり、移民が持っていない独立性と移動の自由を持っているのである。このように外国人は、弱い立場からではなく、強い立場からホスト社会の人たちと関わることができる。フェリシアは、ペルー人としてのアイデンティティを育み、多くのペルー人の友達を持ち、同僚にはペルーからの友人として認識されることを望んだ

このアイデンティティがフェリシアの英語と英語を話す機会への投資にどのように影響を与えたのかは、非常に重要である。自分のペルー人としてのアイデンティティが認められるかぎり、フェリシアは気楽に英語を話すことができた。もしこのアイデンティティが認められず、彼女が移民として位置づけられたら、フェリシアは沈黙した。そのため、フェリシアはよく知っている人たちと話すのをいちばん気楽に感じていた。これらの人々は、彼女の経歴とペルー人としてのアイデンティティをよく知っている人で、彼女は移民だという理由で拒絶されることはなかった。彼女の家で1対1の言語交換をするときが、彼女がもっとも気楽に話すことができるときであった。フェリシアはこの毎週のミーティングにおいて、どのように自分たちがお互いの言語を学びあっているのかを以下のように描写している。

> いつものように、私たちはとてもよく話しました。彼女と話すのはとても気分がいいです。なぜなら、彼女は私の英語をやる気にさせてくれるし、辛抱強いからです。私が話すことすべてに興味を持ってくれます。彼女は

スペイン語に同じように問題を抱えています。2人とも気楽に感じるのはいいことです。

しかし、フェリシアは知らない人とはとても居心地悪く感じていた。たとえば彼女は、同じアパートの人たちと話すのを避けていた。内気か、もしくは人づきあいの悪い人だと思われたほうが、移民だと思われるよりいいと思っているようだった。

私の建物には、お年寄りがたくさん住んでいます。エレベーターで彼らに会うと、いつも天気や何か他のことを話しかけてきます。でも私はとても短く答えます。流暢に早く話せないからです。たぶん私は内気か、人づきあいの悪い人だと思われているでしょう。

ペルー人としてのアイデンティティに投資しているということを考えると、フェリシアが「私は新しい人と話すときには気まずく、また、英語を正しく話すペルー人の前では英語が話せない」と言っていることは重要だと考えられる。もっとも関わりを持ちたいと思っている階級のペルー人と自分自身との不利な比較には、フェリシアは強く抵抗していた。この現象については、次の章でより詳細に述べる。コネルら（Connell *et al.*, 1982）が述べているように、階級とはカテゴリー化するシステムではなく、人と人との関係のシステムである。

街の富裕層が住む一角にあるフェアローンズレクリエーションセンターの職場では、フェリシアは裕福なペルー人としてのアイデンティティを作りあげることに成功していた。彼女の同僚たちは、レクリエーションセンターの近くに住んでいて、彼女がペルーに土地を持っていること、ニュータウンに家を買いたがっていること、3人の子供がいて、専門職の（失業中だとしても）夫がいることを知っていた。

私はいっしょに働いている女性たちに、今ペルーで売りに出している土地のことを話しました。先月、買いたいという人がいました。義姉が彼女と何日も話をしてから、私の指示を聞くためにコレクトコール◇5で連絡してきたんですが、結局その女性は買いませんでした。私は電話代に600ドルも払わなければなりません。

センターの女性たちはフェリシアを、移民というよりむしろ訪問者として、彼女らの社会的ネットワークに迎え入れた。この女性たちは、フェリシアを家に招いて夕食をともにし、ペルーのニュースについて彼女と話をし、彼女の英語にも非常に忍耐強かった。事実、フェリシアは自分の英語の上達は、センターでいっしょに働いている女性たちのおかげだと述べていた。フェリシアのペルー人アイデンティティを積極的に主張するというストラテジーは、少なくとも英語の練習ができる機会という観点からみれば、有効であることが証明された。ただ、フェリシアは、職場の女性たちとやりとりし、話す機会をたくさん得たが、彼女の役割はどちらかというと受け身的なものだった。彼女は話すよりも聞いていることが多かった。彼女は英語が下手なために自分がおもしろくない人であると思われたくなかった。それゆえ、職場では移民としてみなされないようにするというハードルをクリアしたものの、英語が流暢ではないせいで、つまらない外国人と思われると感じていた。

私は職場で英語を話すより聞くことのほうが多いです。ときどき、女性たちが私の国や家族について聞いてきますが、私は英語が上手ではなく、話す前に考えなければならないから、つまらない人間だと思います。私は女性たちと8か月もいっしょに働いていたし、毎日会っていたので、彼女たちとだと自信が持てます。とてもいい人で、私の英語を辛抱強く聞いてくれます。話していることはほとんどわかりますが、推測しないといけない部分もあります。

フェリシアは、託児所で幼児たちと話す機会はあるが、彼らは非常に幼く、センターにはほんの短い時間しかいないことが多かった。しかし、フェリシアは、「私はお母さんたちと話すことを避けています。私の英語はとても下手だし、知らない人と話すことは好きではないからです。お母さんたちに子供たちのことをたくさん話したいですが、黙っているほうがいいです。私は必要なことだけを話します」と述べ、子供のお母さんたちに話しかけるのを嫌がった。フェリシアはカナダで移民として位置づけられるリスクを冒すより、黙っていることを好んでいた。親しくない人は、フェリシアのペルーでの経歴や社会階級について知ることはないだろう。このように、フェリシアにとって英語を話す機会は、移民として周縁化されるリスクによって制約を受けていた。

比較のために述べると、フェリシアは学童クラブでのパートの仕事も得ていたが、十分な技能がなく周縁化されていると感じたため、何日かでやめてしまっていた。そこでは、より年上の子供たちと関わらなければならず、かなり高い英語能力が必要とされ、プログラムのルールを子供たちに守らせるのに悪戦苦闘した。さらに子供たちは、彼女のスペイン語の背景を尊重せず、異なっているとして彼女を周縁化した。加えて、彼女はプログラムの中の唯一の大人で、彼女のペルー人としてのアイデンティティに対して、子供たちより同情的になれる大人たちからの支援もコミュニケーションもなかった。

私は水曜日に働き始めました。水曜日は大丈夫でした。私が面倒をみなければいけない子供が19人いて、私は彼らとコミュニケーションができて、この仕事を以前していた先生と話しました。昨日はマリアといっしょに行きました。マリアは私にたくさんスペイン語で話しかけました。前日とは異なる子供がいて、そのうちの2人はとても活発で、言うことを聞きませんでした。私は彼らに何度も注意しましたが、私の英語は充分ではないと感じました。年上の子供の1人が私に、あなたは訛りがありますねと聞いてきました。私はそうですよと答えました。彼は私の言葉がフランス語かと聞きました。私はいいえと答えて、フランス語に似ていると言いました。彼の母親がお迎えに来たとき、私は彼に名前を尋ねました。「自分の名前をスペイン語でどういうのか知らない」と彼が答えたので、私は「スペイン語で答えなくてもいいですよ。英語で言って」と言いました。私は昨日、あまり気分がよくありませんでした。

著者解題

この章で、私はこの研究に参加してくれた年上の3人の女性たちについて、英語への投資と英語でのコミュニケーションの機会は、歴史的時間と社会的空間を越えて変化する彼女らのアイデンティティという文脈の中で理解しなければならないと主張した。アイデンティティの多元性と複雑性を認めると同時に、母親としてのアイデンティティの考察を通して、とても興味深い比較分析の機会を得ることができた。私は「移民女性のジェンダー化された母親としてのアイデンティティが、どの程度、目標言語への投資や目標言語話者とのやりとりに関わっているのか」という点を問うた。おそらく、もっとも大切なポイントは、移民女性の子供たちが目標言語話者である、もしくは、目標言語話者になるという点であろう。子供が1人しかいないカタリナは、この点を強く認識していた。事実、2つのことが重く彼女の心にのしかかっていた。それはカタリナが理解できない言語を使ってマリアが成長するということ、そしてカタリナが「理解できる」唯一の言語をマリアが忘れるかもしれないということだった。彼女のジレンマに対する解決策は2つあった。1つは、マリアがバイリンガルになるということ、もう1つは英語に対して相反する感情を持っていたとしても、カタリナが英語をできるだけ早く、効率的に学ぶということだった。しかし、彼女の英語への投資は、ジェンダーと1対1で対応しているものではない。専門職として認められたいというカタリナの願望もまた、彼女にとって非常に重要であったことを、本研究のデータは説得力のある形で示している。さらに、カタリナは母語であるポーランド語に、マイの義姉がベトナム語に対して持っていたような、あるいはこの章の最初に引用したアンサルデゥーアの母がメキシコ系アメリカ人のスペイン語に対して持っていたような、相反する感情をまったく持っていなかった。ある少数派言語が他の少数派言語より価値を持っているのはなぜなのか、これについては、次の第6章で焦点を当てる。

マルティナとフェリシアは2人とも3人の子供の母親で、子供たちは英語に加えて、母語も充分に上手だった。しかし、それぞれの家族での彼女らの位置づけは大きく異なっており、それは、彼女らの英語への投資と目標言語話者との関係に大きな影響を与えた。マルティナは、夫が失業していて、英語が上手ではなかったため、母親であるだけではなく、主たる扶養者でもあった。当初は、彼女の子供たちが、より大きな英語話者のコミュニティとのやりとりの責任を負っていたが、マルティナは英語をできるだけ早く学ぶことで、その責任を子供たちから引き継ごうとした。この文脈でよい母親であるということは、家という空間の中だけではなく、その外のすべての公的な機関とも関わるものだった。マルティナは、そのため、公的世界でどんな逆境にあっても、投げ出さず、沈黙もしなかった。マルティナとは違って、フェリシアの夫は英語だけではなく、カナダ社会の文化的慣習にもなじんでいた。そして、カタリナとは異なり、子供たちとの関係も安定していた。そのため、フェリシアの家庭内での母親としてのアイデンティティは安定しており、彼女にとって公的世界で価値のあるアイデンティティは裕福なペルー人というものだけだった。同情的な聞き手に対し、彼女の裕福なペルー人というアイデンティティが主張できるときは、フェリシアは気楽に話すことができた。反対に、移民として位置づけられるよりは、話さないことを選んだ。私的、そして公的なアイデンティティの状況を考慮すれば、彼女の英語に対する相反する感情はよりよく理解することができる。次の章では、5人の女性の言語学習体験の描写から、より分析的で解釈的な議論を行う。

注

◆1　マルティナは、steel dayとは、中古の電化製品など鉄製のものを外に出す日で、他の人が必要なら拾っていってもいい日のことだと説明した。

訳注

◇1　邦訳は菅啓次郎訳（1996）「野生の舌を飼いならすには」『世界文学のフロンティア1　旅のはざま』岩波書店、pp. 187-209。

◇2　「毎月、話しているうちに、緊張しないようになってきたと気づいた」という意味。

◇3　原著者であるボニー・ノートン氏は南アフリカ出身。略歴については著者紹介を参照。クラムシュ氏による本書のあとがきにも詳しい。

◇4　キリスト教系の公立学校。

◇5　通話料金を電話の受け手側が支払う通話の方法。

第6章

第二言語習得理論再考

> 今日、言語学習はコミュニケーション場面への参加の結果だという意見に反対する研究者はいないだろう。しかしながら、どのような主張がなされようとも、この「学習」というものの本質は、定義できないままである。（Savignon, 1991, p. 271）

> 言語はコミュニケーションの一形態、もしくは、ルール、語彙、意味からなるシステム以上のものである。言語は、人々が、他者との対話や関係の中で、意味を構築し、定義し、それをめぐって闘う社会的実践の能動的媒体である。言語はより大きな構造的文脈の中に存在するため、この実践は、部分的には、個人と個人の間に存在する継続的な力関係の中に位置づけられ、形づくられる。（Walsh, 1991, p. 32）

1999年の米国ニューヨークの英語教育（Teaching English to Speakers of Other Languages: TESOL）学会で、ジュリアン・エッジと私は、SLA理論の中に力の概念を組み込むことが、いかに建設的であるのか議論した（Edge & Norton, 1999）。当時の私の主張は、もし私たちが、社会的相互作用における力の問題を取り上げ、向きあうことを避けていたら、学習者の言語学習体験を理解することは難しいだろうということだった。たとえば、もし、すべての言語学習者と目標言語話者の関係が平等であると仮定するならば、カタリナがコミュニティサービスでの仕事で老人と気楽に話せたように、学習者は気楽に話せると考えられるだろう。しかし、このような仮定のもとでは、エヴァにとってはマンチーズでの、マイにとってはファブリックファクトリーでの、マルティナにとってはファーストフード店での同僚との関係についての問いには答えることができないままである。第二言語習得研究に「力」の理論を持ち込まなければ（第1章参照）、コミュニケーション場面へ参加するということの本質は、定義されることも、ましてや説明されることもないままだろう。このような力についての議論は、SLAに限ったものではなく、広く応用言語学にまで当てはまるものだ。第5章で述べたように、レイコフとタネンは女性と男性の話し方について、異なった解釈を行っているが、それは彼らが力に対して異なった見方を持っているためだった（Lakoff, 1975; Tannen, 1990）。レイコフは、女性と男性の話し方は、力関係が不公平であるという文脈の中で理解されるべきであるとしているのに対し、タネンは、男女の話し方は不公平というより、違いを表す指標であるとしている。このような議論は、とるに足りないものではない。違いをどう取り上げ、理解するのかという問題は、理論的、実践的レベルの両方で、どのように私たちが違いに向きあっているのかという問題と関わっている。もし、女性と男性が異なっているが平等であるならば、社会的な変革はそれほど必要ではないが、不平等が存在しているのなら、社会的な行動を起こすべき差し迫った理由が存在している。

これまでの章で述べたデータをもとに、私はSLAの現在のモデルのいくつかは、力についての問いから目を背け、移民の言語学習者の経験に向きあっていないと考える。また、ここで提示するデータは、欧州科学財団の大きなプロジェクト（Bremer *et al.*, 1996）で示されたデータと顕著な類似点があることを記しておきたい。本章は、自然言語学習理論、第二言語習得理論の文化変容モデル、情意フィルター仮説を1つずつ再検討することから始める。続いて、ポスト構造主義者のアイデンティティ理論とブルデューの正統的言説（legitimate discourse）概念は、本研究の結果の説明において理論的に有用であり、第二言語習得理論に価値ある貢献があることを論じる。最後に、これらの考え方を用いて、言語学習概念を社会的実践として議論する。

自然言語学習

第二言語としての英語学習に関して、第1章でも概略を述べたように、スポルスキーの自然言語学習（natural language learning）についての記述（Spolsky, 1989）では、本研究における移民女性たちの経験を十分に反映できないことを本研究は示唆している。本研究のデータをもとに、スポルスキーが個人的な立場ではなく、この分野における理論として報告したという点に注意をしつつ、自然言語習得の五つの特徴を1つずつ取り上げる。

スポルスキーが主張した自然言語学習の第1の特徴は、自然習得では、目標言語は、教室での不自然なコミュニケーションのためのではなく、本物のコミュニケーションのために使われるというものだった。自然習得環境では、練習として価値のある意味の交渉がなされる。しかし、本研究から得られたデータが示しているのは、目標言語話者はしばしば言語学習者との意味交渉に積極的に関与したがらないということだった。英語の母語話者がコミュニケーションの破綻を修正するために時間をとることは非常に稀だった。多くの場合、母語話者はパラ言語[◇1]を使って、外国からの女性たちに対して苛立ちを表した。「彼らがこう思っていることは顔を見ればわかる」とエヴァは言い、マルティナはファーストフード店でいっしょに働いた学生が口にした言葉よりも、表情のほうがときにきつかったと言っていた。

2つめの主張は、自然習得環境では、学習者は流暢な英語話者に囲まれているというものである。本研究のエヴァとカタリナとマルティナの場合、家の近くでは英語がほとんど話されていなかった。3人が住んでいた地域は、家賃が非常に安く、収入や経済的支援を受ける手段が限られている住民が集まっており、住民の多くは英語を第二言語とする移民だった。マイとフェリシアの家の周囲では英語が話されていたが、フェリシアは移民として周縁化されるのを恐れて、英語を話すのを恐れていた。マイが、裕福で大半が英語話者である近所の人たちと話したと述べたことはただの一度もなかった。彼女らが口語英語にふれる機会として唯一頼りにできたのは、テレビかラジオだったが、これらも女性たちが英語を話す練習をする機会とはならなかった。口語英語に接触する機会を増やすために、バスの中や、店、ショッピングモールで、聞き耳を立てる女性もいた。しかしながら、マルティナが述べたように、これらの公共の場所で英語話者との社交的な会話を試みても、彼らは「逃げていって」しまった。女性たちが流暢な英語話者に囲まれているのは、職場だけだった。これら流暢な英語話者は、女性たちにとってはアクセスしづらく、しばしばアクセスに失敗するような社会的ネットワークで結びついていた。フェリシアのように周囲の理解がある環境であっても、学習者は話すより聞くという傾向が強かった。マイの職場で一時解雇があったときのように、環境が対立的になると、マイは話すことができなくなっただけではなく、職場で使われる媒介言語すら変わってしまった。マイは、職場での社会的ネットワークを放棄するか、英語を話すことを放棄するかという難しい決断を迫られた。

3つめの主張は、外の世界は開かれた世界で刺激に満ちており、使われている言葉を理解するための文脈的な手がかりが数多くあるというものだ。本研究に参加した女性たちにとって、外の世界は開かれた世界でも、刺激に満ちてもおらず、せいぜい「淡々と過ぎ去る」(フェリシア)か、最悪の場合、「嵐が吹き荒れている」(マイ)世界だった。女性たちはみな、彼女らがどんな人生を送って来たのかも、教育を受け教養があることも知らない、見知らぬ人たちを恐れていた。外の世界で彼女らが見つけた文脈的な手がかりは、彼女らがまさに求めていた、開かれ刺激に満ちた世界から、彼女らを排除するものだった。「彼らは私がほうきか何かだと思っています」とマルティナは言った。「彼らは私のことを利用しています。私が何も言わないと思って」とエヴァは言っていた。女性たちがもっとも気楽に話せた社会的文脈は、慣れ親しんだ、友好的な環境であり、そこでは、人々は彼女らの英語に辛抱強くつきあった。振り返ってみると、印象的だったのは、女性たちが気楽に、そしてたくさん英語を話した場所は、ダイアリースタディのミーティングの後、彼女たちを家まで送っていく私の車の中だったということである。車の中では、私たちはみんな物理的に近くにいて、家や職場や学校でのストレスから(一時的に)解放されていた。みんなで夕方の気楽な会話を楽しみ、周縁化された経験を、個人の力不足からではなく、社会的な力の関係という点から探究した。私たちはみんな、移動する隔離されたカプセルの中にいて、「開かれ、刺激に満ちた」世界から攻撃を受ける恐れもなかった。私たちは、話すのをやめなかった。

4つめの主張は、自然習得環境では、言語は注意深くコントロールされ、単純化されたものではなく、使われる言語は自由で、普通のものであるというものだった。しかしながら、女性たちは普通の速さで話される英語を聞いていたが、自分たちの思うようには、自由に英語が使えるとは感じていなかった。フェリシアは、たとえば、彼女が面倒をみていた子供の母親たちに、その日、何が起こったのか伝えたいとしばしば思っていたが、無能だと受け止められることを恐れて、話さなかった。エヴァはマンチーズの同僚に、自分を搾取しないでほしいと伝えたかったが、結局、同僚が仕事を平等に担当しないときに、軽く冗談めかすことしかできなかった。マイは兄に彼女の人生をコントロールしようとしないでほしいと伝えたかったが、黙って何も言わないほうが楽なときもあった。なぜなら女性たちが出会った社会的な相互作用のほとんどは、ジェンダーとエスニシティの不平等の色合いが濃かったため、使用される言語は自由で、普通なものであることは滅多になく、社会的な管理装置であることがほとんどであった。

最後の主張は、自然学習状況では、コミュニケーションの意味に注意がいき、「母語話者は言語が理解可能なものになるよう配慮する」（Spolsky, 1989, p. 173）というものだった。マルティナの家主は、もし、賃貸契約を破棄するなら、マルティナが1年分の家賃を支払う義務があるとは、はっきり言ったことはなかったし、電化製品のセールスマンも熱を持ち続ける冷蔵庫を交換するために何か月も待たなければいけないとはっきり言わなかった。移民局の職員はフェリシアにカナダは必ずしも（乳と蜜が流れる）豊かな約束の地ではないとはっきり言わなかった。この研究が示唆していることは、相手が言っていることを理解し、相手に理解してもらうことの責任は学習者が負い、学習者が理解できるように母語話者が歩み寄る責任はないということだ。コミュニケーションの破綻が起こるたび、学習者は恥ずかしいと感じ、目標言語話者はイライラしたり、怒ったりしていた点は重要である。このことから、女性たちは、相手の言うことを理解したいと思うより、自分たちの言うことをわかってもらうことを強く望んだ。マイがカナダで初めて就いた仕事の同僚が、マイにのちに語ったところによると、疲れるからマイに話しかけることをやめたのだそうだ。マルティナは、カナダ人は英語が話せない人にうんざりしているのだと言っていた。エヴァの同僚は、カナダ人でない人と働くのは嫌だと言い、フェリシアはカナダ人が移民を見下していると言っていた。

まとめると、自然言語学習は必ずしも、言語学習者に開かれた、刺激のある学習環境を提供しているわけではない。学習者は、目標言語の流暢な話者に囲まれているわけでもなく、目標言語話者は、学習者の理解を、根気強く確かめ、協力的で対等な立場で意味交渉をしようと思っているわけではなかった。研究が示唆していることは、自然言語学習は、しばしば不平等な力関係によって特徴づけられており、そこでは学習者は、安全で支援をしてくれるような環境で英語を使用する機会が得られる社会的ネットワークにアクセスするのに苦労していたということである。研究に参加したほとんどの女性たちにとっての現実は、外の世界はしばしば敵意に満ち、人を寄せつけないというものだった。英語の母語話者たちはしばしば、彼女らがコミュニケーションしようとするとイライラし、意味交渉をするより、彼女らを避ける傾向にあった。彼女らが手にした文脈上の手がかりの多くは、母語話者は移民と話したり、仕事をしたりしたくないというものだった。

ブルデューの正統な話者（legitimate speaker）という概念を第1章で導入したが、それを用いることで女性たちの自然言語学習体験を説明することができる。ブルデューは人が話すとき、話し手は理解されたいと思っているだけではなく、「信じられ、従われ、尊敬され、認められたい」（Bourdieu, 1977, p. 648）と思っていると論じた。しかしながら、ブルデューは、話し手と聞き手の間には象徴的力関係があるため、聞き手を従わせることのできる話し手の能力は、話し手が誰であるかによって不平等に構造化されていると述べた。ブルデューの立場は、彼自身の言葉からもわかるが、抽象的な言語運用能力（competence）概念しか持たない言語学者のそれとは異なっている（すでに述べたように多くの第二言語習得の理論家たちとも）。

> 言語学者は、コミュニケーションの成立にかかる条件を、すでに確保されたものとして考えているが、実際の状況では、それが本当かどうかは重要な問いだ。つまり、言語学者は、言葉を交わしあう人々は、言葉を交わす関係性にあるということ、つまり、話し手にとって、聞き手は聞くに値する人であり、聞き手にとっては、話し手は話すに値する人であるという重要な点を、当然のことだと考えている。（Bourdieu, 1977, p. 648）

ブルデューの立場に従えば、女性たちの自然言語学習経験は、概して疎外されたものであったと考えられる。なぜなら、彼女らが聞き手の注意を引く（聞き手に、彼女に注意を向けるように命じる）ことも、彼女らが話すに値するとみなされることもなかったためである。このことから、女性たちは、他人を理解するより、理解されることを重視していたのだと考えられる。もし彼女らが聞くことを強制できなかったら、彼女らに話す権利がなかったら、彼女らは事実上、価値のない人ということになってしまう。言語学者の抽象的な「言語運用能力」という概念は、実際の状況（あるいは、第二言語習得の理論家たちが社会的相互作用が行われる自然な状況と呼ぶもの）を考慮していないため、ブルデューは「言語運用能力」という概念を拡大し、「話す権利」（Bourdieu, 1977, p. 648）という概念を組み入れるよう議論した。これはこの章の最後の節で詳しく述べる。

アルベルトとSLAの文化変容モデル

1973年、ハーバード大学で、キャズデンらによって、ある研究プロジェクトが行われた（Cazden, Cancino, Rosansky & Schumann, 1975）。それは、6人のスペイン語母語話者（子供2人、青年2人、成人2人）を対象とした、指導のない状況での英語の習得過程に関しての10か月にわたる縦断的研究だった。その研究では、WH疑問文、否定形と助動詞の習得に焦点があてられた。データは偶発的、および実験的に発話を引きだし、それを録音し集められた。シューマンが特に興味を持ったのは、33歳のコスタリカ人の労働者階級の被験者アルベルトであった。シューマンは、ピジン化仮説（Schumann, 1976b, 1978a）と第二言語習得の文化変容モデル（acculturation model、Schumann, 1978b; 1986）を裏づけるものとして研究成果を発表した。私が文化変容モデルをここで俎上に載せるのにはいくつかの理由がある。このモデルは特に成人移民の言語習得を説明するために発展した。シューマンが「このモデルは、移民という状況下での第二言語習得について説明する」（Schumann, 1987b, p. 47）と述べているように、本研究の目的と非常に密接な関係がある。さらに、このモデルは、文化的な適応と第二言語習得に因果関係があるという前提に立っている。つまり、「第二言語習得は文化的な変容の一側面にすぎず、どの程度目標言語グループに文化的に適応するかが、第二言語の習得度合いを左右する」（Schumann, 1987b, p. 34）のだ。加えてシューマンは「このモデルは、指導には反対し、文化的な適応を支持する」（Schumann, 1987b, p. 48）ものだと述べた。言い換えれば、もし文化的変容が起こらなければ、言語学習者にとっての目標言語の指導効果は限定的になるとしている。この点で、この理論は成人移民に対する第二言語教育への重要な指摘を行っている。最後に、このモデルは、SLA 分野で大きな影響力を持っており、SLA 理論についての定評のある文献でもよく取り上げられている（たとえば H. D. Brown, 1994; Ellis, 1997; Larsen-Freeman & Long, 1999; Spolsky, 1989）。

シューマンは研究の中で、アルベルトが他の 5 人の被験者に比べて、10 か月間ほとんど言語的な伸びをみせなかったと述べている。アルベルトの特徴は、シューマンがピジン英語と呼んでいる、省略され、単純化された英語を使うという点であった。シューマンによると、アルベルトの発話能力が伸びなかったことについて、能力、年齢、そして目標言語話者との社会的心理的距離の 3 つの理由が考えられるという。シューマンは、最初の 2 つの理由を証拠がないとして退け、アルベルトのピジン化された話し方は、目標言語コミュニティとの社会的心理的距離から説明できると結論づけた。シューマンは後の研究で、それまでの理論を SLA の文化変容モデルへと精緻化した。その中心となる前提は次のとおりである。

> 社会的要因と感情的要因という 2 つの変数のグループが、SLA の主要な要因変数である 1 つの変数を形成すると考えられる。この変数は文化変容と呼ぶことができるもので、ここでの文化変容とは、個人が目標言語グループに社会的、心理的に統合されることを指している。どんな学習者でも目標言語話者との社会的心理的距離を示す連続体の中に位置づけることができ、そして学習者は、文化的に適応するかぎりにおいて言語を習得すると考えられる。（Schumann, 1978b, p. 29）

文化変容モデルの詳細は、上にあげた数多くの文献にみることができるが、私の研究と特に関わりがあるのは、シューマンの研究結果へ至る過程と、その研究成果に基づいて彼が作りあげた理論の適切さである。ここでは、シューーマンが第二言語習得の文化変容理論を作る元となったデータ（アルベルトと名づけられた33歳の労働者階級のコスタリカ人男性のピジン化したスピーチ）に立ち返って考察する。

1973年、キャズデンらによって行われた最初の研究には、上に述べたように、子供2人、青年2人、そして成人2人の6人の被験者がいた（Cazden *et al.*, 1975）。最初の4人は中上流階級の専門職のラテンアメリカ人の子弟だったが、シューマンはアルベルトは「下流のラテンアメリカの労働者階級」とされる社会的集団に属していると述べている（Schumann, 1976b, p. 400）。10か月の研究の間、英語の否定形、疑問文、助動詞に関して、他の被験者は上達したのに対し、アルベルトの間違った使い方は改善されなかった。ラテンアメリカの労働者たちは、専門職の人たちに比べ、アメリカ人に対してより社会的距離をおいており、労働者たちの英語使用は、機能的に制限され、ピジン化しているとシューマンは予想した。「これはアルベルトのケースにぴったりと当てはまる」とシューマンは述べた。アメリカ人との心理的距離を測るため、アルベルトには彼の態度と動機について、アンケート調査が行われた。予想とは異なり、アンケートではアルベルトが「肯定的な態度としっかりとした動機を持っており、つまり、（目標言語コミュニティとの）心理的距離は遠くない」（Schumann, 1976b, p. 403）ことが明らかとなった。特筆すべきことに、シューマンはアルベルトが率直に答えなかったかもしれないとして、この証拠を退けた。アルベルトがシューマンの期待した通りに答えなかったため、真実を語らなかったと推測したのである。

シューマンは、「実験者が聞きたいとアルベルトが思ったこと」（Schumann, 1976b, p. 403）を言ったとアルベルトを非難する一方で、実験者が証明したいと思うこと、つまり、ピジン化された言語を使う学習者は、まさにその事実から、動機がなく、目標言語コミュニティに対して否定的な態度を持っているに違いないということだけに耳を傾けた可能性については考慮しなかった。シューマンは、彼のデータを説明する2つの可能性については、考慮していなかった。1つは、高い動機を持っているアルベルトが本当のことを言っており、アメリカ社会に肯定的な態度を持っているということ、2つめは、アルベルトの英語がピジン化されたのは、単純に、英語話者のコミュニティがアルベルトに対して相反する態度をとったために、アルベルトが英語を練習できる機会が限られていたからであって、その反対ではないという可能性である。ようするに、シューマンがアルベルトの英語が上達しないことの原因が、アルベルトと英語話者の社会的心理的距離にあるとするならば、それは、社会の中の支配的な力の構造がアルベルトを周縁化された位置に追いやったあげく、文化的に適応できないことをアルベルトのせいにしたからかもしれないのだ。

文化変容モデルの強みは、言語学習過程における個人の役割を無視することなく、言語学習の社会文化的文脈に光を当てたことである。それはさらに、言語学習が成功するためには、言語学習者と目標言語話者の間の日常的な接触が重要であることを認めている。しかしながら、私はこのモデルの理論的な適切さに疑問を投げかけ、成人移民言語学習者と目標言語コミュニティの関係を、このモデルの前提とは異なった形で議論したいと考えている。私の立場を明確にするために、ここでは文化変容モデルの3つの前提を詳しく検討したい。

前提1：もし第二言語学習者集団が、目標言語話者集団より劣るか、従属的な位置におかれていたら、目標言語の学習には抵抗が生じる。

ここで述べたい最初のポイントは、文化変容モデルは、第二言語話者集団を支配的な集団に対して劣位に社会的に構造化するような不平等な力関係を考慮に入れて、優越性や劣等性を理論化していない点である。私の研究のデータでは、研究参加者はカナダに着いたとき、劣等感を感じていなかったし、マルティナが言うようにカナダ人より価値がないとも思っていなかった。つまり、彼女らは支配的な社会の意味づけによって、そのように構築されたのである。移民の社会的意味は、彼女らのさまざまな生活の場での、日常的な経験の中で、そして、それらの経験によって構築された。たとえば、移民局の職員とのやりとりの結果、カタリナは移民局の職員は、「移民は最初の10年は皿洗いをするべきだ」と思っていると結論づけた。つまり、移民の社会的な意味の1つは、カタリナからみれば、労働者階級の立場を示すものであった。この見方は他の研究参加者の声からも裏づけられる。彼女たちは、移民は単純労働に従事する人だ、もしくは、エヴァが言ったように、低学歴で、能力がなさすぎて技能職に就けない人だと述べている。移民はまた、フェリシアが言ったように、他の人から見下される人たちである。マイは言語と人種を理由に移民として位置づけられることに抵抗していたし、マルティナは英語が上手ではないため劣等感を感じていた。すべての女性たちにとって、移民の意味は、主体性と勇気を持ってやってきたニューカマーというものではなく、学歴も技能もないマイノリティというものだった。このような周縁化にもかかわらず話すのをやめなかったのはマルティナで、それは家族がカナダ社会の中で生きていくために、投げ出すことができなかったからにほかならない。

前提1に関連して、ここで記したい2つめの点は、カナダ社会で女性たちが周縁化されていると感じていたにもかかわらず、英語を学ぶことには抵抗しなかった点である。それどころか、英語の能力は、移民というレッテルをはがし、カナダに来た目的を果たす機会を得るのに役立つと強く信じていた。データから明らかなように、交流に抵抗を持っていたのは、移民の言語学習者ではなく、支配的な言語話者のほうだった。この研究の女性たちと同じように、アルベルトも自分の劣った立場に苛立ちながらも、英語話者と話す機会を求めていた可能性も否定できない。結局、彼は英語話者の研究者との英語の否定形の練習に10か月という時間を費やしたのである。

前提2：第二言語学習者の集団が、自らの生活習慣と価値観を捨て、目標言語のものを受け入れれば、目標言語話者との接触を最大化でき、第二言語習得を進める。
前提3：目標言語集団と第二言語学習者集団の間の肯定的な態度は、第二言語習得を進める。

上述の前提2は、文化変容モデルの中の、同化（assimilation）という統合ストラテジー◇2として描写されている（Schumann, 1978b）。このモデルでは、言語学習をする人々にとって、第二言語習得を促進させるために自分たちの生活様式や価値観を放棄することが必須ではないとしているものの、言語習得が起こるためには、目標言語集団の生活様式や価値観を受け入れることが最低限必要だと述べている。ただし、自分たちの生活様式や価値観を、集団内での使用のために維持することはできる。2つの集団間の肯定的な態度（前提3）は、同化を促進し、それゆえ、言語学習集団の第二言語習得を進める。前提2と3の問題は、目標言語集団のメンバーが、第二言語学習者集団による同化の試みを喜んで受け入れ、肯定的な態度で報いるのが当然とされている点である。このモデルでは、言語学習者集団の肯定的な態度にもかかわらず、不平等な力関係が、目標言語話者との接触を最大化しようとする言語学習者集団の試みを妨げる可能性については考慮されていない。さらに重要なことは、このモデルは言語学習者が、目標言語集団の生活習慣や価値観を好んで自らのそれを放棄した場合、モデルの予想に反し、第二言語習得を妨げる可能性について考慮していない点だ。ここでは、特に印象的で悲劇的な例として、兄の家でのマイの言語学習経験から得られたデータに焦点をあてたい。

第4章で述べたように、マイは彼女の家で英語の会話を練習する機会が多くあったが、それは、彼女の甥たちが英語のモノリンガルで、彼らの母語であるベトナム語で会話ができなかったためである。さらに、マイは兄の家で、言語的仲介者としての役割を果たし、彼女の甥たちと彼女の両親との間の通訳をしたり、ときには、甥たちと彼らの母親の通訳をしたりした。甥たちは、マイがカナダに来てから間もないにかかわらず、カナダに10年以上住んでいる自分たちの母親より英語が上手に話せることに驚いていた。ここで重要なのは、マイの甥たちの言語学習は、ランバート（Lambert, 1975）が言うところの減算的バイリンガリズム（subtractive bilingualism）であり、第二言語は、母語を失うことを代償として学ばれた点、そして、マイの義姉は、彼らの母語でも、目標言語でも、自分の子供たちと充分にコミュニケーションできなかった点である。同様に憂慮すべきは、前提2と3のように、マイの兄夫婦は、積極的にカナダの英語話者たちに同化しようとしていたことで、カナダ人に対し、非常に肯定的な態度を持っていたことだ。何かが決定的に間違っていたのである。

恵まれた2言語使用環境であったにもかかわらず、マイの大家族にモノリンガルが多い理由は、彼女の兄が居住、旅行、仕事したことのある他の国々やカナダの人種差別的言説に、マイの家族がとらわれていたからではないかと私は考える。第4章で述べたように、マイはカナダに来てすぐ、彼女の兄がカナダ人は優れており（「高い」）、一方ベトナム人や中国人は劣っている（「低い」）と考えていることに気づいた。マイは、兄の大きな変化にショックを受けた。マイの兄は自分自身のこれまでの人生や生活様式をほとんど顧みず、自分の両親を尊敬せず、ベトナム人や中国人は「悪い人」だと考え、兄（と義姉）は子供たちが母語を維持できるように積極的に動かなかった。マイの兄が陰に陽に体験した人種差別を考えると、なぜ彼の息子たちが自分の容姿を嫌がり、自分自身の過去を拒み、母語であるベトナム語能力を失ったのかを理解するのは難しくはない。人はその人の価値観をすべて捨てることはできないと信じている(そして、重要なことに、目標言語の学習が非常に進んでいる）マイは、この悲劇に気づき、次のように誓った。「私は将来、子供を持ったら、同じことが起こらないようにする」。

文化変容モデルは、（カナダの文脈では）ベトナム系の言語学習者が経験するような人種差別を、ヨーロッパ系の言語学習者は経験しないという、より広い社会的構造を考慮に入れたうえで、加算的バイリンガリズム（additive bilingualism）◆[1]と減算的バイリンガリズムの状況について理解する必要があるという点を認識していない。カタリナの例を考えれば、オーストリアとカナダでの体験とを比較して彼女は、オーストリアでは、ポーランド人は「二流の人々」だと考えられているが、カナダ人はポーランド人を受け入れていると述べている。マイの義姉が、息子たちにベトナム語を習わせようとしなかったのとは対照的に、カタリナは、娘のマリアが英語を学んでいる間も、自分の母語が維持できるように、一生懸命であった。さらに、文化変容モデルでは、一般的に移民の言語学習者は、目標言語話者との関係に多く投資しており、その逆ではないという点にも注意を向けていない。移民が言語を上達させたければ、目標言語話者と接触する必要がある。移民は主流派集団が自分たちに向ける態度に弱い立場にあり、その立場が逆転することはない。（このような）周縁化された体験にもかかわらず、カナダ人一般への否定的な態度を表明したのは、本研究に参加した女性たちの中でフェリシアだけで、彼女はカナダ人は親しみやすくないと言った。ただ、このような態度であっても、フェリシアは安心できる家という環境で、いっしょに学ぶ人と英語を練習し続けようとしていた。残りの4人は、カナダ人ともっと接触したいとよく言っていた。

まとめると、文化変容モデルは、社会（言語学習者集団と目標言語話者集団の違い）と個人（動機がある、もしくはない）の間にはっきりした線を引いた。このモデルは、目標言語話者との接触を増やし、それによって第二言語習得を促進させるため、目標言語コミュニティに適切に適応をすることは成人移民の責務であるとした。このモデルでは、言語学習において上達がみられないのは、言語学習者が文化変容に抵抗しているせいだとした。言語学習者が目標言語話者に接触し、第二言語習得を促進させる努力をむだにしてしまう不平等な力関係という観点からは、言語学習者と目標言語話者の違いは理論化されていない。カナダの英語話者の価値観を好んで、自分たちの価値観や生活様式を否定した唯一のケースでは、その家族の社会的基盤は破壊され、それとともに、二言語が発達するという望みもまた失われてしまったというのは、悲劇的に皮肉なことである。

情意フィルター

第1章で述べたように、現在、ほとんどの第二言語習得モデルは、第二言語習得過程における情意的な要因の重要性について述べている。事実、クラッシェンは、理解可能なインプットが、情意フィルターが低い状態で行われることが、第二言語習得が起きる主な要因だとする仮説を立てている（Krashen, 1981, 1982）。クラッシェンの見方では、この情意フィルターは学習者の動機、自信、不安の状態を含み、これらの変数は社会的な文脈ではなくて個人に付随する。しかしながら、すでに述べたように、多くの第二言語理論家たちは、クラッシェンの情意フィルター概念や、彼の情意変数とより広い世界の文脈との関わりについての理解に、完全に同意しているわけではない。以下では、私が得たデータを参照しながら、動機、自信、不安の概念を再検討することで、言語学習者の情意フィルターに対する理解は、より大きな、そしてしばしば不平等な社会的構造と不可分であることを示す。

動機

本研究では、すべての参加者が英語学習に高い動機を持っていた。彼女らはみんな追加の英語コースをとった。そして、ダイアリースタディに参加して、カナダの英語話者ともっと社会的な接触を持ちたいと思っていた。また、マルティナ以外は、友達と気楽に話すことができると思っていた。ただし、重要なのは、すべての女性たちが、特定の象徴的、物質的投資をしている人々とは気楽に話すことができないと思っていた点である。エヴァは経済的利益を求めてカナダに来て、英語話者といっしょに仕事をしたい、英語の練習をしたい、よい仕事を得たいと強く願っていた。しかし、エヴァが頼りにしていた客が彼女の発音について言及したとき、黙り込んでしまった。マイは将来の生活のためにカナダに来て、仕事の安定と経済的自立を経営者の意向に頼っていたため、上司と話すとき、いちばん気楽に話せなかった。カタリナは共産主義で無神論の体制から逃れるためにカナダに来て、専門職としての彼女の地位に大きな投資をしていたが、彼女は、自分の先生や医者、そして専門職に就いている英語話者と話すとき、気詰まりを感じていた。マルティナは子供たちのために測量技師の仕事を諦めてカナダに来たが、公的世界において自分の子供たちの権利を守れないことに、苛立ちと気詰まりを感じていた。フェリシアは、テロから逃れるためにカナダに来て、彼女のペルー人としてのアイデンティティに非常に多くの投資をしていたが、英語が流暢なペルー人の前で英語を話すことが、もっとも気まずいと思っていた。

動機は高かったにもかかわらず、女性たちが話しにくい、話したくないと感じる状況があった。第 1 章で述べたように、現在の SLA 研究における動機という概念では、言語学習者が、一元的で、一貫したアイデンティティを持ち、そのアイデンティティが言語学習者の動機のタイプや強さを形成していると考えられている。私の研究データからは、動機は、これまで考えられているよりもっと複雑なものであることがわかる。学習者の話したいという動機は、他の投資によって媒介されるが、その投資が話したいという欲望と相いれない場合もある。つまり、投資は学習者の現在進行中のアイデンティティの構築と未来への欲望に、密接に関わっているのである。英語を話したい、練習したいという女性たちの欲望に関わるさまざまな力の複雑な相互作用を捉えるために、ここでは話す動機ではなく、彼女らの英語への投資について語ってきた。女性たちの英語への投資を探ることによって、彼女たちが英語を練習する機会を、どのように、そして、どの程度作り、その機会に応えていたのかを理解することが可能になる。以下、1 人ずつ順に検討していく。

エヴァにとって、英語は公的な世界における経済的自立と、高等教育へとつながる手段であった。彼女の英語への投資を理解するためには、若く、独身女性というジェンダー化されたアイデンティティと、経済的利点というカナダに来た理由、そして、大学で学ぶという将来の計画を考慮に入れなければならない。家事労働の義務や育児の責任から免れていた彼女は、英語にもっとふれられ、英語を練習する機会がある職場で、フルタイムの仕事を見つけることができた。価値のある同僚、そして多文化市民としてのアイデンティティを身につけるにしたがって、彼女はより話すようになった。

マイにとって英語は、家庭内でのジェンダーに関する不平等や差別からの解放の手段であるとともに、私的、公的世界における経済的独立の手段でもあった。独身女性としてのマイのジェンダー化されたアイデンティティは、最初は家庭内で、そして最終的には職場においても常に傷つけられていた。家庭内での言語的仲介者というアイデンティティと、公的な世界での魅力的なキャリアの展望を彼女に与えてくれたのは、英語の能力だった。彼女の英語への投資は、彼女の家庭内での制約、「自分の未来の人生のため」というカナダに来た理由、そして「大学でもっとレベルの高い授業を受ける」という彼女の未来の計画とともに理解されなければならない。彼女は英語を練習することに対して、非常に熱心で、そのために、家庭、職場、コミュニティでも、常にリソースを活用した。しかしながら、彼女の家父長的な結婚における妻という新しい立場は、最終的には、英語を話し、練習する機会を奪うことになるかもしれない。

カタリナにとって英語は、無条件の恵みではなく、彼女の母親としてのジェンダー化されたアイデンティティを脅かす存在だった。彼女の夫は英語が彼女より堪能で、最初にカナダに移ってきたとき、私的、公的な場面でコミュニケーションが必要な役割を担っていたため、英語は、彼女が私的世界で持つ権威への脅威という意味もあった。しかしながら、英語は、ポーランドにいたときのように、再び普通の生活が送れるような専門職世界へ入ることを可能にする手段でもあった。カタリナにとっての普通の生活とは、専門職の同僚から彼女の持つ象徴的資本を認められ、彼女と同じ価値観と教育水準を持つカナダ人と日常的に社会的な接触を持つというものだ。第7章でもっと詳しくみるが、彼女は自分の象徴的資本が認められなかったために、社会的な相互交流から身を引き、英語を学ぶ機会に抵抗した。

マルティナにとって、英語は彼女の子供たちのよりよい未来のための手段であり、そしてそれがカナダに来た理由でもあった。特に彼女の夫が、家族が生活していくために求められる私的、公的なコミュニケーションを必要とする役割を担うことができなかったため、マルティナのよりよい仕事を得るために英語を学びたいという欲望は二の次であった。マルティナは高い教育を受けた女性であったが、彼女の教育水準に見合った尊敬をカタリナのようには求めず、カタリナのように移民として位置づけられることに対しても強く反応しなかった。彼女の英語に対する投資は、彼女自身の人生のチャンスのためというよりは、子供たちのチャンスのためであったため、周縁化のせいでマルティナが沈黙することはなかった。彼女の子供たちのため、彼女は自分が投げ出せないことを知っていた。英語を練習するあらゆる機会を逃さず、知らない人に、曖昧な口実で電話することさえし、他人から失礼な対応を受けたときでも引き下がらなかった。

フェリシアにとって、英語は、受け身的に観察しているのではなく、カナダ人との社会的な交わりに積極的に参加するおもしろい人として受け入れられるための手段であった。彼女には3人の子供（うち2人は青年だが）がいたが、カタリナのように英語が彼女の母親というジェンダー化されたアイデンティティを脅かすとは考えなかった。また、彼女の家族はみんな彼女より英語が堪能であったため、マルティナのように公的な英語の世界でのやり取りは求められなかった。フェリシアは上達のためには、英語を「練習、練習、練習」しなければならないことは知っていたが、マルティナのように話すあらゆる機会を活用したわけではなかった。彼女の移民として周縁化されることに対する恐れは、公的な世界で英語を練習したいという欲望より大きいものだった。そのため、フェリシアは、彼女のペルー人としてのアイデンティティを認めてくれる他の言語学習者といっしょに英語を練習するために、安全な場所である家に逃げ込んだ。第7章で詳細に議論するが、フェリシアは彼女のペルー人としてのアイデンティティが否定されたときには、社会的なやりとりを断ってしまった。

不安と自信

SLA における動機の役割についての先行研究での混乱は、不安と自信の役割についての議論でもみられる◆2。スポルスキーは、たとえば、「多くの学習者の第二言語学習を妨げる特定の不安がある」(Spolsky, 1989, p. 115) と述べた。彼は、この不安が聴解と会話の技能に集中することが多いと主張している。一方、ベイリーは、不安を促進するものと抑制するものとに分けたうえで、不安は学習者の永続的な性質ではなく、文脈に依存するものであると述べた (Bailey, 1983)。クラッシェンの情意フィルター仮説では、不安と自信のなさ (低い動機とともに) は、言語学習が苦手な学習者の個人的性質だとされた。私の得たデータでは、学習者が目標言語を練習する機会を作ったり、その機会に反応したりする度合いに、不安と自信がさまざまな形で影響を与えていた。データが示していたのは、自然言語学習環境では学習者の不安は、スポルスキーが述べたように、学習者の読み書き能力よりもむしろ口頭能力に関わりがあるという点であった。フェリシアは「私には、聞くときより読むときのほうが理解しやすい」と強調していた。マルティナはたとえば、「書くときには、自分で直せるし、考えることができる。話すことの問題は、考える時間がないことです。でも、もし何か書いたら、大きな問題ではありません」と言っていた。エヴァは、関連する問題として、職場の英語が堪能なカナダ人と違って、お客の注文を聞きながら、同時に彼らに話しかけることができないと次のように述べていた。「お客さんがときどき、それが何かわからなくて、私が全部説明しなくちゃいけないんですけど、私には難しいんです。だって他の人は英語を上手に話せるから、それほど難しくありません。それに、書きながら話すこと。これはいつもできるわけではありません」。エヴァが「私はお客さんと話しません。なぜならお客さんに話す自信がないから。お客さんと話す時間が充分ないから」と述べたように、問題は時間である。

ノートン・ピアースら (Norton Peirce, Swain & Hart, 1993) が、コミュニケーションにおける統制の所在 (locus of control) と呼んだ考え方は、女性たちに口頭技能に対する自信が欠けていたことを説明するのに役立つ。フランス語イマージョンの学生たちの自己評価に基づく調査結果から、ノートン・ピアースらは、もし学習者がコミュニケーションにおける情報の流れの速さをコントロールできるのなら、統制の所在は学習者側にあり、統制の所在が彼らにない場合に比べて、自分の言語能力に自信を持つことができる。ここで重要なことは、そのコミュニケーションが時間に依存しているものか、ということである。現実の時間の中で起こっている活動、つまり、情報を処理する時間があまりないときは、学習者が発話の解読に必要なスキーマを活性化させる時間が限られてしまう。発話がその場でなされないのであれば、学習者は、それらのスキーマを活性化させるために、必要な時間をとることができる。口頭活動は、その場で起こるものであるから、学習者はコミュニケーションにおいて、情報の流れの速さをコントロールすることはあまりできず、結果、彼らの不安のレベルを高めることになる。

統制の所在は、社会的相互作用において口頭技能実践が求められた際に、学習者が感じる不安を説明するのに役立つ概念であるが、不安も自信の欠如も、学習者の生きられた経験の中で、また生きられた経験によって社会的に構築されたものであるという点には目を向けていない。ロックヒルの研究の女性たちと同様に、私の研究の参加者たちも、英語の学習が進んだことに達成感を感じる代わりに、自分の第二言語能力のせいで恥ずかしさや劣等感を持ち、自分を退屈な人だと思っていた。このような能力不足や自尊心の低さといった感覚は、女性たちがより広いコミュニティにおける社会的相互作用の中で交渉しなければならない力関係や、移民としての彼女らの周縁化された位置と結びついている。この点で、「英語をいちばん気楽に話せると感じるのはいつか」という質問に対するエヴァの答えは大きな意味を持っている。エヴァは「それは話し相手によります。しきりに自分の優越性を見せつけてこない相手なら、英語はもっと流暢に出てくるし、リラックスできます。もし、私の発音について何か言ってきたりしたら、私は緊張して、とても簡単な文法の規則さえ忘れたりします」と言った。このようなデータは、不安は言語学習者にもともと備わっている特性ではなく、言語学習者の生きられた経験の中で、また生きられた経験によって社会的に構築されたものであることをはっきりと示している。

さらに、データが示しているのは、不安は社会的なやりとりの中でだけ構築されるものではなく、学習者のストレスが多い日常の生活状況とも関わっているということである。マイはたとえば、次のようなコメントをしている。「私は何か問題があるとき以外は気楽に英語が話せます。でも、私に何か問題があるときは、そのことが頭から離れないので、そのときは、気楽に英語を使うことができません」。研究に参加した女性たちの中で、もっともストレスの多い生活を送っていたのは、ほぼ間違いなくマイである。家庭も、そして最終的には職場も、「嵐が吹き荒れている」移民の経験から逃れる場所や安らぎを与えてくれることはほとんどなかった。問題が「常に心の中にあり」、マイはどのような社会的相互作用の中でも、英語を話すことにときおり気詰まりを感じていた。対照的にマイはインタビューの中で、彼女が「気楽で、ハッピーな気分のときは、楽に考えることができる」と言った。フェリシアも同様の点をあげ、英語の勉強が大変なのは、「たくさんの緊張感を抱え、ここで生活している」からだと書いた。

リーバイスにおける研究で、ノートン・ピアースらは、第二言語としての英語（ESL）クラスの中で緊張感と不安を感じたため、就労のための英語（English in the Workplace）プログラムをやめた女性がいたことを明らかにした（Norton Peirce, Harper & Burnaby, 1993）。そのような不安は、仕事の条件によって社会的に構築されたものであった。なぜなら雇用の安定性は、労働者のいわゆる100%、つまり、その職を維持するために必要最低限の生産性レベルを達成できるかどうかにかかっており、従業員の中には、ESLクラスの間もそれに気をとられてしまっている者もいた。彼らは、終えなければならない仕事や縫い直さなければならない縫製ミスのことを考えていた。ある従業員が「ときどき、私は仕事でたくさんのミスをしてしまいます。そしてそのことを考えています。授業を早く終わらせて、仕事に戻って、仕事をしたいと思います」（Norton Peirce, Harper & Burnaby, 1993, p. 19）と言ったように、彼らの不安は、固定的な個人的特性ではなく、貧しい経済的状況や人生の機会が限られた状況によって構築されていると考えられるべきである。

アイデンティティを再概念化する

第二言語学習の文脈における個人と社会との関係は、再概念化の必要性があると提案するにあたり、私は特に、ウィードンの研究（Weedon, 1997）に代表されるフェミニストポスト構造主義に注目する。フェミニストポスト構造主義は、多くのポストモダン教育理論（Cherryholmes, 1988; Giroux, 1988; Simon, 1992）のように、個人とグループとコミュニティの間の広範な力関係が、どのように所与の時間と場所の中で、個人の人生における機会に影響を与えているのか検討している。しかしながら、ポスト構造主義者のフェミニストらの研究は、女性の経験を中心に据え、個人の経験と社会的権力を主体性（subjectivity）理論の中で、厳密かつ包括的に結びつけたという点で、他のポスト構造主義者の研究とは異なっている。主体性は「意識的、無意識的な個人の思考や感情であり、自分という感覚、そして、自分と世界との関係を理解する方法」（Weedon, 1997, p. 32）と定義されている。フェミニストポスト構造主義は、教典的ではなく「全体化されない批判的実践分野」（Butler & Scott, 1992, xiii）であり、社会理論を活用して女性の利益関心を説明しようとしている。私のデータを説明するには、自然言語学習理論と文化変容モデル、情意フィルター仮説には限界があると述べてきたが、フェミニストポスト構造主義が持つ説明可能性には注目すべきものがあると考える。主体性理論は、特に、女性の物語を理解するのに有用であり、さらに、SLA 理論の中で、理論的な生産性が期待できるアイデンティティ概念を形成するのに役立った。この点では、主体性の 3 つの特徴が中心となっている。つまり主体の多元性と非統一性、葛藤 / 闘争の場としての主体性、主体の時間的可変性という特徴である。

アイデンティティと主体の多元性

ウィードンは、西洋哲学において広く用いられている人文主義的な個人についての概念は存在するが、主体（subject）そして主体性（subjectivity）という用語は、それとは異なる個人についての概念であると述べた（Weedon, 1997）。人文主義的な個人についての概念は、第二言語習得研究における多くの個人についての定義と同様に、すべての人は、本質的でユニークで、そして、固定的かつ一貫した核（内向的 / 外向的、動機がある / 動機がない）があるという前提に立っている。それに対して、ポスト構造主義は個人（主体）を、多様で、矛盾し、動的で、歴史的時間と社会的空間とともに変化するものとして描く。主体性は、単一的というよりは多元的で、中心的というよりも脱中心的であると考えられている。多元的で、矛盾したものとしてのアイデンティティ概念は、次のようなデータを説明するのに役立つ。エヴァは職場で同僚たちと対等な存在だと思われたいと考えていたが、同僚たちが、彼女の違いを認め、尊重してほしいとも思っていた。「私があそこで働き始めたとき、同僚には当たり前のことであっても、私が全部理解したり、知っていたりすることが難しいということが、彼らにはわかっていませんでした」と言っていた。マイは家庭内の家父長的な力に抵抗し、兄から独立した生活を送りたいと考えていたが、男のいない人として周縁化されたくないとも思っていた。彼女は、職場でイタリア人の女性たちに受け入れられたいと考えていたが、英語の学習を犠牲にしてまでイタリア語を学びたくないとも思っていた。カタリナは娘に英語を習ってほしいと思っていたが、英語の知識によって、娘との関係が損なわれることは望んでいなかった。彼女は英語のコースをとりたいと考えていたが、同時に考える機会を与えてくれるコンピューターのコースもとりたいと思っていた。マルティナは英語を話すのが苦手だったが、子供たちのために沈黙させられることを拒否した。彼女は自分の英語能力のせいで自分をバカだと考えていたが、税務申告書作成者養成コースを１番の成績で卒業した。フェリシアは、英語を話す「練習、練習、練習」をしたいと考えていたが、公共の場では話したくないと思っていた。夫が仕事を見つけてくれることを望んでいたが、ピザの配達をしてほしいとは思っていなかった。

アイデンティティを多元的で、矛盾しているとする立場は、どのように女性たちが、英語を話す機会を作り、その機会に反応したのかを理解するのに、重要な示唆を提供してくれる。この点を説明するため、マルティナのアイデンティティを形成した複数の場について考察してみよう。彼女は移民であり、母であり、言語学習者であり、労働者であり、妻であった。社会的に移民女性として構築されているとき、マルティナは話すことを好まなかった。マルティナは、「英語が母語の人々の中で英語を使うとき、居心地が悪く感じます。彼らは何の問題もなく流暢に話すからで、私は劣っていると感じます」と言った。しかし、重要なのは、このような恥ずかしさと劣等感にもかかわらず、マルティナは沈黙することを拒否したことだ。マルティナが沈黙することを拒否した理由は、彼女は母親として、また一家の主たる扶養者としてのアイデンティティによって、正統な英語話者（英語を話すカナダ人）とペテン師とのやりとりをつかさどる適切さのルールを破ることができたからだ（Bourdieu, 1977）と考えられる。複数の場におけるアイデンティティの形成は、マルティナのデータの中にみられる驚きについて説明している。2つの例が浮かんだが、それを説明すると以下のようになる。

マルティナは、自分たち家族は、賃貸契約を破っていないと主張し、家主と電話で長く話し込んで、子供たちを驚かせた（家主も彼女自身も驚いたことは疑いようもない）。彼女は次のように書いている。

> 最初、私はとても緊張していて、電話で話すのが怖かったです。電話が鳴ったとき、家族はみんな忙しくて、娘が電話に出なければなりませんでした。ESLコースの後、私たちが引っ越しをしたとき、大家さんが私たちに1年分の家賃を前払いするよう説得しようとしました。私はびっくりして、電話で大家さんと1時間以上話しました。私は時制のルールなどは考えませんでした。私は自分が投げ出せないことを知っていました。子供たちは私が話しているのを聞いて、とてもびっくりしました。

さらに、マルティナは、ファーストフード店で、同僚たちが事務室でコンピューターゲームをしている間に、自ら接客をして、お客たち（不思議そうな顔をしていた）を、そして同僚（驚いたが、何も言わなかった）をびっくりさせた。

> 私が初めて1人で2人のお客さんを接客してみたとき、お客さんは私のことを変な目で見ていましたが、私は諦めませんでした。私は彼らがほしいというものをすべて渡してから、女の子たちを探しにいって、いつものように「レジ」と言いました。彼らは驚きましたが、何も言いませんでした。

私は、マルティナの困難にもへこたれない強さ（「私は投げ出せない」「私は諦めませんでした」）と、自分と家族の可能性を制限するような言語使用のルールを破る勇気が、彼女の母親としてのアイデンティティと交差したのではないかと考える。彼女は公的な世界との交渉を夫に任せることはできず、悪辣な社会的実践から、主たる扶養者として、自分の家族の権利を守らなければならなかった。自分の英語の時制の運用能力も、話し相手の奇異の目で見るような視線も、そして、彼女自身の劣等感も気にかけず、マルティナはこれを自分で成し遂げなければならなかった。同様に、マルティナは自分の母親としての象徴的資本を、彼女と同僚の力関係を定義しなおすのにも使った。つまり、言語のペテン師に対して、服従させる力を持つ正統な英語話者の「力」を認める代わりに、彼女は同僚との関係を、子供たちは親に対して権威を持っていないという家庭内の関係として捉えなおした。ここで、第 5 章のマルティナのデータを再度引用する。

> レストランでは、子供がたくさん働いています。子供たちはいつも私のことを、私はよくわからないけど、たぶんほうきか何かだと思っています。彼女らは「あっちに行って、リビングを片づけてきて」と言います。それで私は皿を洗ったりしますが、彼女らは何もしません。自分たちだけで話していて、私がすべてしなくてはいけないと思っているようです。私は「いや」と言いました。その子はたった 12 歳です。私の息子より若いのです。私は「あなたは何もしていないでしょ。あなたが行って、テーブルなどを片づけてきて」と言いました。

葛藤 / 闘争の場所としてのアイデンティティ

フェミニストのポスト構造主義理論では、主体性は家庭、職場、学校、コミュニティなどの意味を作る実践によって作られると同時に、意味を作っていると考えられている。主体性はさまざまな社会的空間で作られ、それらはすべて、教師、子供、フェミニスト、店長、批評家など、その人がとる異なった主体の位置（subject position）との力関係の中で構造化される。同様に主体は、受動的なものではない。彼 / 彼女は、特定の場所、コミュニティ、社会において、力関係の対象（subject）でありながらも、力関係の主体（subject）でもある。つまり、主体は、人間の行為主体性（agency）を持っている。このように、特定のディスコースの中で、ある人が占める主体の位置は、交渉の可能性を開く。つまり、ある所与の言説の中では、ある人が、あるやり方で位置づけられるかもしれないが、その人はその位置づけに抵抗するかもしれないし、その人を周縁化するのではなく力のある位置におく対抗言説を作るかもしれない。葛藤 / 闘争の場所としてのアイデンティティ概念は、アイデンティティを多元的で、矛盾したものとして捉える論理の延長線上にある。もしアイデンティティが統一され、固定され、そして、変わらないものであるとするならば、アイデンティティは、時と空間を越えても変化せず、議論の対象となることはない。

葛藤 / 闘争の場としてのアイデンティティ概念は、本研究の参加者が英語を話す機会をどのように作りだし、どう反応したのかを説明するうえで役に立つ。上述のように、マルティナは職場で、母親という主体の位置を選択して、移民女性という主体の位置に抵抗することにより、対抗言説を作りだした。これは彼女に話す権利を与えただけではなく、事実上、彼女を搾取していた同僚を黙らせることになった。エヴァは同僚から無知として位置づけられたが、彼女が使える言語のいくつかを教えて、彼らを驚かせた。知識と力、それぞれの主体の位置を覆すことによって、彼女は徐々に職場での社会的なネットワークの中に入ることができ、同様に、英語を練習する機会を増やしていった。マイは自分の兄から役立たずとして位置づけられていたが、家庭で、言語的仲介者となった。つまり、彼女は目に見える形で兄に抵抗したりはしなかったが、2 人の間にある家父長的関係への対抗言説を作ることに成功した。第 7 章では、教室という文脈における、カタリナとフェリシアのアイデンティティをめぐる大きな葛藤について詳述する。

時間とともに変容するアイデンティティ

主体性は多元的で、矛盾し、葛藤 / 闘争の場であるという立場をとることによって、フェミニストポスト構造主義は、個人のアイデンティティが変化するという特質に光を当てた。ウィードンが述べたように「主体を脱中心化し、本質的な主体性に対する思い込みを捨てることの政治的重要性は、主体性に変化の可能性をもたらした点である」（Weedon, 1997, p. 32）。私が SLA 理論における言語学習者の態度や動機概念を批判してきたのは、この理由からでもある。そのような特性は、社会的に構築されたものというだけではなく、歴史的時間と社会的空間の中で変容していくものでもある。これは、第二言語教育者にとって、教育的介入を行う可能性を開くという点できわめて重要である。これについては、次章で詳細に述べる。変容する主体としてのアイデンティティ概念は、本研究の女性たちが、英語を練習する機会をどのように作り出し、それにどのように反応したのかという点に関して重要な示唆を与えてくれる。この点を詳しく述べるために、エヴァの職場での経験を取り上げる。私がここで言いたいのは、エヴァの自分自身への見方が、話す権利がない移民から、聞くことを強制できる（Bourdieu, 1997）力を持った多文化市民（multicultural citizen）へと変化したのは、時間の経過の中で起こったということだ。

エヴァが最初にマンチーズで働き始めたとき、自分から同僚に近づいていって、会話に加わろうとするのは適切ではないと思っていた。

> 私1人で全部しなければならなくて、誰も私のことを気にかけていないとわかったとき、なぜなら……私はどうやって話しかけたらいいでしょう。あの人たちは私のことを気にかけていないと聞いたし、私も彼らに笑いかけて、話しかけたくありません。

エヴァがこの文の大事な部分を言い終えていないことに注意が必要である。「誰も私のことを気にかけていないとわかったとき、なぜなら」――その理由は？　職場で彼女は移民という主体の位置にいたため、誰もエヴァの存在を認めていなかったのではないかと考えられる。つまり、彼女は英語が流暢ではなく、カナダ人ではなく、頭が悪く、店では最低の仕事をしていた。このような状況で話すことは、ブルデューの言うところの「異端の使用」（heretical usage、Bourdieu, 1977, p. 672）を構成することになる。エヴァは移民としての主体の位置を受け入れ、英語の正統な話者ではなく、話し相手に聞くことを強制できないということを受け入れていた。彼女自身が述べたように、彼女が最初にカナダに来たとき、人々から失礼な扱いをされたとしても、それは自分のせいだと考えていた。彼女は、職場における「適切な」使用ルールを容認し、普通だと受け入れていた。「どうしてかというと、私が話しかけなかったときは、誰からも話しかけられなくて。たぶん私のことをただの、……それは、私の仕事は最低の仕事だったから。まあ、当然でしょう」。

エヴァの自分自身や社会との関係性への見方が変わるにしたがって、職場における異端の話者という主体の位置に立ち向かい始めた。同僚が彼女の行動に驚いたという点は重要で、エヴァが最初に観察していた職場での言語使用に関するルールは、職場での力関係に関する不可欠な要素であったという見方を裏づけている。私が多文化市民と名づけたアイデンティティをエヴァが発達させていくうちに、彼女は、話す権利についての感覚を身につけていった。もし人が彼女を見下したら、それは彼らの問題であって、彼女自身のせいではない。ある男性客が、彼女に、英語が訛っているのは、もっとチップをもらおうと思っているからではないかと言ったときに、エヴァは恥ずかしがるのではなく、憤った。彼女は沈黙するのではなく、声をあげた。「こんな言葉を聞かなくてすむんだから、訛りがなかったらよかったのにと思います」と言い返したとき、彼女はカナダにおける多文化市民としての話す権利を主張したのである。しかし、エヴァはある日のダイアリースタディのミーティングで、カナダでもう移民とは感じないという見方を示したにもかかわらず、それから1年もたたないうちに、私は彼女が移民として位置づけられているため、自分はまだ移民だと感じると言っているのを耳にした。「私のくせのある発音のせいで、他の人から移民だとみられます。だから私はまだ移民だと感じます」。このように、エヴァのアイデンティティは時間とともに変化してきたが、葛藤の場であり続けたのである。

社会的実践としての言語学習

この節では、すでに述べたように、ブルデューの正統な話者という概念とポスト構造主義のアイデンティティ理論が、言語学習を抽象的で内面化された技能としてではなく、複雑な社会的実践として概念化する際に非常に有益であるという立場をとる。特に、社会的な実践については、レイヴとウェンガーの記述を参照する。

> 学習を内面化だと考えるのとは対照的に、学習を実践の共同体への参加を増していくことであると考える場合、それは世界における全人的行為と

関わる。学習を参加と考えると、継続して関係が新しくなっていくことに注意が向けられるようになる。……社会的文化的に仲介された経験の中で人々に可能となる、動機、欲望、そして関係そのものが歴史的であることを強調することは、実践の理論を発展させる際の目標を達成する鍵になる。（Lave & Wenger, 1991, p. 49-50）[◇3]

これらの理論を具体化するために、エヴァの日記からの引用に焦点を当てる。

私と働いている人はみんなカナダ人です。私がそこで働き始めたとき、同僚にとって普通であることをすべて理解したり、知っていたりすることは、私にとっては難しいということがみんなわかりませんでした。もっと詳しく説明するために、何日か前に起こったことを例として書きます。私といっしょに働いている女の子が、1人の男の人を指さして言いました。

「彼を見た」
私は言いました。「ええ、どうして？」
「彼のことを知ってる？」
「知らない」
「どうして知らないの？　テレビ見ないの？　あれはバート・シンプソン[◇4]よ」

私は嫌な気分になり、何も答えませんでした。今も、どうしてこの人が重要なのかわかりません。

この引用は、エヴァの職場で起こったコミュニケーションの破綻を描いている[◆3]。エヴァの同僚のゲイルは、北米のポップカルチャーのアイコンであるバート・シンプソンを話題に、エヴァと会話を始めた。エヴァがこのキャラクターについての知識がないことを認めると、ゲイルは、「彼のことを知らないって、本当？」とエヴァを責め、エヴァはゲイルの反応に沈黙してしまった。エヴァは英語話者と交流し、英語の練習をし、学習を促進させることを切望しているが、話すことに抵抗している。フォローアップインタビューで、ゲイルに反応しなかった理由を聞いたとき、エヴァはそのとき屈辱を感じたからだと説明してくれた。「彼女が『テレビ見ないの』と言ったとき、『あなた何をしているの』と言われたように感じて、『この変な女の人』と言われたように感じた」。これらのデータは、言語とアイデンティティと言語学習の関係についての非常に説得力のある描写である。言語は、コミュニケーションのための中立の形式ではなく、日常生活を構成する覇権主義的な出来事、活動、過程において社会的に構築される実践であり、それらの実践は、多数派の社会では当然だと考えられるのである。エヴァがバート・シンプソンについて知らないことを認めたとき、彼女は変な人、職場での常識となっている文化的知識を持たない人として位置づけられる。ゲイルは知っている人としての主体の位置をとり、その知識が彼女に力を与えているのである。それのみならず、エヴァはその知識へのアクセスがないため、沈黙しているのである。

第４章で述べたブルデューの正統的言説という概念は、どうしてこのコミュニケーションの破綻が起こったのかを説明してくれる（Bourdieu, 1977）。ゲイルが知っていて当然だと考えた知識をエヴァが持っていなかったため、エヴァはゲイルの発言の非正統的受け手であるペテン師として位置づけられた。重要なのは、ゲイルがエヴァをペテン師だと認めるや否や、会話を終わらせたことである。ゲイルのエヴァに対する「どうして知らないの？　テレビ見ないの？　あれはバート・シンプソンよ」という質問は、修辞的なもので、彼女は、エヴァの反応を期待、もしくは望んでもいなかったことは留意しておく必要がある。エヴァの気分を害したのは、正統的言説になじみのないペテン師として扱われたからだと考えられる。エヴァはペテン師としての主体の位置を受け入れたため、話す権利を主張することができなかった。エヴァは社会的な交流をし、英語を練習する機会を提供されていた。しかし、彼女とゲイルをとりまく、より大きな言説の中での彼女の主体的な位置は、この機会を損なうもので、「私は気分が悪くなりました。それで何も答えませんでした」と述べている。このような言説は、語られた言葉との関係だけではなく、職場のより大きな不平等な構造や、移民の言語学習者が英語の非正統な話者だとみなされるような、より広い社会との関係の中で理解されなければならない。エヴァがレストランで下働きに追いやられたのは、他の従業員たちが、彼女抜きで会話を続けるためであり、これがさらに、彼女の英語での社会的な交流に関わる機会を奪っていたことにも注意が必要である。エヴァは「彼らは私を利用しています。なぜなら、私が何も言わないと知っているからです。私は何回か話しかけてみましたが、彼らにとっては、私をどこかに追いやり、何かをさせているほうがいいのです」と書いている。ブルデューは、「もっとも先鋭的で、もっとも確実で、もっとも隠された検閲は、特定の個人をコミュニケーションから排除することだ」（Bourdieu, 1977, p. 648）と指摘している。

このより広い社会的な文脈を考えると、バート・シンプソンをめぐるやりとりの中で、ゲイルがエヴァを無知な人として位置づけたとき、エヴァが「何も答えませんでした」と言うのは驚くべきことではない。エヴァのアイデンティティが移民として構築されたため、ゲイルが言ったことの社会的意味は、この文脈の中でエヴァによって理解されたのである。たとえば、もしエヴァが商業的なテレビ番組を見ず、公共放送だけを見る、あるいはまったくテレビを見ないカナダの英語話者であったならば、ゲイルの発言の正統な受け手として位置づけられたことに抗い、対抗言説を述べることもできたはずだ。しかしながら、ゲイルとエヴァの不平等な力関係から、正統的言説の範囲を決めることができたのはゲイルだった。隣のケベック州で同じ境遇にいる架空の人サリハのように、話し相手が長い文章での返事を許すまでには、時間がかかるのである。

著者解題

この章では、第二言語習得研究では力について問うことを避ける傾向があることを指摘した。そのうえで、力関係について取り上げ、それに立ち向かうことを拒否することは、時と空間を越えた言語学習者の複雑な経験に向きあおうとする私たちの能力を制限していると論じた。データが示しているのは、特に、現在の自然言語学習、文化変容、情意フィルターといった概念は再考されるべきだということである。フェミニストポスト構造主義的理論の主体性の理論と、ブルデューの正統的言説概念に基づき、第二言語学習は単に努力と献身により身につけられる技能ではなく、言語学習者のアイデンティティが関わる複雑な社会的実践であることを述べた。しかし、これらについては、現在のSLA分野ではあまり注意が向けられていない。レイヴとウェンガーが、学習者が多かれ少なかれ参加する特定の実践共同体の中に状況づけられているものとして、学習を概念化する必要性を主張した（Lave and Wenger, 1991）のと同様に、アイデンティティについてのポスト構造主義的な理論とブルデューの話す権利という概念は、SLA理論に大きな貢献をしている。第7章では、私のデータからの教室の実践への示唆を、言語学習と教育において話す権利の意味とともに考える。

注

◆1　母語を失うことなく、第二言語を学ぶ過程（Lambert, 1975）。

◆2　Gardner and MacIntyre（1993）のように、これらの問題はお互いに逆の関係にあるので、私は同時に扱った。

◆3　エヴァはのちに、バート・シンプソンのTシャツを着た客がいたことを説明した。

訳注

◇1　言語そのもの以外の声の強弱や高低、表情や身振りなど。

◇2　ある個人が新しい集団の考え方、価値観、文化を身につける過程である文化変容モデルには、目標言語集団へ社会的にも心理的にも適合しながらも、自らの文化のスタイルや価値観を維持するものと、そうでないもの（同化）がある。前提2は、目標言語集団へ適合する（統合ストラテジー）際に、自らの文化を維持するのではなく、同化を志向しているという意味だと考えられる。

◇3　邦訳のレイヴとウェンガー『状況に埋め込まれた学習——正統的周辺参加』（佐伯胖訳、産業図書、1993）を参照した。

◇4　アメリカの国民的長寿アニメシリーズ『ザ・シンプソンズ』（*The Simpsons*）の登場キャラクター。

第7章

教室とコミュニティで話す権利を主張する

教科書や教師用マニュアルで流行している決まり文句にもかかわらず、(教室で) コミュニケーションが行われることはほとんどありません。教室は、学習者が何か言いたいという気持ちを刺激したり、本当に言わなければならないことを選び出したりするように構造化されていません。(Legutke & Thomas, 1991, pp. 8-9)

ESL コースの後に引っ越しをしたとき、大家さんが私たちに1年分の家賃を前払いするよう説得しようとしました。私はびっくりして彼と電話で1時間以上話しました。時制のルールなどは考えませんでした。私は投げ出せないことを知っていました。(マルティナ、言語学習者)

「文化の違い。中国人の教師たちは、西洋人の多くが考えるようには考えません」(Burnaby & Sun, 1989, p. 229)。中国人の教師は、コミュニカティブな言語教授法が中国でうまくいかない理由をこのように説明した。1980年代後半、中国における調査の中で、バーナビーとサンは中国の伝統的な教師と学生の関係では、ある特定の教授法とふるまいが期待されており、もし教師がコミュニカティブな言語教授法を用いれば、学生たちが反発すると教師が考えていることを明らかにした。学生からの抵抗は、中国の文脈特有のものではなく、この章では、カナダにおける2つの言語教室での抵抗について考察する。この章ではまず、エヴァ、マイ、カタリナ、マルティナ、フェリシアが教室に対して持っていた期待について検討する。そして、カタリナとフェリシアの教室における抵抗のストーリーを取り上げ、教師は学生の目標言語に対する投資と変容するアイデンティティに対する理解を深める必要があることを述べる。ただし、教室における教授法の中に学生の経験を組み込むことは容易なことではなく、この点に関し、学生のアイデンティティを本質化してしまう恐れがあることを、マイのストーリーをもとに述べる。教育実践として行うダイアリースタディについて検討し、結論として、教室内社会的研究（classroom-based social research）が、教室内外の言語学習を統合するのに役立つ可能性を指摘する。この方法は、目標言語コミュニティとの関係において、言語学習者ではなく、エスノグラファーとしてのアイデンティティを持つよう、学習者に促すものである。言語学習者と目標言語話者の関係をみなおすことにより、言語学習者は、教室の外で話す権利を主張できることを論じる。さらに、レガットカとトーマスの指摘に応えて、教室内社会的研究では、教室の「中」で「学習者が何か言いたいと思う気持ちを刺激する」（Legutke & Thomas, 1991, p. 8）ことが期待される。この方法は、上で引用した、勇気と洞察力に富む言語学習者であるマルティナから着想を得た。

教室における言語学習と成人移民

第6章では、本研究のデータとポスト構造主義の理論に基づき、アイデンティティは葛藤と変容の場であると論じた。言語教室に参加する移民たちは、教室に地域などでの身近な経験だけではなく、彼らの母国での体験の記憶や、新しい国での将来の夢や希望なども持ってくる。加えて、新しい国に定着するため、言語学習コースに提供してほしいものと、教室での言語学習が、言語を学んでいく中でどのように役立ってほしいのかという期待を持ってくる。教室におけるESLコースに対して5人の研究参加者が持っていた期待と、それらの期待が教室外での言語学習体験とどのように結びついていたのかを調べるために、「英語を学ぶうえでもっとも役に立ったものは何ですか」という質問への答えを詳しく検討した。この質問は、1990年12月に実施した1回目のアンケートと、その1年後に実施した2回目のアンケートでも答えてもらった。ここでは、1回目のアンケートで集められたデータも使用する。1回目のアンケートは、どんな第二言語としての英語（ESL）コースが成人移民にとって最適であると学習者は考えているのか、また学習者のニーズに合わせるためにどのようにコースを手直しすればいいのかを調査するために実施した。

「英語を学ぶうえでもっとも役に立ったものは何ですか」という質問に対する答えには、1990年12月と1991年12月で、はっきりした違いがみられた。1990年12月のアンケートでは、5人の女性のうち3人（エヴァ、カタリナ、マルティナ）が、英語を学ぶのにもっとも役に立ったのは6か月のESLコースであることを強調していた。さらに、1回目のアンケートでは、フェリシア以外が、英語の文法、発音、語彙の指導の重要性を述べていた◆1。カタリナは、1990年12月にこの女性たちの印象を次のように代弁している。

> もしカナダにずっと住みたいなら、英語を話すべきです。［理想的なコースでは］英語の文法、発音と語彙の勉強にもっとも時間をかけるべきです。それらは、英語の基礎ですから。

しかし、1991年12月のアンケートでは、言語学習の進歩にもっとも影響を与えたのは教師だ、と述べたのはマルティナだけだった。他の4人は、フェリシアの「練習、練習、練習」が必要だというコメントに同調するように、英語話者と日常的に話すことの重要性を述べている。エヴァの次の言葉は、グループ全体の見方を言い表している。「第二言語としての英語のコースは、英語の基礎を学ぶのに役立ちました。その後、日常生活で英会話を毎日練習することで、もっと流暢になりました」。女性たちは全員、もっとカナダ人と出会い、教室の外で英語を話す練習をする機会が欲しいと指摘していた。

しかしながら、自然言語学習について検討した本研究のデータをみると、女性たちはテレビやラジオ、新聞を通して英語には接触していたが、教室外で英語を話す練習は、社会的ネットワークの中でどれだけ英語話者と接触できるのかに大きく左右されていたことがわかる。これらの移民女性たちが、英語話者と接触できるようなネットワークにアクセスすることは、難しかった。エヴァの場合、職場の社会的ネットワークに入るために、相当の努力が必要であった。しかも、職場のネットワークへのアクセスには、彼女の必死の努力より、管理職が定期的に企画する外出の機会のほうが効果があった。マイは、（おそらく同僚が全員移民であったため）職場のネットワークの中に入るのに苦労はしなかったが、この連帯感は、同僚たちが仕事を失い始めるとすぐに消え去った。カタリナは他の参加者とは異なり、自身が世話をしている年老いたカナダ人や病人と日常的に話すというユニークな機会はあったが、他のカナダ人とはほとんど接触することがなかったと述べている。8か月にもわたって、ファーストフード店でまじめに働いたにもかかわらず、マルティナは、職場での社会的ネットワークに入ることができなかった。しかし、彼女は自分で機会を作っては、英語を練習していた。フェリシアは職場で英語を話す機会はあったが、話すことより聞くことのほうが多いと述べていた。

自然言語学習についてのこれらの結果は、第二言語教授法に何を示唆するのだろうか。基本的に、すべての女性たちは、彼女らの能力を教室外という文脈で発揮するために、教室でもっと英語を使う練習をすることを望んでいた。女性たちは全員、カナダ雇用移民局の支援を受ける6か月のESLコースで多くのことを学んだと述べていたが、そのコースでは、教室で学んだことを充分に使ってみる機会がないと述べる者もいた。たとえばフェリシアは、そのコースは受け身的だとし、「理論を少なくして練習を多くしたほうがいい」と述べている。エヴァは、英語を教室で練習する機会が限られていると、教室の外で英語を使う機会が訪れたとき、怖く感じると述べている。

> 練習は、いちばんいい勉強方法です。私たちが学校に通っていたときは、英語とたくさん接触がありました。でも仕事に出て、英語を使わなければならなかったとき、私は非常に怖かったです。言語の構造については学びましたが、実践はありませんでした。

女性たちは、全員、教室の中で、英語を練習する機会が必要だと考えていたが、どんなカリキュラムで英語が教えられるべきかについては、意見が一致しなかった。女性たちは、それぞれ教室の外で異なる自然言語学習を経験していたため、教室に求めるものは異なっていた。教室での言語学習には、他の場所での学習をそれぞれ異なる形で「補完する」ことを期待していた。たとえば、職場で英語を話す機会があったマイは、ESLのクラスでは「書く」ことを望んでいた。「話すことは、いろんな方法で学べます。外で、バスの中で、電車の中で、どこででも。でも読むことと書くことは、学校に行かなければできません」。マルティナは反対に、英語上達コースでかなり書く練習をしており、ESL コースでは話す機会を欲していた。「書けば、自分で考えて、自分自身で直せます。話すことの問題は、考える時間がないことです。でも書いたら、それは大きな問題ではありません」。

自然言語学習体験の結果、女性たちは、ESL コースでは、カナダ社会での文化的慣習になじめるようにしてほしいとも思っていた。エヴァが ESL コースについて以下のように述べている。「私たちは、私が見たことも聞いたこともなかったさまざまなことについて話しています。家では、私はポーランド人コミュニティにいるので、そういったことを耳にしません」。女性たちは、教室外で英語の使用が求められる場所として、ESL コースではかなり理想化されたコミュニケーションの文脈が与えられていたと述べている。これを如実に示す例として、マルティナが述べた仕事の面接の様子があげられる。「ESL コースの後、私は面接を受けました。学校では勉強しなかったことを質問されたので、びっくりしました」。このようなコメントは、他の機会に彼女が述べたこととも通じる部分がある。

> ええ、そこで、私は約 2 時間面接を受けました。面接をした人たちは、私のすべてを聞きだそうとしました。いろいろな質問をされました。そんな質問は聞いたことがありませんでした。たとえば「もし上司があなたに怒鳴ったら、どうするか」などでした。私はとても驚きました。私は「上司は私に絶対に、絶対に怒鳴ったりしない」と考えました。どう答えればいいかわかりませんでした。「もし私が悪かったら、もっとよくしようとします。そして謝ります」と言いました。でも、私はそんなこと、まったく考えたこともなかったので、私にはわかりません。

これらのデータから、女性たちは、教室での ESL コースに次のような期待や欲望を持っていたことがわかる。ESL コースは、学習者が基本的な英語の文法、発音、語彙を学ぶのを助け、教室外での目標言語話者とのやりとりを怖がらなくてもいいように、学習者が英語を話したり、書いたりする機会を作り、新しい社会での文化的慣習を理想化することなく、それらになじめるようにすべきだというものである。しかしながら、本研究は、言語学習が、ある文脈から別の文脈に簡単に転用できる抽象的な技能ではないことを示唆している。言語学習は社会的な実践であり、学習者のアイデンティティと複雑に、ときには矛盾する形で関わっている。たとえば、教室の外で話そうとしたときに女性たちが経験した不安は、彼女らの目標言語能力という固定的な個人的特性ではなかった。彼女らの不安は、目標言語話者との多様な出会いの中でさまざまな形で構築されており、特定の社会的関係への投資と照らしあわせて理解されなければならなかった。第3章で述べたように、すべての女性たちは友達とは話せたが、見ず知らずの人と話すことを異なる形で恐れていた。エヴァは知らない人とは話せたが、いつも自分の発音が気になっていた。マイは同僚とは話すことはできたが、上司とはできなかった。カタリナは年配者とは話すことはできたが、専門職の英語話者とは話せなかった。マルティナは誰とでも話すことができたが、常に劣等感を感じていた。フェリシアは同僚と話すことはできたが、英語を話すのが上手なペルー人の前では話すことができなかった。

これらの結果から、第二言語教育について示唆されることは以下の点である。第1に、当然のことながら、言語教育者はまず、教室の外で学習者が目標言語を話せるよう手助けをする必要があるということだ。これは外国語環境よりも、特に第二言語環境において重要である。バーナビーとサンによると、中国の外国語教育では、口語英語に焦点をおくのではなく、文法や文学、書かれたものを学術的に勉強するほうが適切である（Burnaby & Sun, 1989）。しかし、カナダのような第二言語環境では、学習者が「理論」や「時制」について知るだけでは不充分である。つまり、「構造を知るだけで、練習がない」というのは充分とはいえないのである。言語学習者は、日常的に教室の中で話したり書いたりする練習が必要で、そうすることによって、教室の外でより自信を持って目標言語話者と話すことができる。第2に、本研究によって示唆されるのは、教室の外での目標言語話者とのやりとりに関して、どのような機会があり、そして、その機会は、社会的にどのように構造化されているのかを教師が知っておくことも、同じように重要であるということである。学習者には教室の外で、目標言語を話すどのような可能性があるのかを教師が理解しないかぎり、教室の中での練習は、教室外での言葉の使用を促進しないだろう。学習者がこのような実践の機会にどのように対応するのか、さらに目標言語話者とコミュニケーションする機会をどの程度作りだし、もしくは抵抗するのかを理解する必要があるということだ。言い換えれば、教師は、学習者の目標言語に対する投資と変容するアイデンティティについての理解を深める必要があるといえる。

コミュニカティブな言語教育の先へ

この研究でわかったことは、コミュニカティブな言語教育のトレーニングを受けた言語教師にとっては、何の驚きもないかもしれない。サヴィニヨンが書いているように、コミュニカティブな言語教育とは、実際に社会的相互作用の観点から言語運用能力を枠づけ、学習者を学習過程のパートナーとしてみなすものとして使われている。

> 言語使用とは社会的行為であり、目的を持ち、常に文脈の中にあるという近年の理解に基づくと、コミュニカティブな言語教育の支持者は、言語学習者を言語学習のパートナーであると考えている。つまり、彼らは、学習者にコミュニケーションへの参加や学習の自己評価をするよう働きかけるのである。（Savignon, 1991, p. 273）

1970年代からヨーロッパでは、コミュニカティブな言語教育において批判的な議論があったにもかかわらず（Candlin, 1989を参照）、大半のコミュニカティブな言語教育理論は、言語学習者と目標言語話者との権力関係に言及することはなかった。北米での文脈でいえば、言語教育に対するコミュニカティブ・アプローチは、多くの場合、カナリとスウェイン（Canale & Swain, 1980）の枠組みと結びつけられ、一方で、英国やヨーロッパでは、「概念 − 機能」アプローチがコミュニカティブな言語教育に先行していた（Breen & Candlin, 1980を参照）。これらのアプローチは、世界的に言語教育に大きな影響を与えたが、その限界が北米とヨーロッパ以外の国で大きく注目されたことは興味深い。すでに述べたように、南アフリカでは、言語教育における革新は、それまで支配的だったカリキュラムの枠組みに疑問を投げかけた（Norton Peirce, 1989）。南アフリカの研究者ガーディナーは、次のように述べている。

> 「人々のための英語（People's English）」は、英国の大学、出版社と外務省によって産業的に作り上げられ、間断なく売り込まれた第二言語 / 外国語としての英語に関する原則のうえに作られてはならない。それは役者の名前を入れ替えただけで、相変わらず同じ芝居をしていることに等しい。未来のシラバスは作りなおされるべきであり、その際、まったく異なる原則が採用されねばならない。（Gardiner, 1987, p. 60）

ガーディナーが言うところの異なる原則とは、言語の政治的性質の再認識と言語運用能力の再概念化を含んでいる。ガーディナーが言わんとしたところは、ジャンクス、ンデベレ、スタインらの研究において明示的に示されており、彼らの研究はコミュニカティブな言語教育の支配的な概念に関するものよりも批判的視点から行われている（Janks, 1997; Ndebele, 1987; Stein, 1998）。

中国など世界の他の場所においては、コミュニカティブな言語教育への批判は、南アフリカでの批判とは異なったところに端を発している。たとえば、バーナビーとサンの研究は、中国の教師が、特に中国で英語が用いられる目的を反映し、コミュニカティブな言語教育に対してさまざまな反応をみせていると述べている（Burnaby & Sun, 1989）。英語圏の国で勉強しようと思っている学生にとっては、コミュニカティブな言語教育は適切である一方で、中国で暮らし、英語を主に読解と翻訳に使う学生には適切ではないと教師たちは考えている。さらに、コミュニカティブな言語教育はさまざまなリソースを必要とするが、それが中国では容易に手に入らず、一部の教師は、コミュニカティブに教える自信がないという問題も指摘されている。「私はある程度しか英語を教えることができません。もし、言語や文化の違いについて突っ込んだ質問をされたら、私には答えられません」（Burnaby & Sun, 1989, p. 228）と述べる教師もいた。

コミュニカティブな言語教育のもう 1 つの限界は、その多くが言語教育課程の中で、言語学習者のアイデンティティに積極的に向きあおうとはしていないことだ。コミュニカティブな言語教育の典型的な方法に対話的ジャーナルライティングがあるが、それでさえも、学習者は自分たちが何者であり、どのように社会と関わっているのかという感覚に直接関係する問題については書かせないほうがよいとされている。たとえば、ペイトンとリードの『英語非母語話者のための対話的ジャーナルライティング』（*Dialogue Journal Writing with Nonnative English Speakers*）では、「言語と内容の学習の個別化」（Peyton & Reed, 1990, p. 18）が謳われているが、それと同時に、学習者があまりにも個人的なことを書かないようにするためのアドバイスもなされている。

> 話題の選択を完全に学生の手に委ねてしまうと、教師が対処できないような非常に個人的な内容や家族のことを書くことにつながってしまったり、書くことがカウンセリングのようになってしまったりすることを恐れる教師もいます。これは実際、ときどき起こりますが、続ける必要はないでしょう。教師はやさしく、その話題についての議論には抵抗があることを伝え、他の話題を提示するようにしましょう。（Peyton & Reed, 1990, p. 67）

しかしながらサヴィニヨンは、コミュニカティブな言語教育は、言語習得研究をさらに進め、その発展に寄与するアプローチだとしている（Savignon, 1991）。私の研究では、教室でのコミュニカティブな言語教育は、移民の学習者に歓迎されることがある一方で、コミュニカティブな言語教育が言語学習者の生きられた経験（lived experiences）と真剣に向きあうべきであることもまた示唆された。さらに、コミュニケーション能力、社会的な相互作用、社会的な行動という概念そのものも問題であった。私は、ある状況では適切だと考えられる言語使用のルールであっても、言語学習者がそれぞれのコミュニティで経験するかもしれない沈黙に言語教師が立ち向かいたいと考えるのであれば、そのようなルールには価値がない可能性があることを論じてきた。どんな所与の社会的な相互作用であっても、言語学習者と話し相手との力関係、そして、継続的に生みだされる言語学習者のアイデンティティも考慮に入れて理解されるべきだという立場を私はとってきた。これがエヴァがバート・シンプソンのエピソードで気分を害し、ゲイルとのやりとりを続けられなかった理由であり、フェリシアがフェアローンズレクリエーションセンターで同僚と話すのに苦労しているとき、自分がおもしろくないと感じ、自分から話すより聞くことを選んだ理由である。

しかし、どうやったら教師は、言語学習者の生きられた経験と真剣に向きあうことができるのだろうか。経歴も経験も期待も異なる学習者が30人もいる教室で、教師は、どのように言語学習者の人生を、第二言語教育のカリキュラムの中に取り入れられるのだろうか。私は、正式にカリキュラムの一部になっていようといまいと、アイデンティティと言語学習者の生きられた経験は、すでに言語学習/言語教育の一部になっていると考えている。言語教師が理解すべきことは、「どのように」学習者のアイデンティティが言語教室に関わっているかである。そして、その知識がどうすれば、より広いコミュニティにおける学習者の目標言語話者とのやりとりを促進しようとする教師の役に立つかである。この議論を具体的に展開するために、カタリナとフェリシアの教室での抵抗のストーリーに着目する。

カタリナのストーリー◆2

女性たちが6か月のESLのコースを終えた後、カタリナとマルティナは政府の助成を受けた9か月の英語スキルアップコースをとる機会があった。カタリナとマルティナは同じクラスにいて、同じ先生に習っていた。4か月がたったとき、カタリナは怒り憤慨して、このコースをやめた。ダイアリースタディのミーティングのとき、カタリナがこのクラスに行きたくなかった理由として、教師がカタリナの英語はコンピューターコースをとるには充分ではないと言って、カタリナと衝突したことをあげた。カタリナの話す英語は「移民の英語」であると、教師がほのめかしたとカタリナは語っている。カタリナは怒ってそのクラスには戻らなかった。

ミーティングでカタリナは、学生たちが移民だから、教師は自分の仕事に真剣ではなかったことをほのめかした。カタリナは教室でバカにされたと感じたそうである。カタリナは最初のESLクラスが好きで、新しい単語を習ったり、新聞を読んだり、文法を習ったりしたが、この2番目のESLの教師では、自分が小学1年生のように感じた。彼女は「テストのための72の定義」を習い、1日中教師の言うことを聞いていなければならないことが不服であった。ミーティングでカタリナはマルティナに、「移民、移民。マルティナ、これは普通だと思う？」と教師のことをどう思うか聞いた。しかしながら、マルティナは教師に異議を唱えることなく、修了証をもらうまでコースに残った。一方でカタリナは、彼女には難しすぎると言われたコンピューターのコースをとって、18 か月のコースを見事修了した。どうして同じ教師の教育方法によって、1 人の女性は怒り、周縁化されたと感じ、結局コースをやめてしまったのに、もう 1 人は、問題視せず最後まで続けられたのであろうか。

フェリシアのストーリー

あるダイアリースタディのミーティングでフェリシアは、ニュータウンの地元の学校で他の成人移民たちといっしょに受けていた 12 年生[◇1]の ESL コースでの不快な経験について述べた。教師は、自分の母国の情報を持ってきて、クラスで共有するように言った。セッションの後で、教師は、共有された主な点をまとめたが、フェリシアがペルーについて述べた点にはふれなかった。フェリシアは怒り、教師になぜまとめにペルーを入れなかったのかと聞いた。教師は、ペルーは対象となるような主要な国ではないと説明した。フェリシアは二度とそのクラスには戻らなかった。

なぜカタリナとフェリシアが ESL クラスに出席するのを嫌がったのかを理解するには、アイデンティティと教室での言語学習の関係について言及しておく必要がある。第 5 章で述べたように、カタリナはポーランドで 17 年間教育を受け、教師としても働いてきた。この点からみると、彼女は貴重な象徴的資本を積み重ねていたといえる。彼女がカナダに来たとき、教師としての仕事を見つけられず、「今だけ」の仕事としてコミュニティサービスの家事代行のパートとして、わずかな尊敬と低い地位に甘んじていた。彼女は専門職に就いている人々から認められたいと強く願っていたし、気の合う人に出会える仕事をしたいと強く願っていた。つまり、カタリナが自分の教師たちに投資していたのは[◆3]、第二言語学習には「教師が非常に大切」だからというだけではなく、教師たちに、自分の象徴的資本を認めてもらいたいと思っていたからである。英語スキルアップコースの教師がカタリナの専門職としての経歴を無視し、移民として位置づけたとき、彼女は怒った。それどころか、カタリナが切望していた専門職との社会的ネットワークに接触する機会をもたらすであろうコンピューターコースをとることに英語教師が反対したとき、カタリナは英語コースをやめた。カタリナは、言語のクラスで教育も技能もない移民として位置づけられることを拒んだ。そして、教師が同じような専門職仲間として彼女のことを認めているとは感じられなかったため、この社会的空間にはカタリナ自身が受け入れられる主体の位置（subject position）は存在しなかったのだ。それは葛藤場面から自分を遠ざける彼女の抵抗であった。反対にマルティナは、データにもくり返し出てくるように、教師の行動を普通だと理解し、移民として位置づけられることに抵抗をしなかった。マルティナ自身も高い教育を受けていたにもかかわらず、彼女は専門職の社会的ネットワークに接触しようとは思わず、教師に、自分の個人史やこれまでの経験に価値を見いだしてもらおうとは思ってはいなかった。彼女はスキルアップコースを修了した。

ESL の教師が、まとめでペルーを除外したことに対するフェリシアの反応について、当初私は、フェリシアは大げさすぎると感じていた。しかし、フェリシアのアイデンティティにおいてペルーが象徴的なものであることを考えると、この出来事で教師がペルーを周縁化したことは、改めて重要な意味を持つ。フェリシアの職場の友達は、彼女のペルー人としてのアイデンティティの価値を認めていたが、ESL の教師もそうだとは感じられなかった。フェリシアが職場の友達に受け入れられたまさにその理由は、彼女が最近来た移民ではなく、裕福なペルー人としての主体の位置をとったからであった。それゆえ、フェリシアはペルー人としてのアイデンティティに大きな投資を行っており、彼女にとって、このアイデンティティが認められることが重要であった。12 年生の ESL クラスを辞めることは、フェリシアの抵抗であっただけでなく、自分の話す権利を主張することのできるペルー人としてのアイデンティティの効力を信じようとする必死の試みでもあったのである。

まとめると、これらのストーリーは、歴史的、社会的に構築された学習者のアイデンティティが、言語教室の中でどのような主体の位置をとるのか、また、言語教師とどのような関係を構築するのかに影響を与えていたことを、説得力のある形で示している。学習者のアイデンティティが、教室のカリキュラムの一部として認められているか否かにかかわらず、教室で教師が採用する教授法には、学習者のアイデンティティが多様に、ときに矛盾した形で関わっているのである。言語学習者のこれまでの人生と生きられた経験を理解することによってのみ、言語教師は教室内外の社会的な相互作用を促す状況を作りだすことができ、学習者が話す権利を主張する手助けをすることができるのである。同様に、学習者が目標言語に対して行う投資が、教育カリキュラムにおいて重要かつ不可欠な要素であると信じることができなければ、学習者は教師の教授法に抵抗し、教室にまったく来なくなってしまうことさえあるだろう。

多文化主義を再考する

言語教師が言語学習者の生きられた経験を教室のカリキュラムの中に取り入れること、そして、学習者の多元的で変容する投資について認識することの必要性を述べてきたが、では、どのようにすればよいかという、くり返される問いに向きあう必要がある。どうすれば言語教師は、言語学習者のアイデンティティと生きられた経験を、教室における実践の一部とすることができるのだろうか。この問いへの答えについて、教師が学習者のこれまでの人生を教室の文脈に取り入れようとした、マイの教室での経験のデータをもとに検討する。

マイのストーリー

マイはカナダ移民雇用局のコースを修了してからも、英語の会話と読み書きを向上させるために夜の ESL コースをとっていた。彼女は、このコースに参加するために多くの犠牲を払っていた。1 日中仕事をした後、急いで家に帰り、晩御飯を作り、また急いで公共交通機関で教室に向かった。夜 10 時半に家に帰るときには、疲労困憊し、バス停から家まで歩いている間に誰かに襲われるのではないかという恐怖におびえていた。クラスに参加するためにこのような犠牲を払っていたため、マイは、自分が参加していたあるコースでは何も学ぶものがないことに、大きな不満を表明した。マイとのインタビューの中で、教師がどのように彼女に教えているのか、詳しく聞いた。マイはそれぞれの母国での生活の発表が中心だと説明してくれた。授業中ずっと座って、他の学生が話しているのを聞くのがどれほど苛立たしいか話した。

[半年間の ESL コースで] 前に勉強したときと同じように、このコースが自分の役に立つことを期待していたんです。でも、いく晩かにわたって、1 人の男性にだけ時間を割くことがありました。その男性はヨーロッパから来ました。自分の国のことを話していました。何が起きているのか、また何が起きたのか。それでその間じゅうずっと、私たちは何も学ばなかったんです。そして明日はまた別のインド人の男性が何かを話します。この 1 週間、私は自分の本に何ひとつ書いていません (強調は筆者)。

何週間かこのコースでもがいたあげく、何も学ばなかったと感じた末に、マイは再びクラスに戻らないことにした。

マイの ESL の教師は、自分の国のことについて発表してもらうことで、学生たちの生きられた歴史 (lived histories) を教室に取り入れようと考えたともいうことができる。教師は教室で話す練習をする機会を与え、クラスの他のメンバーに学生たちが受け継いできたことを分かちあえるようにした。しかしながら、このやり方は少なくともマイにとっては、はっきりと裏目に出てしまった。マイは黙って座り、クラスメイトが自分の国について話すのを聞くのは、何も学ぶものがないと確信した。彼女の教室での学習は、ESL クラスに参加するために払った多くの犠牲に見合うものではなかった。

教師のやり方がマイに積極的な参加を促すのではなく、沈黙させてしまったのには、私は少なくとも 3 つの理由があると考えている。第 1 に、学生の経験は一面的なものであると仮定したことである。私はこの本で、アイデンティティは、固定されたカテゴリーではなく、多元的で変容するものだということを明らかにしてきた。移民が母国で経験してきたことは、彼らのアイデンティティの重要な一部分かもしれないが、それらの経験は、学習者が、家や職場やコミュニティなどの複数の場所にわたって、新しい国で経験したことによって、常に影響を受けている。マイの教師がしたことは、学習者のこれまでの人生の一側面だけを認めたということにほかならない。教師は学習者に、彼らの母国での経験をカナダでの経験に照らして批判的に理解する、あるいは、カナダでの経験を母国での経験に照らして理解する機会を与えなかった。その教師のやり方は、多文化主義と批判的に向きあうのではなく、異国趣味 (exoticism) に陥ってしまっているといえる。シェンキは以下のように述べている。

> 説得力を持つ言説に関連して、歴史、物語、記憶が、どのようにして真実となるのかという問いは、話すことと沈黙がESLの実践の中でどう形づくられ、規制されているのかを理解するための基本となる。多文化主義を例にとると、学習者の話として数えられるのは、多くの場合、文化的異国趣味と好奇心の細分化、分断された「やりとり」にすぎない。そのような話が語られるようになった生きられた歴史や権力関係から切り離されて語られる話は、人種、宗教、ジェンダー、料理（まだまだ他にもあるが）などの奇抜さで教室の知識を埋め尽くし、「友好的かつ敬意を持って」文化的多様性を認める以外の、どんな向きあい方も否定してしまう。（Schenke, 1991, p. 41）

第２に、この方法は、学習者がお互いの発表に小さな投資しかしない可能性について考慮していなかった。教師は、自分が学習者中心の教育方法を実践しており、学習者は学習のパートナーだと思っていたのかもしれないが、そのやり方は、多文化主義を装った知識伝達型の教え方とほとんど変わりないと考えられる。そのような教室の中での分断されたやりとりは、聞き手に批評をし、議論をするための糸口を与えることはほとんどない。マイはクラスメイトのヨーロッパの母国の説明に、ほとんど投資していなかった。彼女は、インドの生活についての学習に、まったく興味がなかった。ファブリックファクトリーでイタリア語を習わせたいと言った同僚に対し、マイは「私に必要なのは、英語だ」と言っている。マイはESL教室で英語を練習する機会が欲しいと思っていた。他の学生の異国情緒あふれる話の単なる受け手でいたくはなかった。前の章で説明したブルデューの用語を使えば、ESL教室は、そのような話をする正統な場所ではなかったのである。このような理由で、マイはESLクラスでは何も習っていないと感じ、言語学習と教育の豊かな機会も失われてしまったのである。マイの話からは、学習者の体験を教室に取り入れるということは、学生の発表という形で多文化の歴史を商品化するよりもっと複雑なプロセスであることがわかる。ここではまさに第二言語教育で批判的関心が高まっている多文化教育という概念が問題とされている。たとえばクボタは、応用言語学におけるライティングの教授法に関する研究の中で、西洋と東洋という文化的二元論が生み出され、日本文化の本質主義的表象が構築されていることを説得力のある形で論じている（Kubota, 1999）。クボタは批判的多文化主義のためには、言語教師は単に「他者の文化を認識・尊重し、他者の「真の声」（authentic voices）を美化することに満足してはならない」（Kubota, 1999, p. 27）と述べている。代わりに、知識の一形態としての文化的差異がどのように作られ、固定化していくのか、教師は吟味し、社会的な変革に向けて何ができるのか考える必要性を提言している。

第3に、その方法は、教師の権威の放棄に等しいということだ。この点は、ジルーによって、洞察に富んだ議論が行われた。彼は教師の「解放的権威（emancipatory authority）」（Giroux, 1988, p. 90）という概念を用い、教師は教室で、知識人として積極的で批判的な役割を果たすべきだと述べている。

> 解放的権威という概念は、教師が批判的な知識、ルール、価値観の担い手であることを示しており、それによって教師はお互いの、生徒との、扱われる内容との、そして、より広いコミュニティとの関係を明確にし、問題化しているのである。このような権威の見方は、一般的に教師とは本来、技術者もしくは公僕であり、その主な役割は、教育的実践の概念化ではなく、実践の遂行であるという支配的な見方に異議を申し立てるものである。解放的権威というカテゴリーは、教師の仕事を知的実践の一形態として捉えることによって、教師の仕事に重要性を与えている。

この観点から考えると、学習者中心主義は、教師が教室の中で見えない存在になることを前提としているのではない。つまり、教師は単に学生の経験に賛同するのではなく、少しの権威や助言によって、そのような体験を批評し、方向性を与える人なのだ。教師にとっての挑戦は、サイモン（Simon, 1992）が議論したように、生徒の経験を正統なカリキュラム内容として認めながら、同時に、そのような経験の本質と形式に疑いを差し挟む実践を展開することである。最終的に変容を生みだす可能性を充分に実現できたとはいえないが、ここからは上記の注意点を念頭に、ダイアリースタディを学習者の経験とアイデンティティと向きあうことのできる可能性をもった実践として分析する。

可能性の教育学としてのダイアリースタディ

本研究のデータと特にカタリナ、フェリシア、マイのストーリーから、言語教師は、教室での目標言語学習と教室外のより広い世界で言語を練習する機会との間にある隔たりを、学習者が埋める手助けをすべきだと議論してきた。この隔たりを埋めるためには、言語学習者の生きられた経験とアイデンティティを教室のカリキュラムの中にとり入れる必要があると提案した。しかし、すでに述べたように、学習者の経験を本質化することは、教室で個人的な経験を振り返り、批判するために必要な状況を台なしにしてしまう。ここでは、どのような教授法が移民の言語学習者の第二言語教育において建設的であるかについて述べる。サイモンを参考に、「教育学（pedagogy）」という言葉を「教育（teaching）」という言葉とは区別して使う。

> 職員室や教室、指導書や指導要領の中で、教育とは、通常、所与の目標に到達するための方略であり技術を指している。当然のことながら、教育について語ったり、書いたりすることは、主に方法を語る言葉（language of method）であり、教室の中で実行可能な方法の提案を目的として行われている。しかし、私が思うに、そのような教育の議論には何かが欠けている。我々が教えるとき、我々は常に私たちの、私たちの学生の、そして私たちのコミュニティの可能性の地平を創造することに関わっているのだ。教育学を提案するということは、政治的理念を提案することでもある。（Simon, 1992, p. 56）

サイモンやその他の多くの第二言語教育者のように、私は教育の中心は人間の可能性を高めることにあると考えている。教室とコミュニティの間の隔たりを埋めるための試みであるダイアリースタディが、本研究に参加した移民女性たちにとっては、サイモンが可能性の教育学（pedagogy of possibility）と呼ぶものであったと考えている。この節では、この教育学の一形態としてのダイアリースタディの目的と長所、そして限界について検証する。その後、ダイアリースタディから得られた洞察が、教室での第二言語の実践に何を示唆するのかを検討する。

本ダイアリースタディは、カナダでの第二言語としての英語学習のプロジェクトとして行われた。それは不案内な地で、ときに脅迫的な社会の中で生きる女性たちが生きることの複雑さについてのプロジェクトとして進められた。女性たちは、家族や仕事、学校、家事、失業など、日々必要なことの大半に関し、意味をなし始めたばかりの言語で対応する必要があった。このプロジェクトが行われたとき、女性たちはESLのクラスが役に立たないのではないかと疑い始め、そして、自分が持っていた世界に対する理解と、カナダでの彼女らの体験との間にある齟齬に直面していた。さらに、それは、彼女らが目標言語を練習する必要性を感じていたときであり、その一方で、英語話者の社会的ネットワークへアクセスするには、カナダ社会における移民という立場が原因で難しいことがわかり始めたときだった。そして、聞きたいことや言いたいことがたくさんあり、抵抗を感じることも多いときであった。

当時、言及されることはほとんどなかったが、本研究で使ったダイアリースタディのモデルは、ワイラー（Weiler, 1991）が研究の中で描いた第2波フェミニズムの意識高揚グループ（Consciousness raising group）にその原型がある。言語学習の個人的な経験と目標言語集団のメンバーとの社会的相互作用をグループで探求することで、参加者が、ハウグのいうところの「変化が可能な点、連鎖がもっとも弱くなる地点、調整が行われている点」（Haug, 1987, p. 41）を明らかにすることを私は望んでいた。グループの中での私の役割は、教師/研究者ではあったが、私の権威は、上下関係のある教育的構造からくるものではなく、目標言語の能力と、研究参加者の女性たちの以前の教師であったという経緯からきていた。もしかすると支配的な英語話者コミュニティの中で、専門職に就き、白人であり、中流階級の一員であり、他の人が欲しがるような象徴的、物質的リソースにアクセスできる女性という立場からきていた可能性もある。しかしながら、私が彼女たちの一人ひとりの才能や、カナダに持ってきたリソースといったそれぞれの歴史を知り、理解するようになっていたこともあって、彼女たちは私の存在を心地よく感じていたと私は考えている。事実、私が持っているどんな権威も、彼女らを沈黙させるようなことはなかった。

また、ダイアリースタディミーティングが行われた場づくりのおかげで、正式なESLの教室で生じるような力の差を小さくできたと思われる。私たちはみな、教師や研究者といった職業的な立場よりも、家事をする人としての側面が前面に出やすい家という私的領域にいた。私たちは毎週、座席の位置を変え、円になって座った。黒板は、子供用黒板だけで、ほとんど使われることはなかった。そのような状況のおかげで、私の教師としての、そして彼女らの学習者としての力の差を小さくできただけではなく、その場の誰の知識がより正統で認められるかという考えを捉えなおすことができたのではないかと思われる。さらに、私の教師としての立場だけではなく、彼女たちの学習者としての立場も捉えなおすことができた。このような状況においては、私は限りある知識へのゲートキーパー◇2でもなかったし、彼女たちも私の厳重に守られたリソースに近づこうと競いあうようなこともなかった。このことは、グループの快適さに大きく影響を与えていたと思われる。そして、私たちのミーティングの特徴である終わりのないディスカッションのことを考えると、私はミーティングは比較的平等に設定されたのだと考える。一方で、女性たちの関係は平等であったものの、一人ひとりの女性が移民女性として経験したことは、時と空間を越え、異なった形で構築されていた。ダイアリースタディの基本的な前提は、一人ひとりの女性が自分の人生の専門家だということで、その前提はミーティングの場づくりによって強化された。私は日記と彼女たちへのフィードバック、週ごとのチャートを使いながら、彼女たちが英語で、家庭、職場、学校、そして、コミュニティでの自分の個人的な言語学習経験と向きあい、表現できるようになるよう努めた。このアプローチは、空欄を埋めたり、文脈のない文章を書いたりすることに縛られていたESLコースでの教授法とは、根本的に異なるものであった。私の目的は、キャメロンら（Cameron *et al.*, 1992）が述べている「エンパワーする研究（empowering research）」を促進する条件作りにあった。

クラークとイヴァニックの研究（Clark & Ivanic, 1997）が有益であることに気づいたのは、ダイアリースタディがアイデンティティと言語学習についての特に重要なデータの供給源になった理由を振り返っていたときである。彼らは、自分たちの文章教育に関する研究に基づき、書くという行為が、書き手が持つ多元的なアイデンティティに依存していると指摘し、書き手のアイデンティティという概念の構成に関わる以下の4つの要素を提案している。自伝的自己（autobiographical self）とは書き手の執筆時までのライフヒストリーによって形づくられるもの、言説的自己（discoursal self）とは書くという行為に関わっており、継続的に構築されるアイデンティティと向きあうもの、書き手としての自己（self as author）とは書く過程における所有権と声の問題に関わるものである。これらの3つの書き手のアイデンティティは、より広く、より抽象的な概念である書き手のアイデンティティ（writer identity）という文脈の中で理解され、特定の時間に特定のコミュニティで書き手にとって利用可能な主体の位置と関わっている。ダイアリースタディは、彼女たちが移民の言語学習者としての経験の中では得られなかった主体の位置を提供できたと考えられる。そして、それぞれが日記を書くという行為において、多かれ少なかれ自伝的アイデンティティ、言説的アイデンティティ、そして、書き手としてのアイデンティティを探求することができたといえる。

ダイアリースタディの成果を理想化することは危険だが、女性たちが書いた文章の量も質も、ミーティングで話した話題が多岐にわたった点も素晴らしかったと考えている◆4。話題には子供の学校のこと、職場での葛藤、人気テレビ番組、自分の母国の話、天気、景気の低迷、湾岸戦争などがあった。カナダでの1年半ほどの間に、女性たちは、話し言葉でも書き言葉でも、目標言語で自分の言いたいことが伝えられるようになった。これは、彼女たちの文法が素晴らしいということでもなく、彼女たちの発音がわかりやすく、さまざまな語彙知識があるということでもない。彼女たちは、自身の経験の複雑さを、声に出して伝えられるようになったのである。さらに、少なくとも象徴的な重要性として指摘できるのは、ダイアリースタディが進むにつれて、女性たちがそれぞれの職場での権利のために、どのように立ち上がったのか語り始めた点である。あるダイアリースタディのミーティングで、たとえば、マイ、フェリシア、エヴァは彼女らの仕事に関連して、搾取的な行為にどのように抵抗したか説明した。次のストーリーは、この過程の中で、いかに言語がその中心にあったかを示している。

マイは職場で同僚に、非常に重い布を裏返すように頼まれた。その仕事は通常、工場のもっと力持ちの人がしていた。以前に頼まれたときは、マイはしぶしぶ引き受けたが、引き受けたことに苛立ち、怒りを感じていた。次にまたその仕事を頼まれたとき、マイは頼んだ人に、もしその仕事をさせたいのだったら、主任に確認してからにしてと言った。頼んだ人は驚き、仕事をマイに頼むことはなくなった。マイが話した後、フェリシアが続けて、放課後の学童保育の仕事をしていた学校で、どのように自分の権利のために声を上げたかを話した。ある教師が、子供の親がいる前で、フェリシアに子供の名前を書類には記録しないように言ったそうである。フェリシアは怒り、バカにされたと感じて、黙ってはいなかった。彼女はその教師に向かって「あなたが教師ですか。それとも私ですか。もし、あなたなら、私は家に帰ります」と言ったそうである。続いてエヴァが、あまり忙しくない日に店長が彼女を早く帰して、他のパートの従業員を残そうとしたことがあったという話をした。エヴァは怒りを感じ、パートが残っているのに、フルタイムの自分が帰らなくちゃいけないのは不公平じゃないかと言った（早く帰った場合、エヴァにはその分の賃金が払われなかった）。その次の日、エヴァは気分が悪くなり、家にいることにした。彼女は店長に、ただ仕事に行かないとだけ言った。エヴァはこれが店長を不安にさせたのではないかと考えていた。次の日、職場に戻ると、エヴァはもっと責任のある仕事を任されたという。彼女は声を上げたことをよかったと感じていた。

このようなストーリーにもかかわらず、私たちのミーティングの焦点は、経験したことを分析するよりも、経験したことを語ることにあったと思う。移民として位置づけられることが、彼女たちが英語話者と話す機会を制限しているか議論することはあったが、ジェンダー、階級、人種がより広い不平等な社会構造とどう関わっているのか、という議論はほとんどなされなかった。この点を３つの例をもとに説明する。まず、フェリシアがあるダイアリースタディのミーティングで、自分の夫が失業中であることを心配し、かわいそうだと言ったときのことである。カタリナはフェリシアの苦境について同情し、「女性は、いつも家を掃除していればいいけど、男性は何かしなくちゃ」と言った。この発言の根底には、性差別的な前提に対する全面的な同意があったといえる。つまり、女性が家で行うことは、「何かすること」として分類されてはいないし、雇用されることは男性にとって権利であっても、女性にとっては特典だという前提だ◆5。次に、最初のダイアリースタディのミーティングの直前に行ったエヴァとのインタビューで、エヴァはどうしてマンチーズの同僚たちが彼女と話さないかについて、以下のように説明している。「私が話しかけなかったときは、誰からも話しかけられなくて。たぶん私のことをただの、……それは、私の仕事は最低の仕事だったから。まあ、当然でしょう」。エヴァは、地位の低い仕事をしている人が同僚に周縁化されるのは「当然」、つまり、理解できることだと言っていた。エヴァがこの言葉の根底にある階級主義的な前提に異議を申し立てることはなかった。最後に、私がダイアリースタディのミーティングの後、マイを家まで送っていったとき、彼女の甥たちがカナダで中国/ベトナム人として経験した周縁化について話してくれた。たとえば、いちばん上のトロンは、名前をベトナムのものから英語的な名前に変えることにした。マイは甥たちに、自分の生まれを否定しないよう以下のような言葉をかけ、勇気づけたそうである。「その髪、鼻、肌では完璧なカナダ人にはなれない」◇3。マイは、完璧なカナダというものが存在し、そして、完璧なカナダ人とは白人であるという人種差別主義的な考えを問題視しなかった。

私はこのような問題を、彼女たちとの会話の中で取り上げることはなかった。ダイアリースタディのミーティングの間、私はジェンダー、階級、人種について彼女たちが常識と考えるものを、どのように、どんな形で壊し、刺激すればいいのかわからなかったのである。私自身の研究者としての立場、そして、彼女たちとの連帯感を維持し、彼女たちの混乱や怒り、喜びを表現できる心地よい空間を作りたいという願いから、私は沈黙せざるをえなかった。肯定はできたが、否定はできなかった。しかしながら、そのような問題点について黙っていることの危険性は、ダイアリースタディが終わってからずっと後、1993年1月にカタリナと電話で話していたときに明らかになった。彼女は古いアパートがある地域から、新しいところに引っ越すことになったと言った。彼女は誇らしげに、「ここには移民はあまりいないんです。古くからいる人たちだけ」と述べ、彼女が明らかに、移民を周縁化する言説を強化し、再生産していることが私にはすぐにわかった。さらに、ダイアリースタディが進行中だったとき、マイの親戚がカナダで経験した人種差別について、グループの中では話せない、あるいは話すのを避けているということがわかってきた。マイがベトナム人に対する兄の態度について、そして、自分の外見を嫌っている甥たちへの心配を述べたことはあったが、それはどちらも私たちが２人だけでいるときだった。彼女を車で送り迎えしているときや、ミーティングの前に、他のメンバーが到着するのを待っているときだった。マイは日記を使い、不安や疎外感を表現していたが、グループ内では、特に問題のある経験を読まないようにしているようだった。

ハーパーたちは、第二言語教室での女性たちの経験を取り入れようとする試みは、逆説的に、彼女たちが広い世界や職場で直面している現状や状況の維持につながる可能性があるという点を論じた（Harper, Norton Peirce & Burnaby, 1996）。女性たちの経験を問題として取り上げるのではなく、受け入れることは、結局は、女性たちの利益にはならない可能性がある。ハーパーたちはジェンダーと人種問題について批判的に振り返るための糸口を見逃さず、活かすことの重要性を指摘している。この問題は、シェンケによって掘り下げられている。彼女は、フェミニスト、反人種差別主義の研究に基づき、ESL 教室における「歴史的関わり（historical engagement）」と彼女が呼ぶ実践について議論している。

> 歴史的という言葉によって、今、私たちが個人的、集団的な歴史をどのように生きているのか、そして、思い出すという行為が、慣れ親しんだ古いもののくり返しから新しいストーリーをどのように作りだすことができるのかを言い表そうとしています。関わりという言葉によって、私たち（学生と教師）が日常生活における、文化的、人種的、ジェンダー的な生産の批判的考察に、戦略的に向きあおうという意思を表しています。（Schenke, 1996, p. 156）

このような記憶の作業（memory work）は、単に個人的な体験を共有するものではなく、我々は記憶するものとして、何をどう選んだのか、どのようにその選択が社会的、歴史的に構築されたのか、そして、どうすれば違った記憶の仕方ができるのかを探究することである、とシェンケは述べている。このような記憶の作業の焦点は、言語学習者には教室に来る前に知っていることがあり、新しい文化的実践を理解するための葛藤は、過去の文化的実践の記憶と経験から始まるという認識である。

南アフリカの文脈で研究を行っているスタイン（Stein, 1998）も、このような見方を共有している。スタインは、教師がパフォーマンスと自伝的ナラティブを使って、学生たちの読み書きに関する歴史と経験について解釈し、名づけなおし、検証することができると説明した。サイモンの研究（Simon, 1992）に基づき、彼女は、どのように自分の学生たちが記憶の教育学（pedagogy of remembrance）を行ったのか説明している。そこでは、未来のための希望を与えるように、過去が現在によって再発見されていた。協働が彼女の教育的実践の中では中心的であり、学生たちは助けあいながら、記憶が形づくられている枠組みを問いなおしていった。しかし彼女は、「思い出すという過程はただ過去をくり返すことではなく、意図的かつ意識的にある人の『メンバー（登場人物）』、つまり、過去の自分と自分のライフストーリーに属する人物や出来事を思い出したり、集めたりする行為である」（Stein, 1998, p. 523）と注意を促している。

このような見識は私の研究と深く関わっており、同じ専門職としてのアイデンティティを認めなかった教師に対するカタリナの抵抗や、ペルーでの彼女の思い出と経験をほとんど知らなかった教師に対するフェリシアの怒りを理解するのに役立つ。しかし、分析に値する他の側面もある。アイデンティティと言語学習を理解するのに重要なのは、歴史的記憶との関わりだけではなく、本書では、時間ではなく、特定の場と結びついた別のアイデンティティとの関わりの重要性も指摘してきた。

たとえば、マルティナは、職場での話す権利を主張する際に、彼女の生活の公的領域にいる同僚たちとの関係を築きなおすために、彼女の母親としての記憶、つまり彼女の生活の私的な領域で構築された記憶を利用した。「その子はたった12歳です。私の息子より若いのです。私は『あなたは何もしていないでしょ。あなたが行って、テーブルなどを片づけてきて』と言いました」。職場の言説の中で新しいアイデンティティを主張することで、マルティナは話す権利を主張した。次の節では、言語学習者が新しいアイデンティティを主張し、目標言語話者との関係を築きなおし、そして話す権利を主張するのを、教師はどのように支援できるのかという点について述べる。

月曜日の朝を変える

ペニークックは、彼の教育方法の概念についての論文の中で、言語教師は（教育方法に関する）総括的あるいは普遍的な言説ではなく、その場（ローカル）の複雑さと可能性という観点から我々の実践を理解するべきだと述べている（Pennycook, 1989）。世界のさまざまな場所にある小学校や中学校の教室、大学やコミュニティの中で、教師はこの課題に立ち向かっている。たとえば、カナガラジャはスリランカでの、リンは香港での社会における英語支配に対する学生の相反する反応を、カランティスらはオーストラリアでの言語的多様化に対する教育システムの対応を取り上げている（Canagarajah, 1993; Lin, 1999; Kalantzis, Cope & Slade, 1989）。ここで焦点となるのは、モーガンが指摘しているように、教師は自分自身のコミュニティに特有の課題と可能性に対応する必要があるという点である。「理論的な知識が（課題と可能性に）妥当なものであるためには、その知識は、その場（ローカル）に関わる人々との交渉と人々の大いなる自律性から始められなければならない」（Morgan, 1998, p. 131）と彼は言っている。

このような精神に立ち、私は、ダイアリースタディ、先行研究、自分の教室での経験などから得られた洞察をもとに、言語学習者のアイデンティティと投資をどのように、言語の教室に統合するのかという提案をしてきた。しかし、教室内社会的研究と私が呼ぶ枠組みを提供することで、新しい言語教育の方法を主張したいのではない。私がこの枠組みを提案したのは、現在まで続いてきた、そして、間違いなくこの先も長く続いていく言語教育についての対話に貢献するためである。教室内社会的研究は、文法、発音、語彙（基礎）に焦点を当てた学習を軽視することなく、学習者が話す機会はどのように社会的に構築されているのか、目標言語話者と社会的相互作用をする可能性をどのように作り出すことができるのか、教師が学習者のアイデンティティと投資への理解をどのように深めることができるのかといった点を学習者が理解するのを手助けできる可能性があることを議論する。この点において、私の提案は、ブレマーら（Bremer *et al.*, 1996, p. 236）の見解に対する応答ともなっている。ブレマーらは、「マイノリティの労働者が支配的言語の話者と交流するためには、教室での学習は教室外で意識的に設けられた機会によって補完される必要がある」と述べている。このような考え方は、マルティナの観察によって触発された。マルティナは自分自身が話すためにもう1つのアイデンティティを構築したが、そのことによって、他の学習者にも同様の可能性を切り開いたのだ。

私は、教室内社会的研究とは、学習者が自分たちのコミュニティで、教師の積極的な助言と支えを受けながら行う協働研究であると定義する。その研究の目標は、学習者が観察表と記録ノートを使いながら、家庭、職場、地域で目標言語話者と話すどんな機会があるのかを体系的に調査することにある。社会的研究を通して、学習者は徐々に、より広いコミュニティで目標言語を使う機会があるということに気づき、そして、将来への欲望に合わせて、目標言語を使う可能性をどのように変容させるかを意識していく。同様に学習者は、目標言語話者との関わりを批判的に振り返ることが奨励される。つまり、学習者は、目標言語話者とどんな状況で話したのか、なぜ、どのようにして、そのような相互作用が起こったのか、さらに、その結果何が起こったのかを吟味することが推奨される。このようにして、学習者は話す機会がどのように社会的に構築されており、社会的相互作用の過程に社会的力関係がどのように関わっているのか理解を深める。どのように力が社会的相互作用を規制し、また力が社会的相互作用を介して作用しているのかを理解するにつれ、学習者は彼らが周縁化されてしまう社会的実践に立ち向かえるようになるかもしれない。学習者は、何らかの出来事や行為、事象に驚いたり、珍しいと感じたりした瞬間に特に注意を払うように促される。驚いたことをデータとして収集することによって、学習者は、母国の文化的な実践と新しい国での文化的な実践がどう違うかを意識するようになる。成人移民ではなく、学生研究者/エスノグラファーというアイデンティティであれば、彼らは自分の歴史や記憶に、弱い立場ではなく強い立場から批判的に向きあえる可能性がある。気づきが高まることによって、学習者は自身の言語教師を、さらなる学習への重要なリソースとして捉えるようになる。

学習者は、日記やジャーナルに書いた観察を振り返るだろう。そうすることで、それぞれが投資しているものについて書く機会を生みだすことになる。学習者は目標言語話者との間で発生したコミュニケーション上の問題を批判的に分析するために、日記を使うことができる。これらの日記は学習者が目標言語で書き、そして、教師が定期的に集め、コメントとフィードバックをすることもできる。学習者がより広いコミュニティで目標言語を練習する機会、彼らの目標言語への投資、さらに変容するアイデンティティについての情報を、言語教師は日記を通して得ることができる。教師は学習者が研究における発見を批判的に振り返る手助けをし、さらなる研究や振り返りが必要なところについて、提案することができる。最後に、学習者は、研究で集めたデータを教室での学習用の材料として使うことができ、他のエスノグラファーが見つけたことと比較したり、対照したりすることができる。自分のデータを他の学習者のデータと比較・対照することで、他のエスノグラファーの発表に投資し、結果として、意味のある情報の交換が起こるだろう。学習者は、象徴的資源が作られ、妥当性が検証され、交換される社会的なネットワークの一部であるとお互いを認め始める。教師もまた、それらの情報を使って、学習者がより広い世界で話す権利を主張する手助けとなるような、教室活動をデザインし、教材を開発することができる。さらに、教師は教室内の議論を、研究を通して見つけたことを描写することから、それが社会におけるより広範な社会的プロセスで何を意味しているのか考察することへ、導くことができる。このようにして、教師は、学習者が広い社会的プロセスとの関係を問い直し、人間の可能性を高めるための空間を見つける手助けをすることができる。

結びの著者解題

私はこの本を、ルークの以下のコメントに対する振り返りで締めくくりたいと思う。

> 欧州経済共同体（EEC）、北米、日本、オーストラリア、その他のアジア太平洋経済圏の国々では、非常に多くの移民たちが、戦後の先人たちと同様、低い社会経済的階層や地域におかれ続けていることを認識する一方で、被害者としてではないマイノリティのアイデンティティに関するナラティブを描く必要がある。それは、白人が支配的な文化の中で、新しい差異のアイデンティティの複雑さと働き、そして、力を描くものであり、ボブ・ディ

ランの1960年代の歌のように「かわいそうな移民を憐れむ」ことをやめないリベラル派の恩着せがましさにとって代わるものである。(Luke, 2002, p. 79)

これは、老若男女、貧富、出身に関係なく、言語教師が教室で出会う移民の学習者という概念について再考する必要があるという、グローバリゼーションが進む時代に合った注意喚起である。同様に大切なことは、私たち自身の教師、研究者、共同体の一員、そして、世界市民としてのアイデンティティを、私たちが再検討する必要性があるということだ。本書では、本質主義的な言語学習者という概念は支持できないことを議論してきた。アイデンティティの複雑さを認めることによってのみ、新しい世紀における言語学習と言語教育の無数の課題と可能性を、より深く理解することができるのだ。

注

◆1　フェリシアはすでに英文法についての指導をペルーで受けており、「動詞の to be 以外何もなかった」と述べている。

◆2　カタリナの話の引き立て役として、同じスキルアップコースに在籍していたマルティナの説明を含めた。

◆3　留意しておかなければいけないのは、比較したときに、カタリナが世話をしていた年配の人たちから、なぜ英語を知らないでカナダに来たのかなど、攻撃的ともとれる質問をされても、彼女はけっして攻撃的にならなかった点だ。

◆4　Auerbach (1989) は、成人移民のための ESL 識字教育への社会文脈的アプローチと自身が呼んでいるものにも、同様の書く内容や量の変化を指摘している。

◆5　家庭の社会的構築に関する洞察に満ちた分析は、Rossiter (1986) を参照のこと。

訳注

◇1　日本では高校3年生にあたる。

◇2　知識を管理するような立場。

◇3　外見からは「完璧なカナダ人」にはなれないのだから、自分の生まれもったものを否定しないで、という意味。

解題　アイデンティティ理論をめぐって広がる対話

クレア・クラムシュは本書のあとがきで、2000年版の『アイデンティティと言語学習』（*Identity and Language Learning*）は思潮の重要な転換を捉えたと述べている。現在の言語教育において、アイデンティティを探求する研究が数多く発表され、これまでに何冊もの書籍が出版されていることは、アイデンティティの問題が言語教育分野の中心となったことの証である◆[1]。「アイデンティティ」は、応用言語学、第二言語習得（second language acquisition: SLA）、言語教育の百科事典やハンドブックのほとんどに見出し語として掲載されている◆[2]。また、受賞歴のある学術誌『言語、アイデンティティ、教育』（*Journal of Language, Identity, and Education*）が、言語教育分野におけるアイデンティティの問題を中心に据えている。特に、アイデンティティ、投資（investment）、想像の共同体（imagined communities）をテーマにして書かれた大学院生の修士論文や博士論文の数は注目に値する。これは、新進の研究者たちが、今後、この研究の道をたどっていくであろうことを示唆している◆[3]。私の著書はこれまでに中国語、ポルトガル語、ドイツ語、フランス語に翻訳されている◆[4]。ズエングラーとミラーが書いていることからもわかるように、アイデンティティは、いまや「それ自体で」（Zuengler & Miller, 2006, p. 43）1つの研究領域として確立している。

この第2版のまえがきでも述べているが、本書の目的は、独自の論理と一貫性を持つ2000年版を書き直すことではなく、初版で提起され当該分野で特に建設的であると明らかになった知見に照らし、2000年版を再構成することである。この点については、ブロック、リセント、スウェインとディターズといった学者らが指摘しているとおり、言語とアイデンティティに関するポスト構造主義理論が強く影響している（Block, 2007a; Ricento, 2005; Swain & Deters, 2007）。同時に、1995年に私が発展させた投資の構成概念（Norton Peirce, 1995）が、想像の共同体や想像のアイデンティティ（imagined identity）に関するその後の知見が広く引用されたのと同様に、多様な興味を引く形で取り上げられてきたからでもある。また、人種、ジェンダー、階級、性的指向などの関係が、言語学習や言語教育のプロセスにどのような影響を与えるかを調査しようとする、幅広いアイデンティティの理論家による研究も増えている。さらに、アイデンティティ研究に関する研究手法や、アイデンティティ研究が教室での指導にどのように役立つのかという示唆についても議論されている。この解題では、多様な研究者たちとの10年以上にわたる刺激的な共同研究の成果を紹介する◆[5]。初版で提示された研究成果や知見と関連づけながら、さらなる拡大をみせる研究と実践の領域に焦点を絞ることにする。

アイデンティティ研究と言語学習の関連性

本解題では、まず、スー・ガス（Gass, 1998）をはじめとする学者らの研究を振り返ってみたい。アイデンティティ研究が第二言語習得に影響を与えるかぎり、アイデンティティの理論家たちはその理論的妥当性を立証する必要がある、と指摘したのがガスに代表される学者たちである。ここではこの重要で正当な洞察に答えたい。以下に私が主張する中心的な議論を手短に述べ、この後の節でさらに詳しく説明する。

(i) アイデンティティに関する研究が言語学習分野に提示しているのは、個々の言語学習者とより大きな社会的世界を統合する包括的な理論である。アイデンティティの理論家は、学習者を「やる気があるかないか」「内向的か外向的か」「自制的か自由奔放か」という二項対立で定義できるという見方を疑問視している。二項対立に基づく見方は、こういった情緒的要因が、不公平な力関係のうえに社会的に構築され、時間と空間を越えて変化し、1人の人間の中に矛盾しながらも同時に存在する可能性があることを考慮していないためである。十分に成熟したアイデンティティ理論は、言語学習者が発言するときにとることができる複数の位置（position）を明らかにし、周縁化された学習者が目標言語コミュニティに対して、どのようにして、より望ましいアイデンティティを手に入れる（appropriate）ことができるのかに光を当てている。

(ii) SLAの理論家たちは、社会的世界における力関係が学習者の目標言語コミュニティへのアクセスにどのように影響するか、ということを究明する必要がある。ある場所では周縁化されているかもしれない学習者が、別の場所では高く評価されているかもしれない。そのため、アイデンティティの理論家は、第二言語習得プロセス（Spolsky, 1989参照）の中心にあると認識されている話す、読む、書くを練習する機会が、教師のいる教室という（フォーマルな）言語学習と教室外の（インフォーマルな）言語学習の両方の場で、どのように社会的に構造化されるのかという仕組みに関心がある。この仕組みは学習者が目標言語を話したり、読んだり、書いたりする条件、ひいては言語学習の機会に大きく影響する。

(iii) アイデンティティ、実践、リソースは相互構成的である。これはアイデンティティが、家庭、学校、職場といった組織に共通する実践および利用可能なリソース（象徴的なものであれ物質的なものであれ）に影響されることを示している。特定の環境における実践とリソース、およびそれらの実践とリソースへの学習者のアクセスの差異を検証することは、アイデンティティがどのように生み出され交渉されるかを理論化する手立てとなる。同時に、構造的条件や社会的文脈が言語学習や言語使用を完全に決定するわけではない。言語学習者は、1つのアイデンティティの位置から話すことに葛藤していても、人の行為主体性（agency）によって、他者との関係を再構築し、代わりとなるより力強いアイデンティティを自分のものだと主張できる可能性がある。また、その位置から話したり、読んだり、書いたりできる可能性があり、結果として言語習得が促進されるかもしれないのである。

(iv) 社会学的な投資という構成概念は、SLAにおける動機づけの心理学的構成概念を補完するために私が発展させたもので、言語学習者のアイデンティティと言語学習への強い意志をもった関わり（commitment）との間の複雑な関係を示す構成概念である。言語学習者が非常に意欲的であるにもかかわらず、特定の教室やコミュニティの言語実践にはほとんど投資をしていない可能性があると私は考えている。たとえば、その教室は人種差別主義的、性差別的、エリート主義的、同性愛嫌悪的であるかもしれない。あるいはその教室の言語実践が学習者の期待するよい指導と一致していない場合もあり、いずれにせよ言語学習を悲惨なものにしてしまう。つまり、学習者が言語を学ぶことに非常に意欲的であっても、必ずしも特定の言語実践に投資しているわけではないのである。しかし、特定の言語実践に打ち込んでいる学習者は、意欲的な言語学習者である可能性がとても高い。投資は言語学習と言語教育において、重要な説明的構成概念となっている（Cummins, 2006）。

(v) 想像の共同体と想像のアイデンティティに関する最近の研究は、SLA 理論にとっての理論的な原動力となっている。「想像の共同体」という言葉は、もともとはベネディクト・アンダーソン（Anderson, 1991）が考案した造語で、2001 年の拙著（Norton, 2001）で探求され、カンノとノートン、パヴレンコとノートン、ノートンとガオでさらに展開された（Kanno & Norton, 2003; Pavlenko & Norton, 2007; Norton & Gao, 2008）。多くの言語教室では目標言語コミュニティは、多かれ少なかれ過去のコミュニティや歴史的に成立した関係が再構築されたものであるが、同時に想像に基づくコミュニティ、つまり、将来のアイデンティティの選択肢を広げる可能性を与えてくれる願望のコミュニティ（a desired community）でもあるというのが私たちの主張である。私たちの主張は、レイヴとウェンガー（Lave & Wenger, 1991）やウェンガー（Wenger, 1998）ともあいまって、さまざまな研究の場で使われ有意義で生産的なものであることが明らかになっている。私は、想像の共同体は想像のアイデンティティを前提としており、学習者の目標言語への投資はこの文脈の中で理解できると主張してきた。

ポスト構造主義のアイデンティティ理論

本書の初版では、クリスティーン・ウィードン（Weedon, 1987/1997）らフェミニズム学者の研究に関連するポスト構造主義のアイデンティティ理論を広く引用した。ウィードンの研究に影響を与えた他のポスト構造主義の理論家と同様に、ウィードンは個人と社会との関係を分析するにあたり、言語の中心的な役割を前面に押し出し、言語は組織の実践を定義するだけでなく、私たちの自己感覚（sense of ourselves）、つまり、私たちの主体性（subjectivity）を構築する役割も果たしていると主張している。「言語とは、社会組織の実際の形態や実現可能な形態と、それらの形態から想定される社会的かつ政治的な帰結が定義されたり争われたりする場である。しかし、同時に、言語は私たちの自己感覚、私たちの主体性が構築される場でもある」（Weedon, 1997, p. 21）。

主体（subject）という言葉から派生した「主体性」という言葉は、人のアイデンティティは常に他者との関係性の中で理解されなければならないということを思い出させてくれるという点で説得力がある。つまり、人は一連の関係性の主人（すなわち、権力の座に就く場合）になることもあれば、一連の関係性の従者（すなわち、力の弱い立場におかれる場合）にもなることがあるからだ。ウィードンは、西洋哲学において広く用いられている人文主義的な個人についての概念は存在するが、主体（subject）そして主体性（subjectivity）という用語は、それとは異なる個人についての概念であることに注目した。人間主義的な観念の個人は、あらゆる人が本質的で、唯一の存在で、固定され、首尾一貫した核を持っていることを前提とする。一方、ポスト構造主義は個人（すなわち主体 the subject）を、多様で、矛盾し、流動的で、歴史的時間と社会的空間を越えて変容し続けるものとして捉えている。フーコー派の言説と歴史的特異性の考えに基づき、ポスト構造主義における主体性は、言説によって構築され、常に社会的、歴史的に埋め込まれていると理解される。さらに、ウィードンが特に言及しているが、アイデンティティは、言語の内に、また、言語を通じて構築される。敷衍すると、言語学習者が目標言語を話したり、読んだり、書いたりするとき、学習者は目標言語コミュニティのメンバーとただ情報を交換しているだけではなく、自分が何者であるのか、そして、社会的世界とどのようにつながっているのか、という感覚を整理し再構築しているのだ。このように、言語学習者はアイデンティティの構築と交渉に深く関わっている。

初版で述べたように、ポスト構造主義の理論によって、私はアイデンティティとは、人が世界との関係をどのように理解しているのか、その関係が時と空間を越えてどのように構築されているのか、そして人が未来の可能性をどのように理解しているのか、という様であると定義するに至った。この未来の重要性こそが、多くの言語学習者の生活の中心にあり、アイデンティティと投資の両方を理解するために不可欠なものとなっている。

アイデンティティを理論化するためのポスト構造主義のアプローチは、カルチュラルスタディーズのスチュアート・ホール（Hall, 1992a, 1992b, 1997）やポストコロニアル論のホミ・バーバ（Bhabha, 1994）によって、人種やジェンダーなどのアイデンティティ・カテゴリーの脱本質化と脱構築において、実りある働きをしてきた。文化的アイデンティティの理論化において、ホールは、常に構築の途上にあるものとしてのアイデンティティに注目し、アイデンティティの言説的構築に続く表象の重要性を説いている。ホールはニュー・エスニシティ（new ethnicities）という考え方の中で、人種の経験を均質化することなくその経験を認める、という人種の新たな理論化を提唱する。そして、エスニックマイノリティ（少数民族、人種的少数派）に限定されず、かつ、他の形態の差異にも適用されうる多面的な奥深さを力説している。

位置どり（positioning）に関するポスト構造主義の理論も、アイデンティティ研究者にとって関心の高いところである。理論的構成概念としての位置どりに関しては、デイヴィスとハレ（Davies & Harré, 1990）の研究がもっとも頻繁に引きあいに出される。2人は、自己性（selfhood）の社会心理学を展開するうえで、「役割」概念の適正性に異議を唱えようとした。彼らをはじめとするポスト構造主義の理論家たちは、アイデンティティとは、偶発的で、変容し、文脈に依存するものであることを気づかせてくれる。同時に、アイデンティティは単に社会構造によって与えられるものでも、他者によって属性化されるものでもなく、自分自身を位置づけることを望む行為主体によって交渉されるものでもあることを強調している。社会構造の中での位置どりを認識することだけでなく、個々の行為主体性を認識することは、言語学習の多くの研究において重要な意味を持っている。たとえば、メナード＝ワーウィックは、就労のための第二言語としての英語（English as a Second Language: ESL）の授業を詳細に描いた（Menard-Warwick, 2007）。その中で、学習者が教室で主張し「声」を上げられる方法に影響を与える教師とラテン系アメリカ人女子生徒の双方の位置どりにまつわるエピソードを明らかにした。デ・コスタ（De Costa, 2011）も、生徒の位置どりを究明することの重要性を強調している。シンガポールの中等教育機関に通う中国人移民の女子生徒が、クラスメイトや教師からどのように位置づけられていたか、また、彼らとの相互作用の際に彼女が自分自身をどのように位置どりしていたかを調査した。位置どりの構成概念と言語イデオロギーの考え方とを結びつけて、この女子生徒の位置どりと言語イデオロギーが、最終的に彼女の英語学習の成果にどのように影響したかを明らかにした。

ブライアン・モーガンと私（Morgan, 2007; Norton & Morgan, 2013）が指摘してきたように、ポスト構造主義のアイデンティティ理論は、アイデンティティの本質主義的な概念をゆるがすだけでなく、知識とテキストの支配的な理論に異議を唱えるという点で解放を志向している。また、真実だとする主張の偏向性を暴くのに役立つ強力な概念的ツールも提供している。しかし同時に、ポスト構造主義のアイデンティティ理論をめぐっては、答えの出ない問題がいくつも提起される。その中でも重要な課題は、生徒や教師が支配的な意味に疑問を投げかけたり、本質化されたアイデンティティに抵抗したりする能力にかかわる行為主体性（agency）の概念に関するものである。行為主体性はどの程度、言説に先立って存在する資質なのだろうか。メナード＝ワーウィックは、バフチンの言語理論（Bakhtin, 1981, 1984）が、SLA とリテラシー分野でのアイデンティティに関する議論を特徴づける、連続性と変化という矛盾のいくつかを解決してくれる可能性があると論じている（Menard-Warwick, 2006）。第 2 の課題は、アイデンティティを複数的なものとして理論化することに関係してくる。つまり、生徒や教師が、性別、人種、階級、性的指向、帰属する宗教など、自分の経験の特定の側面だけを前面に出して、自分のアイデンティティを均質で統一的なものとして主張したいと願うかもしれないということである。私たちは、この課題が世界のさまざまな地域における現在の強力なナショナリズムや宗教的原理主義の中にあることを目の当たりにしている。アイデンティティ・ポリティクス（identity politics）あるいは差異の政治学（politics of difference）という言葉は、アイデンティティと権力関係とのこうした特殊な融合を指している。

アイデンティティと投資

『アイデンティティと言語学習』(*Identity and Language Learning*)の初版で論じたように、カナダの移民女性を対象とした研究で私が得た知見は、SLA分野における従来の動機に関する理論とは一致しないものであった。当時のほとんどの理論は、動機づけは個々の言語学習者の性格特性であり、目標言語の学習に失敗した学習者は学習プロセスに強い意志を持って関わっていないと仮定していた。さらに、動機づけの理論は、言語学習者と目標言語話者との間の不平等な力関係に十分な注意を払っていなかった。私の研究では、強い動機が、必ずしもよい言語学習につながるわけではないこと、また、言語学習者と目標言語話者との不平等な力関係が、データ上に共通のテーマとして現れることを明らかにした。そこで、言語学習と教育分野における動機づけの構成概念を補完するために「投資」という構成概念を展開した。

「投資」という構成概念は、社会的相互作用やコミュニティの実践に参加したいという学習者の変容する欲望を理解する方法を与えてくれる。ブルデューの研究(Bourdieu, 1977, 1984, 1991)に着想を得たこの構成概念は、学習者の目標言語に対する社会的また歴史的に構築された関係性と、学習者がその目標言語を学び実践したいという、しばしば相反する欲望を顕にする。学習者が目標言語に「投資」する場合、学習者はより広範な象徴的リソース(言語、教育、友情)と物質的リソース(資本財、不動産、金銭)を獲得し、その結果、文化的資本と社会的力の価値が高まるという理解のもとに投資を行う。ブルデューとパスロンは、知識、資格、思考様式という特定の社会形態が階層や集団の違いを特徴づけていることを表すために「文化資本(cultural capital)」という言葉を用いている(Bourdieu & Passeron, 1977)。ブルデューらは、文化資本は社会的場(field)が異なれば交換価値に差異が生じるため、状況に埋め込まれたものであると主張している。学習者の文化資本の価値が高まるにつれて、学習者の自分が何者であるのかという自己の感覚や将来に対する欲望も再評価される。したがって、これまでの研究で私が主張してきたように、投資とアイデンティティには一体化した関係があるのだ。さらに、動機づけは、主に心理学的な構成概念として考えられるのに対し(Dörnyei, 2001; Dörnyei & Ushioda, 2009)、投資は社会学的な枠組みの中で考慮されなければならない。そして、言語を学ぶという学習者の欲望と言語学習への強い意思に基づく関わり方と、学習者の複雑で変容するアイデンティティとの間に、意義のある関係を見いだそうとするものである。

「投資」という構成概念は、目標言語の学習に対する学習者の情熱に関係する問いを念頭においている。たとえば、「学習者は目標言語の学習にどれほどの意欲を持っているのか」という問いに加え、教師や研究者は、「この教室やコミュニティの言語実践に対して学習者は何を投資しているのか」と問う。学習者は非常に意欲的かもしれない一方、特定の教室やコミュニティの言語実践にはほとんど投資をしていないかもしれない。そして、その環境は、たとえば、人種差別的、性差別的、エリート主義的、同性愛嫌悪的かもしれない。このように、学習者は、意欲的であるにもかかわらず、教室の言語実践から排除され、やがて「出来の悪い」ないし意欲のない言語学習者として位置づけられることがある（Norton & Toohey, 2001 を参照のこと）。あるいは、学習者が期待するよい言語指導が、教室で教師が行う言語実践と一致していないかもしれない。そのため学習者は教室での言語実践に参加することを拒むかもしれず、いずれにせよ言語学習者にとって悲惨な結果となってしまう（Talmy, 2008）。

具体的な例として、ダフ（Duff, 2002）がカナダの多言語の中等学校で行った教室内研究を考えてみよう。学習内容の習熟度別クラスにおけるマクロレベルとミクロレベルのコミュニケーションの文脈から、ダフは文化的多様性を尊重して授業を進めようとする教師の試みが、長短半ばする結果となってしまったことを明らかにした。もともと、そのクラスの英語学習者は自分たちの限られた英語運用力のせいで批判されたり笑われたりすることを恐れていた。ダフがふれているように、「沈黙が隠れ蓑となって学習者たちは恥ずかしい思いをしないですんだ」（p. 312）のである。しかし、この沈黙は、英語の母語話者には「自分の英語を向上させようとする、あるいはクラスのためにおもしろい題材を提供しようとする意欲、行為主体性、欲望の欠如」（p. 312）を表しているとみなされていた。教室のデータから明らかなように、このクラスの英語学習者は「やる気がない」のではなかった。むしろ、学習者は自分たちの教室での言語実践に「投資して」いなかったのであり、この実践の場には、英語学習者と英語母語話者との間に不平等な力関係が存在したのだと主張することもできる。英語学習者の投資は、英語母語話者のクラスメイトとの相互作用の中で共同構築されるものであり、学習者のアイデンティティは葛藤の場であったのだ。

応用言語学や言語教育の分野では、投資という構成概念に大きな関心が寄せられており◆6、『アジア太平洋コミュニケーション』(*Journal of Asian Pacific Communication*) 誌では、投資をテーマにした特集が組まれた (Arkoudis & Davison, 2008)。たとえば、マッケイとウォンは、この構成概念を用いて、カリフォルニア州にある学校の北京語を話す4人の7年生と8年生の英語力の発達を説明し、生徒のニーズ、欲望、交渉が目標言語への彼らの投資に不可欠な要素であったと指摘した (McKay & Wong, 1996)。スキルトン＝シルベスターは、アメリカの成人ESLクラスに参加した4人のカンボジア人女性を対象とした自分の研究をもとに、従来の成人学習者の動機づけと参加に対する見方は、成人学習者の複雑な暮らしぶりを十分に考察していないとしている (Skilton-Sylvester, 2002)。そして、1人の女性の成人ESLプログラムへの投資を説明するためには、その女性の家庭と仕事のアイデンティティを理解することが必要であると主張している。ハネダは、日本語上級リーディング・ライティングコースを履修する2人の大学生の関わり方を、「投資」という構成概念を用いて理解しようとした (Haneda, 2005)。それぞれが複数の異なるコミュニティに所属していたため、日本語で書くということに対して2人の投資の仕方の違いが形づくられた可能性があると結論づけている。ポトフスキーは、アメリカのスペイン語/英語の双方向イマージョンプログラムに通う学生が、どのようにスペイン語を使っているかを説明するために投資の構成概念を使っている。そして、たとえ語学プログラムがうまく運営されていたとしても、言語学習が期待どおりに行われるためには、学習者の目標言語への投資がプログラムの目標と一致していなければならないと述べている (Potowski, 2007)。デ・コスタは、シンガポールの学校に通う移民学生の研究で、投資の構成概念を用いて、中国出身の学習者が学力の高い学生であるというアイデンティティをまとうために、どのようにして標準英語 (standard English) を受け入れたのかを調査した (De Costa, 2010a)。カミンズは、アイデンティティ・テキスト (identity text) という考え方を発展させるために投資の構成概念を応用したのだが、投資の構成概念は第二言語学習の文献の中で「重要な説明的構成概念」(Cummins, 2006, p. 59) として浮上してきたと論じている。

想像の共同体と想像のアイデンティティ

アイデンティティと投資への関心の延長線上には、言語を学ぶときに言語学習者がめざす想像の共同体が関係してくる（Kanno & Norton, 2003; Norton, 2001; Pavlenko & Norton, 2007）。想像の共同体とは、直にふれたりアクセスしたりすることはできないが、私たちが想像の力を通じてつながる人々の集団を意味する。私たちは日常生活の中で、その存在を具体的にかつ直接感じられる多くのコミュニティと相互に作用している。近所、職場、教育機関、宗教団体などのコミュニティがそれにあたる。しかし、私たちが属するコミュニティはこういったものだけではない。ウェンガー（Wenger, 1998）の示唆にあるとおり、コミュニティ実践や具体的な関係性への直接的な関わり、つまり、彼が関与（engagement）と呼ぶものが、コミュニティに属する唯一の方法というわけではない。ウェンガーにとって、想像力は共同体のもう 1 つの重要な源泉である。想像の結びつきは空間的にも時間的にも広がるからだ。想像の共同体という言葉を造ったベネディクト・アンダーソンは、私たちが国民（nation）と考えているものは想像の共同体であると主張している。「なぜなら、たとえもっとも小さな国の国民であっても、その同胞のほとんどを知ったり、会ったり、はたまた彼らの話を聞いたりすることはけっしてない。それでも、それぞれの心の中には、そのような共同の聖餐のイメージが生きているからである[◇1]」（Anderson, 1991, p. 6）。このように、時間と空間を超えて同胞と結ばれている自分を想像することで、私たちは、まだ会ったことがないが、いつか会ってみたいと願う人たちとの共同体の感覚を抱くことができる。

言語学習における想像の共同体に着目することで、学習者がそのような共同体に属していることが、学習者の学習の軌道にどのような影響を及ぼすのかを探ることが可能となる。この共同体には、学習者の想像の中にしか存在しない将来の関係性だけでなく、国家の国民であることや国境を越えたコミュニティなどのような地域的な関係をはるかに越えた所属関係も含まれる（Warriner, 2007）。これらの想像の共同体は、学習者が毎日かかわる共同体と同じように、学習者にとっては現実のものであり、学習者の現在の行動や投資により大きな影響を与えるかもしれない。

想像のアイデンティティと想像の共同体をめぐる私の思索の原点は、本書の初版で取り上げた言語学習者たちが語ってくれた抵抗の物語の中にある。初版（p. 143）では、ベトナムからの若い成人移民女性のマイが、英語の授業に次第に不満を募らせていき、最終的にコースを退学してしまった経緯を描いた。

> ［半年間の ESL コースで］前に勉強したときと同じように、このコースが自分の役に立つことを期待していたんです。でも、いく晩かにわたって、1 人の男性にだけ時間を割くことがありました。その男性はヨーロッパから来ました。自分の国のことを話していました。何が起きているのか、また何が起きたのか。それでその間中ずっと私たちは何も学ばなかったんです。そして明日はまた別のインド人の男性が何かを話します。この 1 週間、私は自分の本に何ひとつ書いていません。

マイは言語学習にとても意欲的だったが、自分の教室での言語実践にはほとんど投資していなかった。教師は生徒の母国に関する発表をさせることで、生徒の生きられた経験（lived experience）を教室に取り入れようとしていたのだということもできる。しかし、その教師が行っていたのは、生徒のアイデンティティの 1 つの側面、つまり本質主義的なエスニックアイデンティティ（ヨーロッパ人、インド人）だけを認めることだったようであり、ジェンダー、年齢、階層といったアイデンティティ形成の他の側面にはほとんど注意を払っていなかった。さらに、その教師は現在から将来の差し迫った必要性に対処するのではなく、主に生徒たちの歴史的な過去に目を向けてしまっていたようであった。マイにとっては、その将来の必要性には読み書きの実践への投資も含まれていた。

マイの未来への希望、想像の共同体、そして想像のアイデンティティについての洞察は、彼女の 1991 年 5 月 15 日の日記から得られたデータの中に読みとれる。

> 今日、仕事の後、1 人でニューストリートを歩いていたとき、同じ学校に通っていて前のコースでいっしょだったカールに会いました……仕事の

ことと、いま受講しているコースのことを話しました。カールは「君にとっていいのは学校に行くことだよ、そうすれば将来はオフィスで働く仕事に就けるさ」と言ってくれました。そうであってほしいと思います。でも、ときどき、そんなふうに夢見るのが怖くなるんです。

マイは縫製工場で働き、制服を着てくり返しばかりの作業をしながらミシンの前に座って長い時間を過ごしていた。工場の一角には外部から区切られた場所があり「オフィス」となっていた。ここでは、従業員はおしゃれな服を着て、机に向かって仕事をし、電話やコンピューターに簡単にアクセスできるようになっていた。マイの将来の希望は、自分がこの共同体の一員になることだった。彼女の想像のアイデンティティは、センスのいい服を着て、工場の生産現場にいる多くの無名の労働者の中に埋もれてしまうことのないオフィスワーカーだった。マイは、この共同体の一員になるために英語を話したり書いたりする必要があるとわかってはいた。しかし、英語の授業の重点が、多様な地理的コミュニティにまたがる学生の過去の生活ばかりにおかれると、マイは、教室での言語実践と自分の想像のアイデンティティとを結びつけるのにとても苦労したのだった。

このような問題は、パヴレンコとノートン（Pavlenko & Norton, 2007）などの論文でより広く取り上げられ、国際的な研究者のコミュニティや『言語、アイデンティティ、教育』誌の「想像の共同体と教育の可能性」（Kanno & Norton, 2003）という共編著の特集号において、研究者ら◆7が研究を発展させている。後者の論文特集号では、多くの研究者が世界のさまざまな地域の学習者の想像の共同体を探求したが、最近でもこれら初期の研究を引き継いだ論文が発表されている。たとえば、日本の文脈では、カンノが、バイリンガル教育を推進している5つの日本の学校を対象に、学校教育とバイリンガリズムへのアクセスの不平等との関係を調査した（Kanno, 2008）。その結果、上位中産階級の生徒には加算的バイリンガリズムが推進されている一方で、移民や難民の子供たちが多く通う学校では減算的バイリンガリズムがはるかに一般的であることが明らかとなった。カンノは、調査したそれぞれの学校では、子供たちに異なった想像の共同体が想定されており、そのことによって異なる形態のバイリンガル教育が必要とされているとする。子供たちはもともとリソースに対して平等にアクセスできていないのだが、この異なった想定が子供たちの間に存在する不平等性をさらに悪化させていると主張した。

カナダでは、ダジュネらがバンクーバーとモントリオールの2つの小学校周辺の言語景観（linguistic landscape）を調査した（Dagenais *et al.*, 2008）。子供たちが自分たちの住む地域の言語を想像し、その地域との関係の中で自分たちのアイデンティティを構築する様子を描いた研究である。ダジュネらは、研究者と生徒がデジタル写真などのマルチモーダル◇2なリソースを活用して、これらの地域の言語景観を記録するという斬新な方法や、両都市の子供たちが手紙、ポスター、写真、動画をやりとりするよう奨励された様子についても説明している。ダジュネらは、子供たちからみた自分たちの住む地域という想像の共同体を記録することで、自分のコミュニティに対する子供たちの理解について多くの情報を得ることができ、それはアイデンティティや言語学習にとって重要な意味があると主張した。

世界の別の地域では、ケンドリックとジョーンズが、ウガンダの文脈において、初等、中等学校の女子生徒が制作した絵や写真を「想像の共同体」概念を使って分析した（Kendrick & Jones, 2008）。この研究では、マルチモーダルな方法論を用いて、地域のリテラシー実践への参加についての少女たちの認識を調査し、リテラシー、女性、開発についての対話を促している。そして、少女たちの視覚的イメージが、彼女たちの想像の共同体に対する洞察をもたらしていること、ひいてはそれが英語力と教育へのアクセスに関係していることを明らかにした。2人は次のように結論づけている。

> 既存のコミュニケーションや表現に代わる手段を通して、少女たちが自分たちの世界を探求し考える機会を提供することは、ジェンダーの不平等性の本質についての対話を育み、不平等が存在しないかもしれない想像の共同体を提示するための触媒の役割を果たし教育学的アプローチとして測り知れない可能性を秘めている。（p. 397）

ブラックレッジは想像の共同体という概念を人種化（racialization）◇3と結び

つけ、教育文書に具現化された人種言説の調査を行った（Blackledge, 2003）。そして、教育の意思決定者が規範的で当然だと想像する単一文化、単一言語の共同体が、継承国（先祖の国）を定期的に訪問するアジア系マイノリティの文化的実践に負の烙印を押していることを明らかにした。この規範的な想像の共同体は多様性よりも同質性に価値をおき、「特定の文化的実践を、異常なもの、すなわち『他者（Other）』であり、マイノリティの子供たちの教育的展望に悪影響を及ぼすものと位置づけている」と論じた（p. 332）。つまり、ブラックレッジは、支配集団を規範化させる言説は、一見常識的な議論を提示することによって、アジア系集団の文化的実践を見下し、それらの実践を人種化させてしまうと主張している。

アイデンティティ・カテゴリーと言語学習

アイデンティティと言語学習に関する研究の多くは、学習者アイデンティティが複層的に交差する側面を探っているが、人種、ジェンダー、階層、性的指向などの関係が言語学習プロセスにどのような強い影響を与えるかについて調査する研究も増えている。これらの問題に挑む革新的な研究では、こういったアイデンティティ・カテゴリーを「変数」とみなすのではなく、特定の力関係の中で社会的かつ歴史的に構築された関係性の集合とみなしている。そのためアイデンティティ・カテゴリーと言語学習にはますます関心が寄せられている。『季刊英語教育』（*TESOL Quarterly*）誌の特集号、『ジェンダーと言語教育』（*Gender and language education*, Davis & Skilton-Sylvester, 2004）と『人種と英語教育』（*Race and TESOL*, Kubota & Lin, 2006）には、ジェンダー、人種、言語学習に関する洞察に富んだ議論が掲載されており、ヘラー、メイ、ランプトンらの最近の論文からは、この分野において言語、民族、階級の問題が引き続き注目されていることがよくわかる（Heller, 2007; May, 2008; Rampton, 2006）。人種、民族、ジェンダー、性的指向の観点から言語学習を取り上げた研究を、より詳しく調査するのは興味のあるところだ。

多くの学者たちがアイデンティティ、人種、民族の間に重要な関係があると考えており（Amin, 1997; Curtis & Romney, 2006; Lin *et al*., 2004; Luke, 2009 を参照のこと）、人種と言語学習の関係に関心が集まっている。イブラヒムは、カナダのオンタリオ州のフランス語系高校に通うフランス語を話す大陸系アフリカ人の生徒を対象にした研究で、「黒人になる」ことの言語学習に与える影響を探った（Ibrahim, 1999）。彼は、生徒の言語スタイル、特に黒人スタイル英語（Black Stylized English）の使用は、覇権的な言説や集団によって黒人として想像され、構築されたことの直接的な帰結であると主張している。

少し異なる視点からは、トロントの反差別キャンプでのテイラーの研究がある。彼女は「人種化されたジェンダー（racialized gender）」と呼ぶ見方を通して言語学習を理解する必要性を訴えている（Taylor, 2004）。ベトナム人の少女フエとソマリア人の少女カトラの物語は、この点で特に力強いものがある。フエは学校で自分が人種化されるさまざまな仕組みを学び、カトラは自分の体がどのように特定の民族的、人種的、国家的なアイデンティティを表明することになるのかを学んでいることがわかる。クボタ（Kubota, 2004）は、人種の差異に焦点を当てないような多文化主義概念では、多様な人種や民族の言語学習者が直面する困難を正しく理解することはできないと指摘しており、フエとカトラの経験は、このクボタの見解を裏づけている。

『季刊英語教育』（*TESOL Quarterly*）誌の2006年の特集号（Kubota & Lin 編集）には、人種と言語学習の関係を探った論文が掲載された。TESOLの実践者は、人種と人種的アイデンティティに対する自分自身の考え方が、教える内容、教え方、生徒への対応にどのように影響しているのかを批判的に検証する必要がある、という見解を著者の全員が示している。クボタとリンが観察に基づき述べているように、「英語を他言語話者に教えるという分野（TESOL）では、さまざまな人種的背景を持つ人々を引き合わせる〔が〕……TESOLは分野としては、人種と人種にかかわる概念の問題に十分に向きあってこなかった」（Kubota & Lin, 2006, p. 471）。モサは、人種は言語教育の中心を成すというクボタとリンの主張に賛同し、4人のアメリカ人教師がどのようにして反人種差別主義的教育法を生み出そうとしたかを調査し、そのような強い意志をもった関わりにどのような複雑さがともなうかを明らかにした（Motha, 2006）。一例として、韓国系アメリカ人教師（調査対象者の中で唯一の有色人種の教師）は、専門職としての自分の正統性が同僚から不十分だと判断されていると考えており、これが専門的な仕事の文脈の中で彼女が抱く不平等感の一因になっていると述べている。シャックは、米国における公に関わる報道・記事・発言（public discourse）が、集団を位置づける方法としてどのように言語と人種を結びつけているかを検証した（Shuck, 2006）。シャックは、アメリカ南西部の大学で第一言語として英語を話す白人の学部生たちにインタビューを行った。その中で、白人学生たちは、非ヨーロッパ系の非母語話者を理解できない、知的に劣っている、アメリカ社会に「溶け込めない」ことの責任は非母語話者の学生側にあるとみなしていることを見いだした。特に、理解できるようにすることの責任は、白人学生にではなく、常に非母語話者に負わされていることを明らかにした。

ジェンダーと言語学習の交差（intersection）については、キャメロン、ゴードン、ヒギンズ、パヴレンコ、サンダーランドらがきわめて洞察に富んだ研究を行っている（Cameron, 2006; Gordon, 2004; Higgins, 2010; Pavlenko, 2001; Sunderland, 2004）。彼らのジェンダー概念は、女性と男性の隔たりを越えて拡張されており、その概念は女性、マイノリティ、高齢者、障害者を含む特定の学習者グループの間で制度的不平等をもたらす可能性がある社会的関係と言説的実践のシステムであると理解することができる。たとえば、パヴレンコは、テイラー（Taylor, 2004）のように、ジェンダーとその他の形態の抑圧との交差を理解する必要があると訴え、言語の教室で沈黙させられている少女と少年は、いずれも労働者階級の出身者である可能性が高いと指摘している。ノートンとパヴレンコでは、これらの問題の多くを取り上げており、国際的な英語の優位性に関連して、ジェンダーと言語学習との関係を扱った世界のさまざまな地域の研究について詳細に記録している（Norton & Pavlenko, 2004）。

長年にわたる沈黙の後、キング、モファットとノートン、ネルソンといった学者たちが、言語教室の中で性的指向がどの程度重要なアイデンティティのカテゴリーになるのかを調査した（King, 2008; Moffatt & Norton, 2008; Nelson, 2009）。ゲイ、レズビアン、トランスジェンダーであるかもしれない学習者のために、教師がどのように支援的な環境を整えることができるか、という点に着目した研究である。ネルソンは、言語的で文化的な実践が、特定の性的アイデンティティ、とりわけ異性愛をどのようにして自然なものとみせるのかを問う探究の教育学（pedagogy of inquiry）と、ゲイやレズビアンのイメージや経験を教材に取り入れることをめざすインクルージョンの教育学（pedagogy of inclusion）との違いを対比させている。ネルソンのアプローチは、飛び込んだ目標文化の規範的実践に学習者自身が疑問を呈する助けとなり、他の周縁化の問題にも十分に応用することができる。

研究の方法と分析

言語学習に対するアイデンティティ・アプローチについて、答えるべき重要な方法論的問いがある。それは、どのような研究であれば、社会的存在としての学習者と、往々にして不平等ではあるがそこに学びが生まれる世界との関係を調査することができるのかというものである（Norton & McKinney, 2011）。言語学習に対するアイデンティティ・アプローチは、学習者のアイデンティティを複数性があり変容するものとしてみなしているので、静的で測定可能な変数による定量的な研究パラダイムは一般的には適切ではない。権力の問題に焦点を絞ることもまた、質的研究のデザインが批判的研究の枠組みによって支えられることを必要とする。こういった理由から、言語学習に対するアイデンティティ・アプローチで用いられる研究手法は、量的というよりむしろ質的になる傾向があり、批判的エスノグラフィ、フェミニストのポスト構造主義理論、社会言語学、言語人類学の流れを汲むことが多い。

ごく最近では、アイデンティティ研究の多くが、(質的、量的にかかわらず)「客観性」の主張を疑問視する立場をとっており、研究参加者との関係性における研究者自身のアイデンティティに関心が寄せられている。研究者は、自分の研究の参加者の経験や知識と同様に、自分自身の経験や知識をも理解する必要があるという考え方である。これは、アイデンティティ研究が厳密さを欠いているということを意味するのではない。その逆で、すべての研究は「状況におかれている」と理解され、研究者が研究プロジェクトの進行に不可欠な一部であることの表れである。たとえば、ラマナサンは、インドでの研究において、「何が『ある』のか、何が『ない』のかという問いや問題が、明らかに読み書きの行為や実践において、何が『見える』のか、何が『見えない』のかの根底に存在し、研究者の見方によりその大部分が決定される」（Ramanathan, 2005, p. 15）

と述べている。ウガンダでのマーガレット・アーリーと私の研究では、リソースの乏しい農村部コミュニティの教師教育に関わっている研究者自身のアイデンティティを探った。私たちは、「国際的なゲスト」「協働的チームの一員」「教師」「教師教育者」など、さまざまなアイデンティティを使い分けることで、自分たち自身と参加者との間にある力の差を埋めようと努力していることがわかった（Norton & Early, 2011）。重要なことに、このような研究者の内省の実践とその報告の必要性は、言語学習者（Kramsch & Whiteside, 2007; Tremmel & De Costa, 2011を参照）や言語教師（Crookes, 2009; Kumaravadivelu, 2012）と協力して研究するためのより透明性の高いアプローチを求めることと一致している。

アイデンティティの研究者は、権力が社会の中でどのように作用し人間の行動を制約したり可能にしたりするのかをさらに理解しようと努めている。こういった研究者は、フェアクロー（Fairclough, 2001）とフーコー（Foucault, 1980）をもとに、知識と権力の関係だけでなく、社会の中で権力が作用する微妙な様を理解しようとする。たとえば、フーコーは、権力は、共同体のメンバーが「普通だ」と受け止めるような方法で出来事や実践を自然なものとしてしまうため、目に見えないことが多いと指摘している。ペニークックは次のように説明している。

> フーコーは、大切に守られてきた概念や思考様式に一定の懐疑心を抱かせる。男性、女性、階級、人種、民族、国家、アイデンティティ、意識、解放、言語、権力などの当たり前とされてきたカテゴリーは、ある種の先行する存在論的地位を持つのではなく、偶発的であり、変容し、特定の状況の中で生み出されるものとして理解されなければならない（Pennycook, 2007, p. 39）。

言語学習に対するアイデンティティ・アプローチでは、フィールドワークを通じて収集されたものであれ（Barkhuizen, 2008; Block, 2006; Early & Norton, 2012; Goldstein, 1996; McKay & Wong, 1996; Miller, 2003）、既存の自伝的あるいは伝記的記述から収集されたものであれ（Kramsch, 2009; Pavlenko, 2001a, 2001b）、強い研究方法論的な重点がナラティブにおかれてきた。このように方法論的にナラティブを重用することは、自分の経験に対する個人の意味づけと個人的 / 社会的関係の複雑さを際立たせるという点において、批判的な研究パラダイムとの潜在的な相乗効果を持つ。ブロック（Block, 2007a）が指摘しているが、SLA 研究におけるナラティブへの注目は、最近の社会科学研究の人気と軌を一にしており、SLA 研究におけるより広い「社会的転回」（Block, 2003）の一部である。パヴレンコはナラティブがもたらす特別な貢献について次のように明言している。

> 第二言語学習の物語……は、第二言語学習と社会化における言語とアイデンティティの関係についての唯一無二の豊かな情報源である。あまりにも私的で個人的で親密な空間であるため、たとえ実現したとしても、SLA の研究では滅多に入って行くことができない領域を垣間見せてくれるのは、個人のナラティブだけであり、同時に第二言語の社会化のプロセスの核心を成している。（Pavlenko, 2001b, p. 167）

フィールドワークに基づくアイデンティティと言語学習の研究では、研究者は、エスノグラフィー的観察、インタビュー（ライフヒストリーのインタビューを含む）、ダイアリースタディ、研究者の質問に対する書面による回答（ナラティブまたはその他）など、さまざまなデータ収集方法を組み合わせることがよくある。オートエスノグラフィー（たとえば Canagarajah, 2012）もまた、アイデンティティの変容を探究できる可能性がある。研究期間を長くすることで研究に深みが増すこともある。たとえば、トゥーイーは、マイノリティ言語の背景を持つ 6 人の若い学習者を対象にカナダの学校で縦断的研究を行い、3 年間にわたり彼らの発達を追跡した（Toohey, 2000, 2001）。トゥーイーは、いくつかのエスノグラフィー的なデータ収集方法を組み合わせている。定期的な授業観察は、フィールドノートや音声録音で記録され、毎月のビデオ記録がこれを補足するデータとなっている。子供たちの教師とのインタビューや継続的な非公式の話しあい、保護者にインタビューを行った家庭訪問などのデータもある。このような方法の組み合わせによって、社会的、歴史的、政治的に構築される学習者と彼らの教室での言語学習、およびアイデンティティを交渉する場としての教室を理解するために必要な充実したデータを得ることができる。

実際、トゥーイー（Toohey, 2000, 2001）の説明にあるとおりデータ収集のツールを組み合わせて使うことは珍しくないが、アイデンティティ研究の多くはより少ない種類のデータを組み合わせて使ってきた。
一部の研究者は相互作用データ（たとえば Bucholtz & Hall, 2005）に注目し、別の研究者らは、アイデンティティがどのようにテクストに表れているかを調査するため、コーパスによるアプローチを採用している（De Costa, 2007; Hyland, 2012 など）。また、他の研究者はメディアの中でアイデンティティがどのように表されているかを探るため、批判的談話分析ツールを用いている（Omoniyi, 2011）。たとえば、オモニーは新聞2紙を分析し、イギリスのメディアでマイノリティのアイデンティティがどのように描かれているかを検証した（Omoniyi, 2011）。こうして、アイデンティティ研究者は、アイデンティティを探るためのデータの種類の組み合わせを考慮することに加え、調査プロセスを促進するための新しい方法を発展させてきたのである。たとえば、ジーは状況に埋め込まれた意味、社会的言語、具象世界、およびディスコース（Discourse）という分析に使う論理ツールを考案したが、それは「私たちを特定の文脈の中での特定の言語使用という（談話の）地歩から、アイデンティティという（ディスコースの）世界に移動させる」(Gee, 2012, p. 43)ためだと述べている。ナラティブ研究を通して、ブロックは、ナラティブを扱う3つの異なった方法、つまり、主題分析（語られたナラティブの内容に焦点を当てる）、構造分析（ナラティブがどのように生成されているかに焦点を当てる）、対話的 / 遂行的分析（発言が「誰に」向けられているのか、発言の目的に焦点を当てる）を提案している（Block, 2010）。3つめの分析アプローチは、対話者によってとられる位置どりを考慮に入れる必要性を強調しているが、その結果さらに厳密なナラティブの分析が可能になるのだ。

しかし、言語とアイデンティティに関する質的研究に課題がないわけではない。次の2つの研究は質的研究の難しさをよく表している。イギリスの都市部でのタスクベースの言語学習に関する研究を基に、リヤンらは、質的研究が洗練されていない様を調査し、第二言語習得における質的研究の「認識論的な混乱」は、何が現実を構成し表象しているのかという問いをめぐるものだと論じている（Leung *et al*., 2004）。リヤンらの研究で採用された方法論は、ビデオや音声記録を用いて自然発生的なデータを収集し、フィールドノートで補足するものであった。タスクベースの言語使用の理論的構成概念にぴったり当てはまらないデータを提示したり説明したりするのが難しいという点から、データが「散乱している」と表現している。リヤンらは、データが散乱している様を曖昧にわからなくするのではなく、むしろ認める概念的な枠組みが必要であると主張する。言い換えれば、前述したように、アイデンティティ研究者は研究の成果を共有する際に、透明性のあるアプローチを採用することが必要になる。

まったく異なる文脈では、トゥーイーとウォーターストーンが、カナダのバンクーバーでの教師と研究者の共同研究について記述している（Toohey & Waterstone, 2004）。この研究には、マイノリティ言語を話す子供たちの学習機会に対して、教室でのどのような実践が違いをもたらすのかについて調査する共通の目標があった。教師たちは、自分たちの教育実践について議論したり批評したりすることには抵抗がないが、自分たちの実践を出版に値する学術論文にすることには躊躇しており、出版されている多くの学術誌に特徴的な学術言語には、ほとんど所有権（ownership）を感じていないことが指摘された。後に、まさにこの種の課題に取り組むため、シャーキーとジョンソンやデノスらは、アイデンティティ、権力、教育の変化をテーマにした研究と理論をわかりやすく説明するという明確な目的のもとに、研究者と教師とがお互いに関わりあう生産的な対話を始めたのだった（Sharkey & Johnson, 2003; Denos *et al.*, 2009）。

アイデンティティと言語教育

次に、『アイデンティティと言語学習』の初版で取り組み始めたテーマである教室におけるアイデンティティと言語学習理論の関連性を見ることにする。マッキニーとノートンは、言語教室の多様性に応えるには、何が可能であるかという想像力に富んだ評価と、何が望ましいかという批判的な評価が必要であると論じている（McKinney & Norton, 2008）。学習者にとって、どのようなアイデンティティの位置どりが可能であるかには、より大きな物質的条件が影響を与えている。そのため、何が「可能であるか」という評価には、教師、管理運営者、政策立案者同士の継続的な相互作用を必要とする（Gunderson, 2007; Luke, 2004a を参照）。多様なアイデンティティの位置によって、学習者に読む書く話す聞くためのさまざまな位置が提供されるという考えを認めるのなら、言語教育者の課題は、どのアイデンティティの位置が社会的関与と相互作用のための最大の機会を提供してくれるのかを調査することである。逆に、生徒を沈黙させるアイデンティティの位置があるとすれば、教師はこういった生徒を周縁に追いやるような実践を調査し対処する必要がある。さて、ここからは、グローバルな視点、デジタルイノベーション、教室での抵抗に関連させて、アイデンティティと言語教育というこの論題を展開させることにしよう。

グローバルな視点

世界のさまざまな地域で行われている最近の研究プロジェクトの多くは、生徒が現在と未来の両方の可能性を新たに想像するとき、言語教室の特定の教育学的実践（pedagogical practices）が、その想像をどのように制限したり可能にしたりするのかをよく説明している。リーが行ったカナダの後期中等教育機関での研究（Lee, 2008）が示すとおり、多くの言語教師は生徒が手に入れられる未来の可能性の幅を広げようと懸命に努力しているのだが、教師が概念として理解している教授法と教室で実際に取り入れられている実践とが乖離していることがよくある。善意にもかかわらず、教室での実践は生徒の従属的なアイデンティティを再構築してしまう可能性があり、それによって生徒が言語学習の機会だけでなく、他のより強力なアイデンティティにアクセスすることも制限することになる。リーの研究結果は、教師の言語実践が多様な英語学習者の間に存在する不平等を拡大させてしまうというラマナサンが行った世界の他の地域での調査結果（Ramanathan, 2005）と一致している。ラマナサンは、インドの文脈で、幼稚園から高校3年生までの間、グジャラート語（Gujarati）または英語のいずれかを教授言語とする学校で社会化された生徒が、英語を教授言語とする高等教育機関において、どのように英語に適応したかを調査した。その結果、高校まで英語で教育を受けた生徒のほうが、現地語で教育を受けた生徒よりも、英語を教授言語とする大学で成功するための準備ができていることが明らかとなった。英語を教授言語として教育を受けた生徒の英語のカリキュラムでは、英文学の創造的な分析を重視する傾向にあった。しかし、現地語で教育を受けた生徒の英語のカリキュラムでは、そのほとんどは低いカーストのダリト（Dalit）の生徒であったが、文法訳読法が多用されていたのである。ラマナサンの研究は、生徒に意味づけの余地をほとんど与えない儀式化された教育的言語実践は、学習者の言語学習の進展やより強力なアイデンティティへのアクセスを制限する可能性があることを示唆している。

メキシコ、中国、南アフリカ、ウガンダ、そしてイギリスでは、さらに成果が期待できるプロジェクトが行われている。プロジェクトが実施された教室や文献で論じられているその他の多くの変革的教室（例として、Norton & Toohey, 2004 で取り上げられている複数のプロジェクトを参照のこと）では、言語教師の「言語」、ひいては「言語教育」という概念に対して幅広い理解がなされている。教師たちは言語を言語システムとしてだけでなく、経験が整理されアイデンティティが交渉される社会的実践であるとも捉えているのだ。学習者が教室での言語実践に力を注がなければ、学習成果は限定され、教育の不公平は永続化してしまうという認識がある。さらに、こういった教師は、学習者が教室、学校、地域社会の言語実践に深くかかわることができるように、複数のアイデンティティの位置を提供しようと心を砕く。世界のさまざまな地域で、創造力にあふれる言語教師たちが、学習者が意味づけの所有権（ownership）を持ったり、未来に向けて、拡張された複数のアイデンティティの組み合わせを新たに想像したりするような幅広い機会を提供しようと努めているのだ。

メキシコでは、クレメンテとヒギンズが、着任前のオアハカ州の英語教師を対象とした縦断的な研究を行った（Clemente & Higgins, 2008）。この研究では、グローバル化された政治経済の中で英語が果たす支配的な役割に疑問を呈し、研究に参加した非母語話者の英語教師たちが、地元のアイデンティティを犠牲にすることなく、どのように英語を自分のものにして運用しようとしたかを描いている。研究現場を「コンタクトゾーン（contact zone）」と定義し、教育実習生が英語とスペイン語の両方でのさまざまな形の言葉遊びを通して、どのように英語という要求に対峙したかを説明している。そして、教育実習生のグループ自体が、参加者が両方の言語で遊ぶことができる避難所のような存在であったと主張する。このような言語運用は、英語の母語話者教師に関する支配的な言説に対する対抗言説として、非母語話者の教師らが多様なアイデンティティの位置を探ることを可能にしてくれたのだ。教育実習生の1人は次のように語っている。

> 私にはメキシコ訛りがあります。英語は使った瞬間から私のものになり、コミュニケーションを成立させることができます。でも、私が英語は自分のものだというとき、英語に付随する文化を取り入れたいといっているわけではないのです。（Clemente & Higgins, 2008, p. 123）

中国では、ノートン（Norton, 2000）の想像の共同体の概念に基づいて、シュが、幼稚園から高校3年生までの生徒に、英語以外の言語を話す人たちのための英語（English to Speakers of Other Languages）を教える着任してまもない4人の教師を対象に研究を行った（Xu, 2012）。この教師たちの想像されたアイデンティティが、どのように変容したかを探る中で、実践されたアイデンティティ（practiced identities）という新しい言葉を生み出した。そして、着任後に現実を目の当たりにした結果、研究参加者のうち3人の実践されたアイデンティティが、最初に想像されたアイデンティティとは本質的に異なるものになったことを描いている。その中で、4人目の教師だけが、忍耐力と行為主体性によって、彼女が着任当初に思い描いていた学習ファシリテーターというアイデンティティのイメージを、大きく広げることができたのだった。

南アフリカではスタインが、アパルトヘイト体制によって周縁化され過小評価されてきた実践について検証するために、リソースの乏しい非白人用居住指定地区にある学校の英語教室を調査した（Stein, 2008）。その英語教室の授業において、どのようにテキスト的、文化的、言語的な形態（forms）が再占有され、「再資源化」される変容の場となったかを探っている。この変容が起こったのは、生徒が意味づけに深く関与できるように英語学習者が言語的、身体的、感覚的なモードを含むマルチモーダルなリソースを活用する機会を、教師が提供したことによる。スタインの研究に参加した学習者たちは、規範を覆すマルチモーダルな対抗テキストを制作したり、ときにタブーとされるテーマを扱ったりする機会を手にすることができた。

同様のねらいをもった試みとしてウガンダでの最近の研究があるが、そこでは、絵、写真、演劇を含むマルチモーダルな教育法を、英語のカリキュラムにどの程度体系的に組み込むことができるかを調査している（Kendrick *et al.*, 2006; Kendrick & Jones, 2008）。ケンドリックと共同研究者らは国内の２つの地域の研究を参照して、マルチモーダルな教育法は生徒のリテラシー、経験、文化を評価し承認するための革新的な方法を教師に提供すると同時に、教室での英語学習を支援するのに非常に効果的だと主張している。たとえば、写真プロジェクトでは英語がコミュニケーション、表現、意味の所有に使われるようになるにつれて、英語がいくぶん制約的で人工的な媒体であるという生徒の認識は薄れていった。

イギリスでは、ワラスが成人の言語学習者とともに、読書の過程そのものが社会的に埋め込まれているという性質に着目した批判的読解コースを実施し、テキストに意味や権力がどのように符号化されているのかに焦点を当てたテキスト中心の活動を調査した（Wallace, 2003）。その際、ワラスは新聞記事、雑誌記事、広告など、さまざまな一般向けのテキストを使っている。ワラスは、自分のアプローチを、コミュニカティブ言語教育やタスクベース学習といった支配的な英語の外国語教授法と対比させ、こういったアプローチは強力な言説を疑問視し再構築するのではなく、むしろ支配的な文化になじむ方法だけを教え、最終的に学習者を「飼いならす」可能性があると論じている。

デジタルテクノロジー、アイデンティティ、言語学習

デジタル技術のアフォーダンス（affordance）◇4 は、言語とアイデンティティに関心のある多くの学者によって研究されている◆8。たとえば、ラムは、米国の移民の若者たちが、コンピューターを介した国境を越えたネットワークの中でマルチリンガル、マルチコンピテント（多元能力的）な行為者として、自分たちのアイデンティティを構築していることを発見した（Lam, 2000, 2006）。そうすることで、移民だとか無能な言語使用者だと汚名を着せられて、学校では否定されていたような新しい言語学習の機会を、自ら手に入れることができたのである。世界の他の地域では、ホワイトがオーストラリアの２つの遠隔言語教育プログラムを調査したが、どちらも学校における幅広い外国語のニーズ

に応えていたことがわかった（White, 2007）。ホワイトは、遠隔学習と教育の革新が進むにつれ、この分野では哲学的、教育学的、専門的な問題に対処する方法を見いだすことが必須であり、また、教師と学習者の双方にとってのアイデンティティの問題がこれらひとつひとつの領域において重要な要素となっている、と結論づけている。

ルイスとファボスは7人の若者の間で使われたインスタントメッセージング（インターネットでのテキストメッセージのやりとり、IM）の役割を調査し、社会的アイデンティティがこのデジタルリテラシーの一形態をどのように形づくり、また、逆に社会的アイデンティティがデジタルリテラシーによってどのように形づくられるのかを観察した（Lewis & Fabos, 2005）。若者たちが文脈を越えて社会的関係や地位を高めるためにIMを使い、ときにはオンライン上で別のアイデンティティをまとっていることがわかった。この若者たちは、IMのおかげで学校では不可能だった方法でリテラシー実践に取り組むことができたのであり、学校はこうした新しい形態のリテラシーを考慮に入れるべきだとしている。しかし、クラムシュとソーンの研究では、すべてのインターネットを介したコミュニケーションが肯定的なアイデンティティの形成につながるわけではないことが示されている（Kramsch & Thorne, 2002）。2人は、アメリカのフランス語学習者とフランスの英語学習者との間の同期・非同期コミュニケーションを研究し、学生は相手の学習者が生活しているより大きな文化的枠組みについてほとんど理解がなく、そのためにデジタル交流に問題が生じてしまったことを明らかにした。

カナダではジム・カミンズとマーガレット・アーリーが、トロント、バンクーバー、モントリオールの多言語学校に通う学習者を対象として、幅広いアイデンティティの選択肢を提示することをめざすデジタルプロジェクトに取り組んでいる。このマルチリテラシープロジェクト（www.multiliteracies.ca）は、50人以上の教師、4つの教育委員会、1つの教員組合、非政府のリテラシー組織などと共同で行われた。学校内外での生徒たちのリテラシー実践を理解したり、教師がマルチリテラシー実践に取り組む革新的な授業を試したり、教育制度が学校のマルチリテラシー実践にどのように影響するかを調査したりすることを目的としている。プロジェクトのウェブサイトにはワークスペースがあり、そこでは生徒、教師、研究者による注釈付きの写真を集めたギャラリー展示会、教室でのデモンストレーションプロジェクトの構築、生徒たちによる作品の事例研究（Cummins, 2006 や Cummins & Early, 2011 で「アイデンティティ・テキスト（identity texts）」と呼ぶもの）などができるようになっている。

ウガンダでは、ノートンとウィリアムズが 2008 年に農村部で実施されたデジタル・ポータブル・ライブラリー「eGranary」に関する研究に基づいて、コミュニティ内の中等教育学校の生徒の eGranary の利用効果を調査している（Norton & Williams, 2012）。ブロマート（Blommaert, 2010）の階層（scale）という構成概念◇5 を用いて、eGranary に関連した種々の実践と、より広いコミュニティの中でその実践が持つ指標的な意味に、空間と時間の両方がどのように深く関わっているのかを描いている。さらに、アイデンティティと投資に関するノートン（Norton, 2000）の研究に照らして、学生のアイデンティティが研修生からチューターへと時間の経過とともにどのように変容したのか、また、eGranary の利用は、図書館学研究者が社会的に想像できるものをどのように拡大したのかを明らかにした。このように、投資という構成概念は、ブロマートの階層の構成概念を有効に補完する役割を果たしたのである。

デジタルテクノロジーがアイデンティティと言語学習にどのように影響を与えているかを調査した研究の多くは賞賛に値するものである。「ネットワークによる電子的コミュニケーションは、米国移民の若者に、新たな社会空間、言語学的・記号学的実践、そして国家的な文脈を越えて自己を作りあげる方法を生み出した」（Lam, 2006, p. 171）というラムのコメントは、現在の考え方を代表するものである。しかし同時に、これらのテクノロジーは若者が既存の社会構造を批判し変えることを促すために必要な分析的ツールを供与しない可能性がある、とも警告している。学習者の批判を意図したマルチモーダリティ利用を支援するには、メンタリングがきわめて重要な要素となるかもしれない（Hull, 2007）。しかし、分析の厳密性を担保するためには、アイデンティティ研究者は、アイデンティティがどのようにマルチモーダルな手段によって媒介されるのかをさらによく理解するために、いちだんと洗練された分析ツールを取り入れる必要があるだろう（Baldry & Thibault, 2006; Blommaert, 2010; Hornberger, 2003; Martinec & van Leeuwen, 2009 を参照）。さらに、アンデマ、スナイダーとプリンスルー、ワルシャワといった学者らが指摘するとおり、言語学習に関するデジタル研究の多くは、世界のより富める地域での研究に重点をおいてきたため、新しいテクノロジー、アイデンティティ、言語学習をめぐるグローバルな議論に影響を与えるには、リソースの乏しいコミュニティのための研究が特に必要である（Andema, 2009; Snyder & Prinsloo, 2007; Warschauer, 2003）。

アイデンティティと抵抗

アイデンティティ、言語学習、教室での抵抗という3者の関係は、言語研究において注目すべき実りの多い分野となっている。より大きな構造的制約や教室での実践は学習者を否定的に位置づけるかもしれない。その一方で、次の3つの例が示すとおり、学習者は人の行為主体性によって、革新的な予想外の方法でこれらの位置に抵抗することができる。カナガラジャは、彼が学習者の破壊的なアイデンティティ（subversive identity）と呼んでいるアイデンティティを探求する中で、言語学習者が第二言語や方言を学びながらも、現地語のコミュニティや文化の一員であり続けることができるのかという興味深い問いを発している（Canagarajah, 2004a）。アメリカとスリランカのまったく異なる2つのグループを対象とした自身の研究を引いて、言語学習者は第二言語や方言を学ぶことを躊躇することがあり、言語教室で「教育学的な隠れ家（pedagogical safe houses）」を作るために秘密の読み書き活動に頼らざるをえないかもしれないと論じている。いずれの文脈でも、学習者の秘密の読み書き活動は学習者に押しつけられた否定的なアイデンティティに対する抵抗の形だと考えられる。しかし同時に、これらの隠れ家はアイデンティティ構築の場としても機能し、さまざまなコミュニティの一員として遭遇する相いれない緊張した関係や場面でも、生徒が交渉し対処することができるようにしてくれる。

抵抗の2つめの例として、マッキニーとヴァン・プレツェンの研究（McKinney & van Pletzen, 2004）がある。マッキニーとヴァン・プレツェンは、南アフリカの歴史的に白人の多いアフリカーンス系の大学で、比較的恵まれた学生を対象に1年生の英語研究コースに南アフリカ文学に関する批判的な読解を取り入れた。アパルトヘイトの過去の表象を探る中で、マッキニーとヴァン・プレツェンは、このカリキュラムの教材のために居心地の悪い立場におかれていると感じた学生たちからの大きな抵抗に遭った。そこでマッキニーとヴァン・プレツェンは、自分たちと学生の双方が、アイデンティティが構築される多くの私的、政治的プロセスを探ることができるような対話のための空間（discursive spaces）を設けようと試みた。こうすることで、学生の抵抗を、絶好の教育の機会を提供する意味づけの活動として、より生産的な概念に捉えなおしたのである。

アイデンティティと抵抗の3つめの例は、タルミーの研究（Talmy, 2008）である。ハワイの高校の英語学習者が、教科として開講されている自分たちが受講するESLクラスの中で「ESLの生徒」として位置づけられることに、どのように抵抗したのかを調査したものである。学校にESLの学習者としてみなされてしまっている生徒は、授業には必要な教材を持参し、課題の小説を読み、教科書の勉強をし、決められた日にちを守り、指示に従い、授業中ずっと頑張って授業を受けることを期待されていた。これに対し、抵抗するESLの生徒は、教材を「家に」置いてきたり、友達と話したり、トランプをしたり、とさまざまな反対行動をとっていた。教育学的な観点からタルミーは特に重要な2つの観察を行った。1つめは、ESL教師が生徒の抵抗に対応して実践を変え始め、結果、教師のアイデンティティの変容をもたらしたという観察である。2つめは、生徒の行動が意図に反して、ESLプログラムを、まさに生徒自身がいちばん嫌っていた「L2学習や教育的ニーズに応えることがほとんどない、簡単で学力的に意味のないプログラム」（Talmy, 2008, p. 639）に変えてしまったという観察であった。

新たなテーマと今後の方向性

ここまでの議論から明らかなように、「アイデンティティ」はたしかにそれ自体で確立した研究領域となり、言語学習と教育の分野で数多くの研究者と議論に刺激を与えている。この分野は、人類学、社会学、ポストコロニアリズムとカルチュラルスタディーズおよび教育学の研究から多様な形で知見を得ている。将来、アイデンティティと言語教育を研究する研究者はこういった学際性に順応する必要があり（Gao, 2007）、ルークやモーガンとラマナサンらが述べているとおり、学習者がグローバル化したコスモポリタンな社会文化的世界に生きていることを理解する必要があるだろう（Luke, 2004b; Morgan & Ramanathan, 2005）。現在の言語教育研究者たちは、言語をシステムとして、また、学習をシステムの内在化として捉えるような静的な見方は、動的で複雑なプロセスを十分に表現できていないと考えている。したがって、人の行為主体性の行使を制限したり可能にしたりする社会的に階層化された世界に生きている複雑で具現化された言語学習者という概念に対しては依然として関心が高い。アイデンティティと言語学習に関する今後の研究の目標は、より公平な世界で人の行為主体性を拡大させることができるような方法で、言語学習と教育を促進する取り組みに貢献することであるべきだ。

この方向性を継承し、ジェンキンスやデ・コスタらの研究者は、リンガフランカとしての英語（English as a lingua franca）の視座から、非母語話者がどのようにアイデンティティを発達させ遂行したかを調べた（Jenkins, 2007; De Costa, 2012）。これは、国際社会で誰が英語を所有しているかという既存の議論を飛躍的に発展させたものである（Norton, 1997; Pennycook, 1998; Phillipson, 2009）。また、このような非母語話者のアイデンティティに対する関心と密接に関係して、継承語学習者のアイデンティティに関する研究も盛んに行われている（Abdi, 2011; Blackledge & Creese, 2008; Duff, 2012; He, 2006 を参照）。このような新たな関心の出現は、1つには、アイデンティティ・カテゴリーの本質化を拒絶するという、より大きな意図に起因している可能性がある。アイデンティティ研究が示しているように、グローバル化（Alim *et al.*, 2008; Higgins, 2011; Lo Bianco *et al.*, 2009）や、学校や社会における多言語使用（multilingualism）の拡大（Blackledge & Creese, 2010; Kramsch, 2009; Shin, 2012; Weber & Horner, 2012 を参照）に直面する今、固定的なカテゴリー化を問いなおす必要がある。

この点においては、アイデンティティに着目した言語学習プロセスに対する理解は、言語習得プロセスが欧米諸国における移民の言語学習や留学といった文脈とはまったく異なる多言語使用が普通である旧植民地地域で行われる研究によって、より豊かになるだろう◆[9]。カナガラジャは、多くの SLA 理論の根底にある単一言語を前提とする考え方を問題視した論文で、「現在私たちの分野では、今までのものに代わる理論の構築に向けた取り組みが行われているが、この理論構築には非西洋社会の洞察を取り入れるべきだ」（Canagarajah, 2007, p. 935）と唱えている。このような多言語の文脈では、SLAという言葉自体が適切であるとは言いがたい。ブロックの指摘にあるが、「第二」という言葉は、「生涯に3つ、あるいはそれ以上の言語と接触したことのある多言語話者の経験」（Block, 2003, p. 5）を捉えていない。それどころか実のところ、クラムシュとホワイトサイドの主張のとおり、多言語主義の拡大は、2人が「象徴的能力（symbolic competence）」の発展と呼ぶものをもたらした。

> 多言語環境での社会的行為者（social actor）は、コミュニケーション能力以上のものを作動させており、それがお互いの正確で、効果的で、適切な意思疎通を可能にしている。また、社会的行為者は、さまざまな言語コードやこれら言語コードの多様な空間的、時間的な共振（the spatial and temporal resonances）を使いこなすのに、特に鋭敏な能力を発揮しているようだ。私たちはこの能力を「象徴的能力」と呼ぶ。（Kramsch & Whiteside, 2008, p. 664）

例として、南アフリカの多言語の文脈が、同一化（identification）と言語学習のプロセスに関する私たちの思索に多くの示唆を与えてくれている（たとえばMakubalo, 2007; McKinney, 2007; Nongogo, 2007）。以前は白人の高校だった学校に通う黒人の南アフリカ人生徒の言語実践を調査したマッキニーの研究は、異なる「ブランド（種類）」の英語とアフリカの現地語の使用にともなう、複雑な自己と向きあう黒人の若者の位置どりを浮き彫りにしている（McKinney, 2007）。11の公用語がありながら英語が権力の座にあるこの国で、ある学習者が高い社会的地位を示す品格のある英語を「ルイ・ヴィトン・イングリッシュ」と呼んだのは、英語が1つの商品であるという考えを的確に表している（McKinney, 2007, p. 14）。格のある英語を身につけようとしている黒人学生を標的にした「白人気取り（becoming white）」という非難や、「ココナッツ」といった言葉による軽蔑的なレッテル貼りにもかかわらず、黒人学生らはこのような位置づけに抵抗し、さまざまな英語や現地語が、異なる種類の文化資本を担うことに気づいていることを示したのだった。この若者たちは、言語習得プロセスにおいて英語を第一言語とする白人話者に同一化するためにではなく、明らかに自分たち自身が使うために英語を自分のものとしていたのである。

同様に、モーガンとラマナサンは、言語教育分野は英語教育を脱植民地化する方法を考える必要がある、と説得力のある主張をしており、言語教育業界において欧米の権威を持つ利害関係者を中心的な役割から外す必要性を示している（Morgan & Ramanathan, 2005）。そのためには、周縁のコミュニティに行為主体性と専門性を回復させ（Canagarajah, 2002, 2007; Higgins, 2009; Kumaravadivelu, 2003; Tembe & Norton, 2008）、現地語での学習と教育の方法を正当に評価する必要がある（Canagarajah, 2004b）。この局面ではいくつかの進展があり、学術誌で組まれた特集号の数の多さには目を見張るものがある。まず、『季刊 英語教育』（*TESOL Quarterly*）誌の特集号「開発における言語」（Language in Development, Markee, 2002）と「言語政策と TESOL」（Language Policies and TESOL, Ramanathan & Morgan, 2007）があげられる。国際応用言語学会（International Association of Applied Linguistics: AILA）の『AILA レビュー』（*AILA Review*）誌の最近の 2 つの号では、「アフリカと応用言語学」（Africa and Applied Linguistics, Makoni & Meinhof, 2003）や「世界の応用言語学」（World Applied Linguistics, Gass & Makoni, 2004）が特集された。

より公平な言語学習と教育を促進するためには、比較的研究が進んでいない階級のアイデンティティを探求するという別の方法もある。アイデンティティ研究の多くは、ブルデュー（Bourdieu, 1991）の資本（capital）とハビトゥス（habitus）という構成概念（Albright & Luke, 2007; De Costa, 2010c; Heller, 2008; Lam & Warriner, 2012; Lin, 2007; Norton, 2000 を参照）に基づいているが、アイデンティティ研究での階級に関する明示的な議論はあまり一般的ではない。この現状をふまえて、ブロックは、言語研究者に階級と SLA との間に関連性を持たせるよう強く奨励している（Block, 2012）。さらに、消費者主義、起業家精神、経済競争力といった新自由主義的な言説が広まっていることを考えると、階級の明示的な議論はきわめて重要である。そして、これら言説のすべてが、言語が教室の中と外の両方でどのように教えられ学ばれているか、ということに直接影響を与えている（Block *et al*., 2012; Heller, 2011; Kramsch, 2006; Morgan & Clarke, 2011 を参照のこと）。

アイデンティティと言語学習の分野における将来の方向性の中で、ますます注目を集めている領域の 1 つに言語教師と言語教師教育者のアイデンティティがある◆[10]。たとえば、カンノとスチュアートは、レイヴ（Lave, 1996）の「実践の中の学習（learning-in-practice）」と「実践の中のアイデンティティ（identity-in-practice）」の概念を引用して、米国で教育実習コースを履修していた教師になりたての2人が、最終的にどのようにして職業アイデンティティを身につけたかを追跡した（Kanno & Stuart, 2011）。カンノとスチュアートは、教師のアイデンティティ形成をより深く理解することを、第二言語教師教育の基礎的知識に含める必要があると結論づけている。オーストラリアのシドニーを拠点とするペニークックは、教師教育者の視点から、TESOLの教育実習で教師の授業を観察した経験を振り返っている（Pennycook, 2004）。言語教育の多くは資金が潤沢な教育機関で行われているのではなく、資金が限られ時間もごくわずかしかないコミュニティプログラム、礼拝所、移民センターで行われていることを、説得力のあるナラティブを通して気づかせてくれる。特に関心が高いのは、教師教育者が教育実習参観の過程で、教育的で社会的な変革をもたらすためにどのように介入することができるかを考えることだ。この目的のために、ペニークックは、実習中の「決定的な瞬間（critical moments）」を活かして、より広い社会における権力と権威というより大きな問題を提起し、批判的な議論と省察の機会を提供することができると主張している。

また、言語とアイデンティティの研究者は、言語学習者が話す状況だけでなく、記述、口述、マルチモーダルといった形態にかかわらず、アイデンティティと投資が学習者のテキストへの関与を、どの程度構造化しているのかにも関心を寄せている。学習者がテキスト実践（textual practices）に参加するとき、テキストの理解と構築の両方が、学習者の活動への投資と学習者のアイデンティティによって媒介されるという認識が進んでいる。多くの研究者◆[11]がリテラシーと学習者アイデンティティの関係についての研究に取り組んでおり、この傾向は今後も続くだろう。

アイデンティティと言語学習に関するその他の今後の方向性については、使用される方法論的ツールの拡大が射程に入っている。ワグナーとブロックは、近ごろ、自然発生的な相互作用の分析が、SLAにおけるアイデンティティ分野の研究、特に、参加交渉を調査する研究を豊かにする可能性について述べている（Wagner, 2004; Block, 2007a）。方法論的ツールとして、会話分析（conversation analysis）は研究者が談話アイデンティティ（discourse identities, Zimmerman, 1998）と社会的アイデンティティを探究することを可能にした。そのおかげで、語り（talk）の逐次的な展開の分析を通して、アイデンティティがどのように構築されるのかという理解を深めることができる。第二言語教室での会話をアイデンティティに絞って分析したものはいくつかあるが（Duff, 2002; Pomerantz, 2008; Talmy, 2008; Toohey, 2000 など）、教室外での会話の分析はあまり一般的ではない。より広く照準を定めると、これからのアイデンティティ研究では、応用言語学における実践的転回（the practice turn）に照らして会話を談話的実践として概念化する必要がある（De Costa, 2010b; Pennycook, 2010, 2012; Young, 2009 を参照）。この転回に関連して、アイデンティティをイデオロギー（De Costa, 2010a, 2011, 2012 など）、スタイル（Stroud & Wee, 2012 など）、スタンス（Jaffe, 2009 など）と結びつけた研究も行われている。こうしたイデオロギー、スタイル、スタンスへの関心は、今後さらに発展し、すでに活発なアイデンティティ研究が取り組むべき課題を推し進めるために、さまざまな学習と教育の文脈に応用されることになるだろう。

最終的に、アイデンティティ研究はより縦断的な研究が行われることで拡充されていくだろう。ノートンとトゥーイーで報告されている移民学習者を対象とした初期の研究では、空間と時間を越えたアイデンティティの発展を考察していた（Norton, 2000; Toohey, 2000）。一方、今後の研究では、階層に着目した分析（scalar lens）を通して、学習者のアイデンティティがどのように進化していくのか、といったより繊細な情報を含む時空間的な理解が可能になるだろう。たとえばレムケ（Lemke, 2008）は、アイデンティティという概念がさらに階層（scale）に応じて分化される必要性を論じており、あらゆる階層のアイデンティティは、人間の身体性に根ざした欲求や恐怖を形づくり、同時にその欲求や恐怖によってもアイデンティティが形づくられると主張している。これと意見を同じくし、ウォータムは実践のレベルにもっと注意を向けることを提唱しており（Wortham, 2008）、これは必然的に、いつ、どこでアイデンティティが局所的に作られるのかを考察することになる。また、こういった考察は、空間と時間の階層を横断して行われる活動の臨界点（critical points）を検証することによって行われるべきだとも示唆している。アイデンティティを調査するこの階層のアプローチ（scalar approach）は、教室の外の領域で研究を行う社会言語学者によって用いられてきた（たとえば Blommaert, 2010; Budach, 2009; Dong & Blommaert, 2009）。しかし、将来の教育にかかわるアイデンティティ研究において、この階層の視点（scalar perspective）には、より大きな価値が見いだされることになるだろう。

アイデンティティと言語学習に関する幅広い研究と関連する新たな研究分野は、アイデンティティと言語学習に引き続き高い関心が寄せられていくことを示唆している。『アイデンティティと言語学習』の初版では、2000 年以降に行われた研究のほんの一部しか予想していなかった。しかし、投資、想像の共同体、想像のアイデンティティという構成概念は、この長年の間に柔軟で弾力性を備えていることが証明されている。したがって、本書の第 1 章から第 7 章でこれらの概念を再訪することは時宜を得た、よい機会である。クレア・クラムシュによる説得力のある「あとがき」は、アイデンティティをめぐる問題に補完的な視点を与え、私の研究を歴史的な文脈の中に位置づけてくれている。今後も著名な研究者や新進気鋭の研究者とともに、アイデンティティと言語学習を主題とするさらなる議論に関わり、共同研究を行っていくことを楽しみにしている。

注

◆ 1　Atkinson (2011)、Block (2003, 2007b)、Caldas-Coulthard and Iedema (2008)、Clark (2009)、Cummins (2001)、Day (2002)、Heller (2007)、Higgins (2009)、Kanno (2003, 2008)、Kramsch (2009)、Kubota and Lin (2009)、Lin (2007)、Mantero (2007)、Menard-Warwick (2009)、Miller (2003)、Nelson (2009)、Norton (1997, 2000)、Norton and Toohey (2004)、Pavlenko and Blackledge (2004)、Potowski (2007)、Toohey (2000)、Tsui and Tollefson (2007) で具体例を参照のこと。

◆ 2　Block (2010)、Morgan and Clarke (2011)、Norton (2006, 2010)、Norton and McKinney (2011)、Norton and Toohey (2002)、Ricento (2005) を参照のこと。

◆ 3　Anya (2011)、Cornwell (2005)、Cortez (2008)、Kim (2008)、Pomerantz (2001)、Ross (2011)、Shin (2009)、Song (2010)、Tomita (2011)、Torres-Olave (2006)、Villarreal Ballesteros (2010)、Zacharias(2010)。

◆ 4　Dagenais *et al.* (2008)、Mastrella-De-Andrade and Norton (2011)、Norton (2013)、Xu (2001) を参照のこと。

◆ 5　Kanno and Norton (2003)、Norton and Early (2011)、Norton and Gao (2008)、Norton and McKinney (2011)、Norton and Morgan (2013)、Norton and Pavlenko (2004)、Norton and Toohey (2011)。

◆6　Bearse and de Jong (2008)、Chang (2011)、Cummins (2006)、De Costa (2010a)、Haneda (2005)、McKay and Wong (1996)、Pittaway (2004)、Potowski (2007)、Skilton-Sylvester (2002) を参照のこと。

◆7　Carroll, Motha and Price (2008)、Chang (2011)、Dagenais (2003)、Early and Norton (in press)、Gao (2012)、Gordon (2004)、Murphey, Jin and Li-Chin (2005)、Norton and Kamal (2003)、Pavlenko (2003)、Silberstein (2003)、Xu (2012) を参照のこと。

◆8　Kramsch and Thorne (2002)、Lam (2000, 2006)、Lam and Rosario-Ramos (2009)、Lewis and Fabos (2005)、Mutonyi and Norton (2007)、Prinsloo and Rowsell (2012)、Snyder and Prinsloo (2007)、Thorne and Black (2007)、Warschauer (2003)、White (2007)。

◆9　Block and Cameron (2002)、Garciá, Skutnabb-Kangas and Torres-Guzmán (2006)、Lin and Martin (2005)、Morgan and Ramanathan (2005)、Pennycook (2007)、Rassool (2007) などを参照のこと。

◆10　Clarke (2008)、Hawkins (2004, 2011)、Hawkins and Norton (2009)、Kanno and Stuart (2011)、Morgan (2004)、Norton and Early (2011)、Pennycook (2004)、Varghese *et al.* (2005) を参照のこと。

◆11　たとえば、Barton (2007)、Blommaert (2008)、Hornberger (2003)、Janks (2010)、Kramsch and Lam (1999)、Kress *et al.* (2004)、Lam and Warriner (2012)、Martin-Jones and Jones (2000)、Moje and Luke (2009)、Prinsloo and Baynham (2008)、Street and Hornberger (2008) を参照のこと。

訳注

◇1　聖餐とは、キリスト教でキリストが十字架にかけられる前夜の最後の食事を記念して行う儀式の食事のこと（山田忠雄ほか編『新明解国語辞典』第八版、三省堂）。ベネディクト・アンダーソン（2010）『定本想像の共同体』白石隆・白石さや訳（書籍工房早山）を引用した。

◇2　言語を使うときに、話したり書いたりすることに加えて、身振り、図表、絵、色、音声など、その他のさまざまな表現手段を組み合わせて用い表現すること。

◇3　1970 年代の分析で登場した用語。特定の集団が、その集団が本来生物学的な統一体としてのみ理解できることを示唆するような、現実または想像上の表現型の特徴を直接的または間接的に参照することによって識別される政治的・思想的プロセスを指す。このプロセスは、当該の集団を記述または参照するために「人種」という概念を直接利用することを通常含む（Cashmore, E. (ed.) (2003). *Encyclopedia of race and ethnic studies.* Taylor & Francis Group.）。

◇4　デジタル技術が存在することで人のさまざまな行為が可能となるが、そのような行為を引き出すことを提供（アフォード）している機能。

◇5　Blommaert によると社会空間（スペース）は垂直方向に階層化されていて、階層化され、それゆえに権力が作用しており、この階層化を分析の視点とすることで、空間的・時間的特徴の間の深いつながりを示唆することにつながるとしている。

あとがき

クレア・クラムシュ

ボニー・ノートンのように著名な応用言語学者の研究は、時代の流れの中の思潮の重要な転換を捉えているため、歴史的な重要性を帯びることがある。その転換は、過去を振り返ったときにのみ評価できる。だからこそ、10年以上前に書かれた『アイデンティティと言語学習』の改訂版を出すという形で、ボニーが自分の仕事を振り返るのは時宜を得ているといえる。2007年4月22日、カリフォルニアのコスタ・メサで行われた米国応用言語学会（American Association of Applied Linguistics）の年次大会でコーヒーを飲んでいたときのことである。ボニーは1970年代のアパルトヘイト下の南アフリカで育ったことについて、私に語り始めた。その恐怖、人種的・言語的隔離、アフリカーンス語の支配、そして人々のための英語（People's English）に対する彼女の取り組み（Norton Peirce, 1987）についてである。私は突然、研究者の個人的な経験が、研究に対する情熱の何割を占めているのか理解した。つまり、ボニーの経験は彼女が自分の探求の対象——言語が「移行期にある」国でESLを教えること——を選んだ視点について物語っていたのである。アパルトヘイト下での、社会的、市民的アイデンティティへの残忍な弾圧を考えると、ボニーのアイデンティティと社会的正義の問題に対する熱い関心は当然のものであった。彼女が第二言語習得研究で「投資（investment）」に焦点を当てたことと、英語話者の「想像の共同体（imagined community）」を築いたことは、彼女が南アフリカ時代に主張した「可能性の教育学」に通じるものがあった（Norton Peirce, 1989）。私は初めて、ボニーの言語学習におけるアイデンティティ概念が、彼女が過去に目の当たりにした社会的不正義とどれほど結びついているかということを理解した。そして、私は初めて、英語を学ぶことがよりよく、より平等で、より民主的な生活形態に対する希望を意味するということを理解した。

私は1940年代に異なる空の下、異なる時代に育った。ドイツ占領下のフランスは南アフリカとは異なっていたが、独自の恐怖と独特の恐ろしさがあった。戦後のフランスは、国家アイデンティティの回復と、80年以上にわたってフランスのアイデンティティを脅かしてきた「先祖代々の敵」とのつながり方を見つけることに躍起になっていた。私のドイツ語とドイツ文学に対する興味は、古くからある敵意を乗り越え、戦争の間にひどく傷つけられたアイデンティティを癒す、文学の可能性を取り戻す方法であった（Kramsch, 2010）。しかし結局は、多言語多文化な家族的背景から、私は国家アイデンティティの問題よりも、言語文化的主体の位置（linguistic and cultural subject positions）に対して興味を持った。国を離れ、アメリカでドイツ語を教えているフランス人として、私は自分をどう位置づけるべきなのか。第二言語習得研究は英語以外の言語教育にどの程度、知を提供しているのか。アメリカにおける外国語教育では、文化を教えることが研究目的となったため（Kramsch, 1993）、私は第二言語習得研究におけるアイデンティティよりも主体性（subjectivity）に焦点を当てるようになった（Kramsch, 2009, 2012）。実際、私は、異なる言語がどのように、愛憎入り混じった「多言語の主体（たち）」（multilingual subjects）を文字どおり作り出しているのか、自らの身をもって体験してきた。そのような矛盾に魅せられて、私は自然とポスト構造主義に傾倒し、ポストモダン的な視点から、ボニー・ノートンと共通の興味を持った。私は初めて、英語話者にとって、英語以外の言語を学ぶことは地域にとらわれず、より世界市民的な生活を送ることへの期待を意味するということを理解した。

1990年代の終わりに書かれたボニーの先駆的な『アイデンティティと言語学習』（Norton, 2000）は、新しいナラティブ的方法でアイデンティティの問題を語る場を提供した。カナダに移民としてやってきた5人の女性たちの個人的な物語が印象的に描かれたことで、アイデンティティは顔と心を持った。読者は、それまでの第二言語習得研究では不可能だったやり方で、エヴァ、マイ、カタリナ、マルティナ、そしてフェリシアに自分を重ねあわせることができた。教師/研究者と学生/研究参加者との間の個人的な信頼関係は、言語的、認知的な面だけではなく、言語学習に関わる感情的、文化的な側面とも向きあうような、新しい方法で第二言語習得研究を「する」(doing)という可能性を切り拓いた。

1990年代の終わり、ボニー・ノートンの本は外国語教育における文化（Kramsch, 1993）と英語教育におけるアイデンティティ（Norton Peirce, 1995）に関わる言語教育者の懸念に対し、適切な時期に適切な方法で応えたことは間違いない。しかし、なぜアイデンティティは1990年代の終わりに第二言語習得研究において、それほどまでに重要なトピックになったのだろうか。

第二言語習得研究において社会的文化的アイデンティティになぜ関心が持たれたのか

人生の軌跡の違いを越えて、ボニーも私も、より大きな歴史的な力に応えて、それぞれの研究と第二言語習得研究との関係を作りあげてきた。第一に、学問的分野のあり方である。20年以上におよび、第二言語習得研究では主に言語心理学的研究が主流であったが、言語学習を促進、あるいは阻害する社会的要因を考慮しなければならないという必要性に迫られていた。1980年代には、相互作用論的第二言語習得研究（Michael Long, Sue Gass, Merrill Swainなどの研究を参照）が発展し、コミュニケーションのための言語能力を身につけるためには、社会的相互作用が必要不可欠であることが示され、コミュニカティブな言語運用能力は第二言語習得研究における議論の余地のない目標とみなされるようになった。加えて、ヴィゴツキー（特にVygotsky, 1978）、続いてバフチン（Bakhtin, 1981）が英語に翻訳され、社会に基盤をおいたソビエト心理学と対話的言語観が西洋の応用言語学者の耳目を引いた。なかでもラントルフは、他の研究者（たとえばMerrill Swain, Aneta Pavlenko, Steven Throne）とともに、第二言語習得研究の中での影響力のある社会文化理論を発展させた。それは、協働的学習が習得を促進する中心的な役割を果たしているというものだった（Lantolf, 2000, Lantolf & Thorne, 2006）。ブロックが「第二言語習得研究の社会的転回」（Block, 2003）と呼ぶもの、そして、言語学習者の社会的、文化的アイデンティティへの関心の基礎には、相互作用論的第二言語習得研究と社会文化論的第二言語習得研究がある。

アイデンティティに対する関心を高めた第二の歴史的要因は、1980年代末に起こった大規模な移動であった。この移動は、国際市場における規制緩和（Cameron, 2006）と、それにともなう経済的、文化的グローバリゼーションの結果起こった。このような地球規模の移動の増加により、国家社会は文化的多様性が高まり、共同体の感覚はこれまでにないほど「想像」されるようになった。「私は誰なのか（市民として、女性として、マイノリティとして、移民として、ジェンダー化された人間として）」という問いは、いまや、母語話者にも非母語話者にも同様にのしかかり、アイデンティティの政治学と承認をめぐる闘争に巻き込んでいる。未来への可能性を見きわめようとしている新たな移民でも、アメリカの変化した相貌を評価している長期居住者でも、社会的、国民的アイデンティティに対する問いは、この15年、特に2001年9月11日以降、いっそう重要になってきている。

第二言語習得研究におけるアイデンティティに対する関心を説明する第三の歴史的変化は、1980年代終わりからの情報技術、インターネット、ネットワークに接続されたコンピューターの発展からきた。人々は史上初めて、オンラインでテキスト、画像、そして動画を他のコンピューター利用者とやりとりできるようになった。ハイパーテキスト[◇1]やハイパーリアリティ[◇2]へのアクセスが可能になり、バーチャルな自己を選んだり、異なるアイデンティティを身にまとったりすることができるようになった。今日、Facebookとネット上の世界（ブロゴスフィア）はオンラインでの他者とのやりとりを通じ、自分自身を再創造したり、複数のアイデンティティを発達させたりする機会を提供している。

このような地政学上の大変動は、グローバルな資本主義の広がりと、グローバルなコミュニケーション方法への欲望（つまりリンガフランカとしての英語）を加速させた。英語がある国家の言語から世界的な言語へと変貌を遂げたことによって、アイデンティティの問題は非常に重要になった。私が英語を話すとき、私は誰なのか。あるいはボニー・ノートンが書いたように、私は世界や未来の可能性との関わりをどう理解すればいいのか。ポスト構造主義の認識論からみれば、英語の使用によって作られた世界は、自分の母語で構築された世界とはどのように異なるのか。そして、私はその世界に属したいのか。これらの実存主義的問いは、『アイデンティティと言語学習』の出版から12年経過した今でも、矛盾する答えを引き出している。事実、9・11と続いて起こった多くの戦争の後、英語の役割とそれがもたらす複数のアイデンティティは、『アイデンティティと言語学習』が最初に出版されたときよりも、何通りにも解釈を許すようになっている。ボニー・ノートンが提唱した非常に影響力のある3つの概念と、その源となった理論を概観することは、その理由を探る手がかりになるだろう。

影響力のある3つの概念

ノートンの言語学習におけるアイデンティティ理論を支える3つの主要な概念（投資、アイデンティティ、想像の共同体）についての検討は有益である。これら3つはすべて個人、自己、国家に関する社会構築主義的理論により支えられている。より社会的に公正な世界への希求に基づき、ボニーはこの3つの概念の中に自分の「欲望」が表現できることを見いだした。それらの欲望とは、言語学習者が英語の所有権を持つ、押しつけられたアイデンティティから自由になる、社会によって押しつけられた制度的共同体とは違う形で実践共同体を築くという、言語学習者の権利をとり戻すというものである。

ノートンの「投資」という概念は、経済的な意味あいを持った力強くダイナミックな用語であり、伝統的な第二言語習得研究の用語である「動機」にとって代わるものであった。動機とは異なり、投資は見返りと利益を期待するという意味あいを持っている。つまり、目の前の課題に従事しながら、経済的、象徴的資本を蓄積し、手に入れたいものを心に秘めながら忍耐強く努力するという点で、人間の行為主体性（human agency）とアイデンティティの役割を強調しているのだ。北米の文脈では、第二言語学習への投資は「言語学習への強い意志を持った関わり」と同義であり、学習者の意識的な選択と欲望に基づいている。この見方では、学習者はもはや力のある制度によって受動的に構築されるわけでも、単純に他の人が教えてくれることを学ぶために行動しているわけでもない。彼らは行為主体性を行使し、他の人に（自らが）聞かれる権利を主張し、認識と制度的偏見を変え、なりたい自分になるための努力をすることができるのである。

実際、ノートンのアイデンティティ概念は「言説によって構築され」、そして「常に社会的、歴史的に埋め込まれている」（本書のまえがき）。これは、自分が何者かという考えは言説的な文脈の中で変容し、常に異議申し立てと再定義の余地があることを意味する。第二言語習得研究において、たとえば移民は、同僚によって構築される、劣った非母語話者である必要はないということである。つまり、自分で選択できる複数のアイデンティティに基づき、自分でこうであると決めた自分になる努力ができるのである。一方で、この新しいアイデンティティは、他者からは相容れないとみなされるかもしれない。つまり、異議を唱えられる可能性があり、したがって、新しい社会的な力関係のもと、たえず再評価され、再交渉されなければならない。

このような不確実性は、常に権威ある人々（政府、家主、上司、教師）に依存せざるをえない移民にとっては不安なものかもしれないが、ノートンの「アイデンティティ」概念において暗示されている力関係の絶え間ない変容こそが、移民と英語学習者が、現在生きている現実とは異なるシナリオを思い描くことを可能にしているのである。彼らが属したいと考えるコミュニティは、彼らの周囲にあるものではなく、英語と関わる経済的移動に対する希望によって育まれた「想像の共同体」かもしれない。想像の共同体は、ときとしてオンライン上で作られ、維持される、憧れの夢見るようなコミュニティでもある。世界中の英語学習者は共通の願望で結ばれ、自由、民主主義、行為主体性、力といった価値を夢見る。インターネットはよりよい世界に生まれ変わり、自分自身を作り変える可能性を秘めている。それは、話す権利（人権として、市民の権利としての）をとり戻し、自身の声が（他者に）聞かれることによって、新しく、より強力な社会的アイデンティティを約束している。

ボニー・ノートンは第二言語習得研究の中で学習者の還元主義的理論と戦っており、これらの理想は彼女に続く多くの研究者にも共有されている（本書の解題を参照）。彼らはノートンの投資、想像の共同体という概念を使い、SLA の政治的側面、つまり、コミュニティへの参加と公共空間における世界的な協力を通した言語学習を強調してきた。しかしながら、『アイデンティティと言語学習』の初版の出版以降、2001 年の世界貿易センターへの攻撃、2008 年の世界規模の金融危機、終わりのない世界的なテロとの戦い、世界レベルでの貧富の格差の拡大など、これらの理想が試されてきた。第二言語習得研究において、ノートンの投資、アイデンティティ、想像の共同体の未来はどうなるのだろうか。

「話す権利」の未来

21 世紀における英語使用の夢と現実の隔たりを理論化するためには、第二言語習得研究におけるボニー・ノートンのアイデンティティ理論にひらめきを与えたピエール・ブルデュー、クリス・ウィードン、ベネディクト・アンダーソンの3人の思想家に立ち返ることが有益であろう。これらの3人はすべて1980年代に彼らの分野における還元主義的見方と戦い、まさに第二言語習得研究におけるボニー・ノートンのように当時の流れに抵抗したからこそ、彼らの研究が影響力を持ったといえる。

社会学者として、ピエール・ブルデュー（Bourdieu, 1982）は自律的個人という誤謬と戦った。合理的行為者理論では、個人は社会的な行為者としてコストと利益の合理的な評価に基づいて合理的な決定を行うとされてきた。それへの反論としてブルデューは、個人のハビトゥス（habitus）を個人が存在する場（家族、学校、職場など）によって無意識のうちに構造化されたものであると考えた。言い換えれば、自分のハビトゥスに従って行動することによって、個人は自らが活動している場を構造化しているのである。このハビトゥスとその場との相互作用を通して、人は自分が誰であり、誰になれるのかという実践的な感覚を得るのである。成功するためには、「すべての参加者が自分たちがやっているゲームと、自分たちが戦っているゲームに賭けられているものの**価値を信じなければならないのだ**」（前掲、強調は筆者）。彼によれば、ゲームやその場を存在させ、存続させているものは、完全で無条件の「投資」、つまり、実践的で疑う余地のないゲームやその賞金への信念を前提としている。ここでは「なければならない」という言葉が使われていることに注意する必要がある。ブルデューは道徳的な責務を述べているのではなく、むしろ、社会学者として、社会的な運命としての文化的再生産というゲームのルールを詳しく説明したのである。ブルデューのゲームに対する見方は、現実的な視点と生存主義者の感覚を持ち、今日多くの人が感じていることと共鳴している。

フェミニストであり、文化理論学者であるクリス・ウィードン（Weedon, 1987）は、自己に関する生得主義的理論と戦った。主体性を「私という感覚」（p. 21）と定義した彼女は、個人の主体性は生得的なものではなく構築されたものであり、遺伝的に決定されたものではなく、社会的に作られると論じた。彼女は、この立場を「ポスト構造主義」と呼んだ。固定的なカテゴリーとしてのアイデンティティを捨て、力をめぐる終わりのない闘争の中にアイデンティティの構築を組み込んだためである。この闘争は、変化をもたらすかもしれないが、現状を強化するかもしれない。「意識的、意図的、一元的、合理的主体を意味する人文主義（ヒューマニズム）とは違い、ポスト構造主義は、政治的変化の過程と現状維持の中心となる不一致と葛藤の場として、主体性を理論化している」（Weedon, 1987, p. 21）。ウィードンによれば、「すべてのポスト構造主義の形態は、意味が言語の中で構築され、それを話す主体によって保証されるものではないことを前提としている」（p. 22）。いつの時代にも付与され、言語と言語が構築する社会的関係に反映される本質的な女性性や男性性などないのである。彼女はさらに、「女性性と男性性の意味は文化によって、言語によって異なる」（p. 22）と述べている。ここでも、また、ウィードンのアイデンティティの見方は、今日の読者の心に響く曖昧さと不統一、葛藤の感覚を強調している。

歴史家、文化理論家として、ベネディクト・アンダーソン（Anderson, 1983）は、神によって与えられたというナショナリズムの自然理論と戦った。「想像の共同体」という彼のよく知られた言葉は、国家アイデンティティは母語話者が生まれながらに持っているものではなく、国勢調査、地図、博物館、もちろん学校や映画産業とメディアを通して、国民国家により丹念に構築されているという事実を捉えた。国民は、自分たちは（国境によって）制限され、主権者であり（神のもとで自由）、兄弟愛（深い水平的な同志愛）によって結ばれていると想像する。「共同体はその真偽によってではなく、それが想像されるスタイルによって区別される」（Anderson, 1983, p. 6）◇3 とアンダーソンは述べている。このスタイルは、自明のことながら歴史に基づいている。たえず自分の歴史をくり返し、英雄を思い出すことによって、国家は「運命性を連続性へ、偶然を有意味なものへと変換する」（p. 11）◇4。そして、そうすることで自分たちのアイデンティティの感覚を構築する。アンダーソンの記憶に残る一節のように「偶然を宿命に転じること、これがナショナリズムの魔術である」（p. 12）◇5。アンダーソンの「想像の共同体」という言葉は、直接的には政治的なスピーチ、間接的にはマスコミを通して、市民の想像力を管理する国家の圧倒的な力を、今日の読者に思い出させてくれる。

議論

ボニー・ノートンが依拠した3人の理論家はそれぞれ、個人を、神から与えられた国家共同体の一員であることを確信し、将来の明確な目標を達成するために道を切り拓いていく「運命の主人」として概念化する危険と闘っていた。3人とも、現実世界は、実際は、混乱し、矛盾していることを示している。個人は強力な制度によって定められたルールに則ったゲームをしているという点で共犯であり（ブルデュー）、彼らのアイデンティティは、自分たちの選択ではなく、社会的な力に従い、他者の言語によって構築されるため一元的ではなく、矛盾したもので（ウィードン）、彼らが属しているコミュニティは自然のものではなく、社会的、政治的な構築物であり、力ある者の利益となっている（アンダーソン）。構築主義者の世界観と戦うことによって、これらのポスト構造主義の思想家は、複雑さと変化、パラドクスに対する気づきと注目から生まれる抵抗の可能性を切り拓いた。

ブルデュー、ウィードン、アンダーソンに刺激を受けたノートンのポスト構造主義者としての思想は、この分野の他の研究者らによってさらに精緻化されてきた（解題を参照）。しかし、現在、それに新たな意味を与えるグローバルな地政学的状況の中で理解されるようになっている。たとえば、「投資」という概念は、パヴレンコとラントルフ（Pavlenko & Lantolf, 2000）が記憶に残る形で考証し、多く引用されている「参加と自己（再）構築」と切り離すことはできない。その一方で、抑制がきかないグローバリゼーションによってもたらされたダメージについての印象的な記述（Heller, 2003, 2010; Kramsch & Boner, 2010）とも切り離すことはできない。同様に、パヴレンコ、ブロック、そして、ノートンとアーリーなどの研究と関連する自己の物語の共有は、ブロマートとホルボローによって明らかにされた地球規模の不正義とイデオロギー的矛盾の物語ともつながっている（Pavlenko, 2001, 2002; Block, 2006; Norton & Early, 2011; Blommaert, 2005; Holborow, 2012）。

また他の例として、オンラインチャットルーム、ブログ、スカイプの技術を使って、学習者が教室外でお互いにコミュニケーションをとったり（Lam, 2006; Malinowski & Kramsch, 2014; Medelson, 2010）、また遠い国々の母語話者と遠隔の協働作業をしたり（Kramsch & Thorne, 2002, Ware & Kramsch, 2005）するなど、ノートンの研究は言語教育者に刺激を与えている。彼女のナラティブアプローチは、デジタルストーリーテリングを使ったリテラシー教育者が、世界中の恵まれない若者の間でコスモポリタンなアイデンティティを育む努力をあと押ししてきた(Hull *et al.*, 2013)。しかし、これらの努力はいまや、観光ディスコースにおける新植民地的効果(Thurlow & Jaworski, 2010)および、言語教科書に知らぬ間に及ぼす影響(Vinall, 2012)に関する批判的な社会言語学の研究と切り離すことはできない。そして、MITの精神分析学者シェリー・タークルの『つながっているのに孤独』(*Alone Together,* Turkle, 2011)に書かれた、インターネットに対するショッキングな批判とも無関係ではありえない。これらのケースすべてにおいて、経済と文化のグローバリゼーションの冷酷な現実は、新たなアイデンティティという夢に暗い影を落としている。

過去10年間の世界的な経済、文化、政治の大変動が私たちの出来事の解釈の仕方に影響を与えたように、英語教育も10年前と比べてみても、さらに相反する視点からみられるようになった。批判的、ポストモダン社会言語学の発展(Block *et al.*, 2012; Blommaert, 2005, 2010; Heller & Duchene, 2011; Thurlow & Jaworski, 2010; Ward, 2011)は、1990年代にノートンによって明らかにされた個々のケースに、より政治的な光を当てるよう促し、ノートンの最近の研究(Norton & Williams, 2012)にも影響を与え続けている。

結論

この10年の間、さまざまな出来事があり、それらの出来事によって『アイデンティティと言語学習』の現在の読者が形成されている。1990年代には、私たちはベルリンの壁崩壊、ソビエト共産主義の終焉、南アフリカのアパルトヘイト撤廃が、まさに、自由、民主主義、機会の平等が約束されたことを告げる世界に生きていた。英語の知識は、その約束の一部をなす新しいアイデンティティの強力な要素であった。しかし、2001年以降、私たちはまた、規制緩和された高速資本主義により、世界的な不平等が加速し、金融市場が大混乱に陥り、商品、地位、権力をめぐる世界的な競争が激化する時代を生きている。そして、英語は新たなグローバルエリートの言語となった。英語は単なるコミュニケーション能力ではなく、多くの人にとって地位の象徴ともなった。

さらに重要なことには、一部の人々にとっては、英語は夢をかなえるための言語ではなく、夢を打ち砕く言語になった。言語がマーケティング業界によって商品化され、話す権利が統計と世論調査の乱用によって矮小化されたとき、言葉は本当の価値を失ってしまう。ポスト構造主義的に（世界を）認識することの政治的な約束は、社会的アイデンティティを「多元的で矛盾した」（Norton Peirce, 1995, p. 15）ものとして、また学習者の目標言語に対する投資を「多元的で矛盾しており流動的である」（Norton, 2000, p. 11）と特徴づけることにより、可能性を切り拓くことであった。しかし、その約束自体が、それを「作った」人々と、もはや複数で矛盾したアイデンティティを望まず、むしろ単一の安定した予測可能なアイデンティティを欲する人々に利益をもたらす、より構造的で管理的なプロセスとして商品化される危険性を孕んでいる。

アイデンティティは第二言語習得研究の重要な研究テーマであり続けるが、『アイデンティティと言語学習』で定義されたアイデンティティ概念は、経済的、文化的、象徴的資本を持つ人々により、構造主義的用語として再定義される危機にさらされている。アイデンティティは投資と想像の問題ではなくなり、再び生得的特権と社会的階級の問題となるかもしれない。だからこそ、南アフリカ育ちのボニー・ノートンの影響力のある研究と、それを体現する革命的な理想を記憶にとどめておくことに意味があるのである。

訳注

◇1　単なる文字列ではなく、リンクなどによって、他の情報と関連づけれらたテキスト。

◇2　現実と仮想が混じり合った状態。

◇3　この引用部分については、白井隆・白井さや訳『定本想像の共同体』（書籍工房早山）を参考にした。

◇4　訳注3に同じ。

◇5　訳注3に同じ。

訳者あとがき

本書の原著(2013年第2版)の第1版は2000年の出版だが、5人の女性のストーリーが初めて世に出たのは1993年のノートン博士の博士論文（Peirce, 1993）に遡る。それから29年が経ち、足掛け5年を費やした日本語版が出ることになった。この本に興味を持って手にとっていただけたことは、私たち訳者にとっては喜ばしい限りだ。ただ、30年近く前の原著をどうして2022年の今、日本語で出版するのだろうか、と疑問に思う読者もいらっしゃるのではないだろうか。

Googleのサービスのなかに学術論文や研究者の検索ツール、Google Scholarがある。ノートン博士を検索して、プロフィールから論文の被引用数をみてみると、2015年以降は毎年2,500件を超え、2000年からの累積件数は33,483件(2022年9月現在）となっている。応用言語学の質的研究においては驚くべき数字だ。第二言語言語学習者のアイデンティティをテーマにする研究者にとって、特に北米では、博士の提唱する学習者のおかれた社会的文脈と学習者の言語学習に対する投資、社会的アイデンティティ、想像の共同体といった構成概念から成る複雑な一連の理論は、必読書となっている。アイデンティティをテーマとして新たな知の構築を試みる研究者は、批判的であれ肯定的であれ、さまざまな視点を交えて博士の理論を参照することになるからだ。

女性たちの語りと日記の精緻な分析を通して語られたストーリーには、どの時代にも通ずる、言語学習者と言語教師に対する普遍的な視座があると考えている。さまざまな宗教的、言語的、文化的、社会経済的背景をもつ言語学習者のストーリーはそれぞれに固有のものである。しかし、どの学習者も社会的な文脈や目標言語話者との権力関係から解放されることはない。どの言語を学んでいても、言語学習者の経験は社会的状況、特に力関係の中に埋め込まれており、それは学習者にとって葛藤の場にほかならない。この視座から、言語を教えている、あるいは、言語を学んでいる方、言語教師を目指している方、外国語や第二言語の学習者を支援する立場の方に、5人の女性たちの力強いストーリーを日本語でお伝えしたいというのが訳者の思いである。

しかし、この普遍的な視座とは対照的に、私たちの暮らしは2019年12月以降のコロナウイルス感染症の世界的な拡大によりまったく異なるものに変わってしまった。著名な死生学研究者であるケスラー(David Kessler)博士は、ソーシャルワーク分野で大きな功績のあるブラウン（Brené Brown）博士との2020年の対談で、世界中の人々が共有しているコロナウィルスとの戦いという経験を、次のように語っている。

> 私たちは皆、自分たちが知っていた世界というものの喪失を共体験している。私たちが慣れ親しんでいた世界は永遠に失われてしまった。
>
> （We are all dealing with the collective loss of the world we knew. The world we knew is now gone forever.）

対面でのコミュニケーションを基本としていたコロナ以前の私たちの世界は消え去ってしまった、と表現したのだ。ウィルスの感染拡大抑制のため、人との物理的な接触が避けられるようになり、対面が基本であった教育がインターネット経由のビデオ会議アプリケーションを介して実施されるようになった。言語はスクリーン越しにバーチャルな空間で学ぶものとなり、現在の言語学習者は、オンライン遠隔授業という未知の要素が複雑に絡み合う状況のなかに埋め込まれている。インターネットにアクセスできない環境では、言語を学習することすら叶わない。目標言語話者、教師、仲間の言語学習者と同じ空間でコミュニケーションをとることができない、という非常に制約的な文脈やバーチャル空間において、言語学習者たちの経験とアイデンティティはどのように構築され、変容し、交渉されているのだろうか。彼らの葛藤の場を知ることは、対面でのコミュニケーションに制約のある言語教育の教室では、教師にとっての最大の関心事である。感染症のパンデミック下の世界において、言語学習者の社会的アイデンティティの構築と変容をテーマとした研究が、近い将来数多く世に出ることが待ち望まれる。

世界的パンデミックによりさまざまな意味での喪失を私たちが共体験して

いる最中、2022年2月24日にロシアのウクライナ侵攻が始まった。世界情勢はさらに不安定化し、7,156,748人のウクライナ避難民が他国に逃れており（UNHCR, 2022年9月7日）、このうち2,017人のウクライナ避難民の方が日本で生活している（出入国在留管理庁、2022b）。日本は審査基準が厳しく、難民認定を受けることがきわめて難しい国である。2021年度の難民認定者は74人、認定外だが人道的配慮による在留認定者数は580人（出入国在留管理庁、2022a）であった。しかし、難民認定数が少ないからといって、日本に居住する外国籍の在留者が少ないわけではない。OECDの外国人移住者統計を引用したAsahi Shimbun Globe+の記事「日本はすでに『移民大国』場当たり的な受け入れ政策はもう限界だ」（2020）によると、3か月以上滞在する予定で来日した外国籍をもつ入国者の数は、2018年に519,683人となっている。この数は、ドイツの1,383,580人、アメリカの1,096,611人、スペインの559,998人に次いで世界第4位であり、本書の舞台である第9位のカナダの321,045人をはるかに超えている。さらに、特別永住者と中長期在留者を合わせると2021年6月末で2,823,565人となり、過去3番目に多い数となっている（出入国在留管理庁、2021）。また、日本国籍をもちながら外国につながる背景――言葉、文化、民族・人種――をもつ人たちも多く暮らしている。同記事のタイトルにある「日本はすでに『移民大国』」という表現は大袈裟ではなく、日本の状況をよく表しているといえるだろう。このことから、日本の文脈でも、エヴァ、マイ、カタリナ、マルティナ、フェリシアのように目標言語話者との間で、「話す権利」を主張することに日々葛藤している多くの言語学習者の存在があることは、容易に想像できる。日本語学習者であれ、その他の言語の学習者であれ、本書の視座は、学習者が埋め込まれた自分の力だけでは抗うことができない社会的状況――たとえばコロナウィルス感染症の世界的流行やロシアのウクライナ侵攻のような――を考慮に入れたうえで、学習者を深く理解する助けになってくれるはずだ。

本書の女性たちは、今、どうしているだろうか。彼女たちのその後に思いを巡らせる。あれから27年を経た今、自分たちのアイデンティティをどのように語ってくれるだろうか。ノートン博士は「アイデンティティを、どのように人が自分と世界との関係を理解しているのか、その関係が時と空間を超えてどう構築されるのか、そして人が未来への可能性をどのように理解しているのかを意味する言葉」（第1章）としている。5人の女性たちのアイデンティティは、それぞれの人生の長い道程のなかで時と空間を超えてつねに変化し続けてきたに違いない。そしてこれからもつねに変容していくのだ。言語学習者が語るストーリーにある変容するアイデンティティこそが、言語学習者の力となり、投資ひいては想像の共同体へとつながっていく。本書をきっかけに、日本の文脈でも、より多くの言語学習者が自分自身の物語を紡げるようになること、そして紡がれたストーリーが言語教師に、そして教室でも共有されていくような実践の裾野が広がっていくことを切に願っている。

訳者一同

参考資料

文化庁（2022）ウクライナからの避難民を受け入れた場合の日本語教育（補助対象事例）https://www.bunka.go.jp/seisaku/kokugo_nihongo/kyoiku/chiikinihongokyoiku/pdf/93700901_01.pdf（2022年9月14日アクセス）

Google Scholar. (n.d.). Professor Bonny Norton, FRSC. https://scholar.google.com/citations?hl=en&user=zs9DD2QAAAAJ（2022年9月14日アクセス）

Kessler, D. & Brown, B. (2020). Grief and finding meaning.https://brenebrown.com/podcast/david-kessler-and-brene-on-grief-and-finding-meaning/（2022年9月14日アクセス）

文部科学省（2022）ウクライナから避難されている方々への支援 https://www.mext.go.jp/ukraine_helpdesk.html（2022年9月14日アクセス）

織田一、藤崎麻里（2020.12.8）日本はすでに「移民大国」場当たり的な移民政策はもう限界だ https://globe.asahi.com/article/13996571（2022年9月14日アクセス）

Norton Peirce, B. (1993) Language Learning, Social Identity, and Immigrant Women. Unpublished PhD dissertation. Ontario Institute for Studies in Education/University of Toronto.

出入国在留管理庁（2022a, 5.3）令和3年における難民認定者数等について https://www.moj.go.jp/isa/publications/press/07_00027.html（2022年9月14日アクセス）

出入国在留管理庁（2022b）ウクライナ避難民に関する情報 https://www.moj.go.jp/isa/publications/materials/01_00234.html（2022年9月14日アクセス）

出入国在留管理庁（2021.10.15）令和3年6月末現在における在留外国人数について https://www.moj.go.jp/isa/publications/press/13_00017.html（2022年9月14日アクセス）

UNHCR (2022). Operational data portal: Ukraine refugee situation. https://data.unhcr.org/en/situations/ukraine#_ga=2.192279081.269822845.1663147682-1348340514.1663147682（2022年9月14日アクセス）

文献案内

本書（Norton, 2013）を読み、言語学習とアイデンティティについてもっと知りたい、考えたいという方のために、最近に書かれたもので、比較的読みやすいと思われる文献を以下にまとめた。これら以外にもたくさんあるかと思うので、あくまでも入口として考え、探究を続けてくれることを願う。

ジム・カミンズ、マルセル・ダネシ（著）、中島和子、高垣俊之（訳）（2021）『新装版 カナダの継承語教育』（明石書店）

カナダの継承語教育の発展について、初版が発行された2005年から現在までの動向も含め、政治、社会、歴史との関連性のなかでまとめられている。継承語教育の推進が直面してきた挑戦とともに、その重要性と可能性を豊富な研究成果や実例を通して示している。継承語教育とともに、本書（Norton, 2013）で描かれたカナダという国やその社会、言語、文化政策に興味がある方に。

川上郁雄（2010）『私も「移動する子ども」だった――異なる言語の間で育った子どもたちのライフストーリー』（くろしお出版）

本書（Norton、2013）の移民女性たちのように、日本語とつながりのある人たちの葛藤や苦しみ、そして、それと向き合い生きてきた経験と記憶がインタビュー形式で語られている。言語とアイデンティティに関する研究が、単に研究で終わるのではなく、ロールモデルの提示など、どのように実際の教育に生かされるべきかを考えるうえで、参考となる1冊。

久保田竜子（2015a）『グローバル化社会と言語教育――クリティカルな視点から』（久保田竜子著作選1）（くろしお出版）
久保田竜子（2015b）『英語教育と文化・人種・ジェンダー』（久保田竜子著作選2）（くろしお出版）

言語教育を取り巻く社会の変化や力関係を、社会的、政治的な視点から考察するとともに、言語教育における「当たり前」に対し批判的視点から疑問を投げかけ続ける著者の論考を集めた書籍。教育実践が単に教室の中での活動や人間関係にとどまらず、教室外の社会、さらにはその社会に存在するさまざまな問題と密接な関係を持ち、影響を与え合っていることを考えるきっかけに。

小林聡子（2021）『トランスナショナルな在米「日本人」高校生のアイデンティティ』（明石書店）

海外で育つ「日本人」生徒をおもな対象とし、多様な場での他者との関係性と時間的な変化のなかで、どのように自分たちを位置付けているのかを、エスノグラフィーを用い、縦断的かつ詳細に描き出している。語られる「声」や表出される「アイデンティティ」をどのようなものとして捉え、どのように解釈していくのか、新たなアイデンティティ研究の方向性を示唆している。

駒井洋（監修）、小林真生（編著）（2020）『変容する移民コミュニティ時間・空間・階層』（明石書店）

日本社会におけるさまざまな移民コミュニティについて、時間、空間、階層という3つの側面を中心に分析、記述されている。1つの移民コミュニティに焦点を当てた各章では、それぞれの移民コミュニティについて広く導入的に、さらに、1冊を通して、過去から現在に至るまで、日本社会には多様な移民コミュニティが常に存在してきたことについて理解を深めることができる。

細川英雄（2012）『言語教育とアイデンティティ―ことばの教育実践とその可能性』（春風社）

アイデンティティと言語教育に関する対話や多様な教育実践をもとに、どのように言語教育の理念を語り、見直し、人間の教育としての言語教育を実現していくことができるのかという問いについて、読者に考えることを促している。日本語教育 / 学習の取り組みが中心ではあるが、文献案内も収録されており、広く言語教育とアイデンティティについて、自分の立ち位置から考える足がかりとなる。

Block, D. (2014). ***Social class and applied linguistics*****. Routledge.**

社会階層（social class）が、その重要性にもかかわらず、言語教育分野において長く十分に議論されてこなかった点を指摘し、社会階層とは何かという理論的議論に始まり、社会言語学、バイリンガリズム / マルチリンガリズム、第二言語習得 / 学習、それぞれの研究分野において、社会階層がどのように扱われてきたのか、膨大な先行研究をもとにまとめられている。言語教育 / 学習と社会階層についての理解をより深めたい方に。

Darvin, R., & Norton, B. (2015). Identity and a model of investment in applied linguistics. ***Annual Review of Applied Linguistics*****, 35, 36-56.**

1995 年にノートン（Norton Peirce, 1995）が言語教育に応用した「投資」という概念について、それ以降に変化してきた言語教育を取り巻く状況、特に移動とテクノロジーによる影響を考慮し、アイデンティティ、イデオロギー、資本（capital）という 3 点から投資についての理論的発展を試みている。本書（Norton, 2013）以降の議論の広がりについて知る入口に。

Kanno, Y. (2008). ***Language and education in Japan: Unequal access to bilingualism*****. Palgrave Macmillan.**

日本国内のタイプが異なる 5 つの学校で批判的エスノグラフィーを用いて調査を行い、それぞれの学校が児童生徒に対して描く、異なる「想像の共同体」が、各学校の方針や習慣などを通して、どのように児童生徒の言語能力の獲得や階層（class）の再生産に影響を及ぼしうるのかを描き出している。エスノグラフィーの方法や分析、まとめ方の参考にもなる 1 冊。

Mielick, M., Kubota, R., & Lawrence, L. (eds). (2023). *Discourses of identity: Language learning, teaching, and reclamation perspectives in Japan*. Palgrave Macmillan.

先住民族を含む日本社会における多様な人々と多様な言語に関連するアイデンティティについての論考をまとめた1冊。アイデンティティを捉える枠組みや視点はそれぞれに異なるが、言語、教育/学習、アイデンティティが、さまざまな社会的影響を受けながら、複雑かつ多様に結びついていることがわかる。アイデンティティと言語の関係性について多角的に理解するための視座を提供してくれている。

Takahashi, K. (2013). *Language learning, gender and desire: Japanese women on the move.* Multilingual Matters.

日本からオーストラリアに留学している女性5名の縦断的な質的研究を通して、英語や西洋、そして西洋人男性への「アコガレ（akogare; desire）」が言語学習への強い動機になっていることや、そのアコガレは英語学校の広告など、メディアが表象するものに大きな影響を受けている可能性を指摘している。言語の習得が、常に就職や進学、昇進や転職といった理由で行われるわけではなく、各学習者のアイデンティティと深く結びつくとともに、そのアイデンティティ構築は社会からさまざまな影響を受けていることを描き出している。

Ushioda, E. (2020). *Language learning motivation: An ethical agenda for research.* Oxford University Press.

おもに心理学的な構成概念として発展してきた「動機（motivation）」研究に関して、従来の研究において用いられてきた方法や研究に対する姿勢を批判的に顧み、社会的、政治的状況との関わりをも含め、動機研究が現実の言語使用やコミュニケーションに関連する課題に立ち向かっていく必要性を論じている。調査研究における社会的公正に対する意識という点で、動機研究を越えた問題提起をしている。

参考文献

■ 本文

Acton, W. and de Felix, J.W. (1986) Acculturation and mind. In J.M. Valdes (ed.) *Culture Bound: Bridging the Culture Gap in Language Teaching*. Cambridge: Cambridge University Press.

Anderson, G. (1989) Critical ethnography in education: Origins, current status, and new directions. *Review of Educational Research* 59 (3), 249–70.

Angelil-Carter, S. (1997) Second language acquisition of spoken and written English: Acquiring the skeptron. *TESOL Quarterly* 31 (2), 263–87.

Anzaldúa, G. (1990) How to tame a wild tongue. In R. Ferguson, M. Gever, T. Minh-ha and C. West (eds) *Out There: Marginalization in Contemporary Cultures* (pp. 203–211). Cambridge, MA: MIT Press.

Auerbach, E.R. (1989) Toward a social–contextual approach to family literacy. *Harvard Educational Review* 59, 165–81.

Auerbach, E.R. (1997) Family literacy. In V. Edwards and D. Corson (eds) Literacy. Vol. 2, *Encyclopedia of Language and Education*. Dordrecht: Kluwer Academic Publishers.

Bailey, K.M. (1980) An introspective analysis of an individual's language learning experience. In R. Scarcella and S. Krashen (eds) *Research in Second Language Acquisition*. Rowley, MA: Newbury House.

Bailey, K.M. (1983) Competitiveness and anxiety in adult second language learning: Looking at and through the diary studies. In H.D. Seliger and M.H. Long (eds) *Classroom Oriented Research in Second Language Acquisition*. Rowley, MA: Newbury House.

Bakhtin, M. (1981) *The Dialogic Imagination*. Austin: University of Texas Press.

Barton, D. and Hamilton, M. (1998) *Local Literacies: Reading and Writing in One Community*. London: Routledge.

Bell, J. (1991) *Becoming Aware of Literacy.* Unpublished PhD thesis, University of Toronto, Canada.

Benesch, S. (1996) Needs analysis and curriculum development in EAP: An example of a critical approach. *TESOL Quarterly* 30, 723–38.

Beretta, A. and Crookes, G. (1993) Cognitive and social determinants of discovery in SLA. *Applied Linguistics* 14: 250–75.

Bourdieu, P. (1977) The economics of linguistic exchanges. *Social Science Information* 16 (6), 645–68.

Bourdieu, P. and Passeron, J. (1977) *Reproduction in Education, Society, and Culture.* London/Beverly Hills, CA: Sage Publications.

Bourne, J. (1988) 'Natural acquisition' and a 'masked pedagogy'. *Applied Linguistics* 9 (1), 83–99.

Boyd, M. (1992) Immigrant women: Language, socio–economic inequalities, and policy issues. In B. Burnaby and A. Cumming (eds) *Socio–Political Aspects of ESL in Canada.* Toronto: Ontario Institute for Studies in Education.

Breen, M. and Candlin, C. (1980) The essentials of a communicative curriculum in language teaching. *Applied Linguistics* 1 (2), 89–112.

Bremer, K., Broeder, P., Roberts, C., Simonot, M. and Vasseur, M.-T. (1993) Ways of achieving understanding. In C. Perdue (ed.) *Adult Language Acquisition: Cross-Linguistic Perspectives, vol. II: The Results* (pp. 153–195). Cambridge: Cambridge University Press.

Bremer, K., Roberts, C., Vasseur, M.-T., Simonot, M. and Broeder, P. (1996) *Achieving Understanding: Discourse in Intercultural Encounters*. London: Longman.

Briskin, L. and Coulter, R. C. (1992) Feminist pedagogy: Challenging the normative. *Canadian Journal of Education* 17 (3), 247–63.

Britzman, D. (October 1990) Could this be your story? Guilty readings and other ethnographic dramas. Paper presented at the Bergamo Conference, Dayton, Ohio.

Brodkey, L. (1987) Writing critical ethnographic narratives. *Anthropology and Education Quarterly* 18, 67–76.

Brown, C. (1984) Two Windows on the classroom world: Diary studies and participant observation differences. In P. Larson, E. Judd, and D. Messerschmitt (eds) *On TESOL'84*. Washington, DC: TESOL.

Brown, H.D. (1994) *Principles of Language Learning and Teaching*. Englewood Cliffs, NJ: Prentice Hall.

Burnaby, B. (1997) Second language teaching approaches for adults. In G.R. Tucker and D. Corson (eds) Second Language Education. Vol. 4, *Encyclopedia of Language and Education*. Dordrecht: Kluwer Academic Publishers.

Burnaby, B., Harper, H. and Norton Peirce, B. (1992) English in the workplace: An employer's concerns. In B. Burnaby and A. Cumming (eds) *Socio-Political Aspects of ESL Education in Canada*. Toronto: OISE Press.

Burnaby, B. and Sun, Y. (1989) Chinese teachers' views of western language teaching: Context informs paradigms. *TESOL Quarterly* 23 (2), 219–36.

Butler, J. and Scott, J.W. (eds) (1992) *Feminists Theorize the Political*. New York: Routledge.

Cameron, D., Frazer, E., Harvey, P., Rampton, B. and Richardson, K. (1992) *Researching Language: Issues of Power and Method*. London: Routledge.

Canagarajah, A.S. (1993) Critical ethnography of a Sri Lankan classroom: Ambiguities in student opposition to reproduction through ESOL. *TESOL Quarterly* 27 (4), 601–26.

Canale, M. and Swain, M. (1980) Theoretical bases of communicative approaches to second language teaching and testing. *Applied Linguistics* 1, 1–47.

Canale, M. (1983) On some dimensions of language proficiency. In J. Oller (ed.) *Issues in Language Testing Research*. Rowley, MA: Newbury House.

Candlin, C. (1989) Language, culture, and curriculum. In C. Candlin and T.F. McNamara (eds) *Language, Learning and Community* (pp. 1–24). Sydney: National Centre for English Language Teaching and Research.

Cazden, C., Cancino, H., Rosansky, E. and Schumann, J. (1975) *Second Language Acquisition Sequences in Children, Adolescents, and Adults*. Research report, Cambridge, MA.

Cherryholmes, C. (1988) *Power and Criticism: Poststructuralist Investigations in Education*. New York: Teachers College Press.

Clark, R. and Ivanic, R. (1997) *The Politics of Writing*. London: Routledge.

Clarke, M. (1976) Second language acquisition as a clash of consciousness. *Language Learning* 26, 377–90.

Clyne, M. (1991) *Community Languages: The Australian Experience*. Cambridge: Cambridge University Press.

Connell, R.W., Ashendon, D.J., Kessler, S. and Dowsett, G.W. (1982) *Making the Difference. Schools, Families, and Social Division*. Sydney: George Allen & Unwin.

Cooke, D. (1986) Learning the language of your students. *TESL Talk* 16 (1), 5–13.

Corson, D. (1993) *Language, minority education and gender*. Cleveland: Multilingual Matters.

Crookes, G. and Schmidt, R. (1991) Motivation: Reopening the Research Agenda. *Language Learning* 41 (4), 469–512.

Cumming, A. and Gill, J. (1991) Learning ESL Literacy among Indo-Canadian women. *Language, Culture, and Curriculum* 4 (3), 181–98.

Cumming, A. and Gill, J. (1992) Motivation or accessibility? Factors permitting Indo-Canadian women to pursue ESL literacy instruction. In B. Burnaby and A. Cumming (eds) *Socio-Political Aspects of ESL Education in Canada*. Toronto: OISE Press.

Cummins, J. (1996) *Negotiating Identities: Education for Empowerment in a Diverse Society*. Ontario, CA: California Association for Bilingual Education.

Cummins, J. and Corson, D. (eds) (1997) Bilingual Education. Vol. 5, *Encyclopedia of Language and Education*. Dordrecht: Kluwer Academic Publishers.

Dörnyei, Z. (1994) Motivation and motivating in the foreign language classroom. *Modern Language Journal* 78 (3), 273–84.

Dörnyei, Z. (1997) Psychological processes in cooperative language learning: group dynamics and motivation. *Modern Language Journal* 81 (4), 482–93.

Duff, P. and Uchida, Y. (1997) The negotiation of teachers' sociocultural identities and practices in postsecondary EFL classrooms. *TESOL Quarterly* 31 (3), 451–86.

Edge, J. and Norton, B. (1999) Culture, power, and possibility in teacher education. Paper presented at the annual TESOL convention, New York, NY, March 1999.

Edwards, D. and Potter, J. (1992) *Discursive Psychology*. Newbury Park, CA: Sage.

Ellis, R. (1985) *Understanding Second Language Acquisition*. London: Oxford University Press.

Ellis, R. (1997) *Second Language Acquisition*. Oxford: Oxford University Press.

Fairclough, N. (1992) *Discourse and Social Change*. Cambridge: Polity Press.

Faltis, C. (1997) Case study methods in researching language and education. In N. Hornberger and D. Corson (eds) Research Methods in Language and Education. Vol. 8, *Encyclopedia of Language and Education*. Dordrecht: Kluwer Academic Publishers.

Foucault, M. (1980) *Power/Knowledge: Selected Interviews and Other Writings 1972-1977*, C. Gordon (trans.). New York: Pantheon Books.

Freedman, R. (1997) Researching gender in language use. In N. Hornberger and D. Corson (eds) Research Methods in Language and Education. Vol. 8, *Encyclopedia of Language and Education* (pp. 47–56). Dordrecht: Kluwer Academic Publishers.

Freire, P. (1970) *Pedagogy of the Oppressed*. New York: Seabury Press.

Freire, P. (1985) *The Politics of Education*. South Hadley, MA: Bergin-Garvey.

Gardiner, M. (1987) Liberating language: People's English for the future. In *People's Education: A Collection of Articles* (pp. 56–62). Bellville, South Africa: University of the Western Cape, Centre for Adult and Continuing Education.

Gardner, R.C. (1985) *Social Psychology and Second Language Learning. The Role of Attitudes and Motivation*. London: Edward Arnold.

Gardner, R.C. (1989) Attitudes and Motivation. *Annual Review of Applied Linguistics* 1988 (9), 135–48.

Gardner, R.C. and Lambert, W. E. (1972) *Attitudes and Motivation in Second Language Learning*. Rowley, MA: Newbury House.

Gardner, R.C. and MacIntyre, P. D. (1992) A student's contributions to second-language learning. Part I:

Cognitive Variables. *Language Teaching* 25 (4), 211–20.

Gardner, R.C. and MacIntyre, P. D. (1993) A student's contributions to second-language learning. Part II: Affective Variables. *Language Teaching* 26 (1), 1–11.

Gee, J.P. (1990) *Social Linguistics and Literacies: Ideology in Discourses.* Basingstoke: Falmer Press.

Giles, H. and Coupland, N. (1991) *Language: Contexts and Consequences.* Buckingham, England: Open University Press.

Giroux, H.A. (1988) *Schooling and the Struggle for Public Life: Critical Pedagogy in the Modern Age.* Minneapolis: University of Minnesota Press.

Giroux, H. (1992) *Border Crossings: Cultural Workers and the Politics of Education.* New York: Routledge.

Goldstein, T. (1996) *Two Languages at Work: Bilingual Life on the Production Floor.* Berlin and New York: Mouton de Gruyter.

Goldstein, T. (1997) Language research methods and critical pedagogy. In N. Hornberger and D. Corson (eds) (1997) Research Methods in Language and Education. Vol. 8, *Encyclopedia of Language and Education.* Dordrecht: Kluwer Academic Publishers.

Gregg, K. (1993) Taking explanation seriously; or let a couple of flowers bloom. *Applied Linguistics* 14, 276–93.

Hall, J.K. (1993) The Role of Oral Practices in the Accomplishment of Our Everyday Lives: The Sociocultural Dimension of Interaction with Implications for the Learning of Another Language. *Applied Linguistics* 14 (2), 145–166.

Hall, J.K. (1995) (Re)creating our worlds with words: A sociohistorical perspective of face-to-face interaction. *Applied Linguistics* 16 (2), 206–232.

Hall, J.K. (1997) A Consideration of SLA as a Theory of Practice: A Response to Firth and Wagner. *Modern Language Journal* 81 (3), 301–306.

Hansen, J.G. and Liu, J. (1997) Social identity and language: Theoretical and methodological issues. *TESOL Quarterly* 31 (3), 567–576.

Harper, H., Norton Peirce, B. and Burnaby, B. (1996) English-in-the-workplace for garment workers: A feminist project? *Gender and Education* 8 (1), 5–19.

Haug, F. (ed.) (1987) *Female Sexualization: a Collective Work of Memory*, Erica Carter (trans.). London: Verso.

Heath, S.B. (1983) *Ways with Words: Language, Life, and Work in Communities and Classrooms.* Cambridge: Cambridge University Press.

Heller, M. (1987) The role of language in the formation of ethnic identity. In J. Phinney and M. Rotheram (eds) *Children's Ethnic Socialization* (pp. 180–200). Newbury Park, CA: Sage.

Heller, M. (1992) The politics of codeswitching and language choice. *Journal of Multilingual and Multicultural Development* 13 (1 & 2), 123–142.

Heller, M. (1999) *Linguistic Minorities and Modernity: A Sociolinguistic Ethnography.* London: Longman.

Heller, M. and Barker, G. (1988) Conversational strategies and contexts for talk: Learning activities for Franco-Ontarian minority schools. *Anthropology and Education Quarterly* 19 (1), 20–46.

Henriques, J., Hollway, W., Urwin, C., Venn, C. and Walkerdine, V. (1984) *Changing the Subject: Psychology, Social Regulation, and Subjectivity.* London and New York: Methuen.

Hooks, b. (1990) Talking Back. In R. Ferguson, M. Gever, T. Minh-ha and C. West (eds) *Out There: Marginalization in Contemporary Cultures.* Cambridge, Mass, MA: MIT Press.

Hornberger, N. and Corson, D. (eds) (1997) Research Methods in Language and Education. Vol. 8, *Encyclopedia of Language and Education.* Dordrecht: Kluwer Academic Publishers.

Hymes, D. (1979) On communicative competence. In C.J. Brumfit and K. Johnson (eds) *The Communicative*

Approach to Language Teaching (pp. 5–26). Oxford: Oxford University Press.

Janks, H. (1997) Teaching language and power. In R. Wodak and D. Corson (eds) Language Policy and Political Issues in Education. Vol. 8, *Encyclopedia of Language and Education* (pp. 241–252). Dordrecht: Kluwer Academic Publishers.

Johnson, D. (1992) *Approaches to Research in Second Language Learning*. New York: Longman.

Kalantzis, M., Cope, B. and Slade, D. (1989) *Minority Languages and Dominant Culture: Issues of Education, Assessment and Social Equity*. London: Falmer.

Kanno, Y. (1996) *There's no Place Like Home: Japanese Returnees' Identities in Transition*. Unpublished doctoral dissertation, University of Toronto, Canada.

Klein, W. (1986) *Second Language Acquisition*. Cambridge: Cambridge University Press.

Kramsch, C. (1993) *Context and Culture in Language Teaching*. Oxford: Oxford University Press.

Krashen, S. (1981) *Second Language Acquisition and Second Language Learning*. Oxford: Pergamon.

Krashen, S. (1982) *Principles and Practice in Second Language Acquisition*. Oxford: Pergamon.

Kress, G. (1989) *Linguistic Processes in Sociocultural Practice*. Oxford: Oxford University Press.

Kubota, R. (1999) Japanese culture constructed by discourses: Implications for applied linguistics research and ELT. *TESOL Quarterly* 33 (1), 9–35.

Lakoff, R. (1975) *Language and Woman's Place*. New York: Harper and Row.

Lambert, W.E. (1975) Culture and language as factors in learning and education. In A. Wolfgang (ed.) *Education of Immigrant Students*. Toronto: Ontario Institute for Studies in Education.

Lantolf, J. (1996) SLA Theory Building: 'Letting All the Flowers Bloom!' *Language Learning* 46 (4), 713–749.

Larsen-Freeman, D. and Long, M. (1991) *An Introduction to Second Language Acquisition Research*. New York: Longman.

Lave, J. and Wenger, E. (1991) *Situated Learning: Legitimate Peripheral Participation*. New York: Cambridge University Press.

Legutke, M., and Thomas, H. (1991) *Process and Experience in the Language Classroom*. London: Longman.

Lemke, J. (1995) *Textual Politics: Discourse and Social Dynamics*. Bristol, PA: Taylor & Francis.

Leung, C., Harris, R. and Rampton, B. (1997) The idealised native speaker, reified ethnicities and classroom realities. *TESOL Quarterly* 31 (3), 543–60.

Lewis, M. and Simon, R. (1986) A discourse not intended for her: Learning and teaching within patriarchy. *Harvard Educational Review* 56 (4), 457–72.

Lin, A. (1996) Bilingualism or linguistic segregation? Symbolic domination, resistance and code-switching in Hong Kong schools. *Linguistics and Education* 8 (1), 49–84.

Long, M. (1993) Assessment strategies for second language acquisition theories. *Applied Linguistics* 14, 225–49.

Lorde, A. (1990) Age, race, class, and sex: Women redefining difference. In R. Ferguson, M. Gever, T. Minh-ha and C. West (eds) *Out There: Marginalization in Contemporary Cultures* (pp. 281–287). Cambridge, MA: MIT Press.

Luke, A. (1988) *Literacy, Textbooks and Ideology*. Basingstoke: Falmer Press.

Luke, A. (2002) Producing new Asian masculinities. In C. Barron, N. Bruce & D. Nunan (eds), *Knowledge and Discourse: Towards an Ecology of Language*. Harlow, UK: Longman Pearson Education, 78–92.

Luke, C. and Gore, J. (eds) (1992) *Feminisms and Critical Pedagogy*. New York: Routledge.

McKay, S.L. and Wong, S.C. (1996) Multiple discourses, multiple identities: Investment and agency in second language learning among Chinese adolescent immigrant students. *Harvard Educational Review* 3, 577–608.

McNamara, T. (1997) What do we mean by social identity? Competing frameworks, competing discourses.

TESOL Quarterly 31 (3), 561–566.

Martin-Jones, M. and Heller, M. (1996) Introduction to the special issues on Education in multilingual settings: Discourse, identities, and power. *Linguistics and Education* 8, 3–16.

Martin-Jones, M. (1997) Bilingual classroom discourse: Changing research approaches and diversification of research sites. In N. Hornberger and D. Corson (eds) (1997) Research Methods in Language and Education. Vol. 8, *Encyclopedia of Language and Education*. Dordrecht: Kluwer Academic Publishers.

May, S. (1997) Critical ethnography. In N. Hornberger and D. Corson (eds) (1997) Research Methods in Language and Education. Vol. 8, *Encyclopedia of Language and Education*. Dordrecht: Kluwer Academic Publishers.

Miller, J. (1999) *Speaking English and Social Identity: Migrant Students in Queensland High Schools*. Unpublished doctoral dissertation, University of Queensland, Australia.

Mitchell, C. and Weiler, K. (1991) *Rewriting Literacy: Culture and the Discourse of the Other*. Toronto: OISE Press.

Morgan, B. (1997) Identity and intonation: Linking dynamic processes in the ESL classroom. *TESOL Quarterly* 31 (3), 431–450.

Morgan, B. (1998) *The ESL Classroom: Teaching, Critical Practice, and Community Development*. Toronto: University of Toronto Press.

Morris, M. and Patton, P. (eds) (1979) *Michel Foucault: Power, Truth, Strategy*. Sydney: Feral Publications.

Naiman, N., Frohlich, M., Stern, H.H. and Todesco, A. (1978) *The Good Language Learner*. A Research in Education Series No. 7. Toronto: The Ontario Institute for Studies in Education.

Ndebele, N. (1987) The English language and social change in South Africa. *The English Academy Review* 4, 1–16.

New London Group (1996) A pedagogy of multiliteracies: Designing social futures. *Harvard Educational Review* 66, 60–92.

Ng, R. (1981) Constituting ethnic phenomenon: An account from the perspective of immigrant women. *Canadian Ethnic Studies* 13, 97–108.

Ng, R. (1987) Immigrant women in Canada: A socially constructed category. *Resources for Feminist Research/ Documentation sur la Recherche Féministe* 16, 13–15.

Norton Peirce, B. (1989) Toward a pedagogy of possibility in the teaching of English internationally: People's English in South Africa. *TESOL Quarterly* 23 (3), 401–20.

Norton Peirce, B. (1993) *Language Learning, Social Identity, and Immigrant Women*. Unpublished PhD dissertation. Ontario Institute for Studies in Education/University of Toronto.

Norton Peirce, B. (1995) Social identity, investment, and language learning. *TESOL Quarterly* 29 (1), 9–31.

Norton, B. (1997a) Language, identity, and the ownership of English. *TESOL Quarterly*.

Norton, B. (1997b) Critical discourse research. In N. Hornberger and D. Corson (eds) Research Methods in Language and Education. Vol. 8, *Encyclopedia of Language and Education*. Dordrecht: Kluwer Academic Publishers.

Norton, B. (2001) Non-participation, imagined communities, and the language classroom. In M. Breen (ed.) *Learner Contributions to Language Learning: New directions in research*. Harlow, UK: Longman Pearson Education, 159 –171.

Norton Peirce, B., Harper, H. and Burnaby, B. (1993) Workplace ESL at Levi Strauss: 'Dropouts' speak out. *TESOL Canada Journal* 10 (2), 9–30.

Norton Peirce, B. and Stein, P. (1995) Why the 'monkeys passage' bombed: Tests, genres, and teaching. *Harvard Educational Review* 65 (1), 50–65.

Norton Peirce, B., Swain, M. and Hart, D. (1993) Self-assessment, French immersion, and locus of control.

Applied Linguistics 14 (1), 25–42.

Norton, B. and Toohey, K. (1999) Reconceptualizing 'the good language learner': SLA at the turn of the century. Paper presented at the annual conference of the American Association of Applied Linguistics, Stamford, Connecticut, USA.

Ochs, E. (1992) Indexing gender. In A. Duranti and C. Goodwin (eds) *Rethinking Context* (pp. 335–358). Cambridge: Cambridge University Press.

Oxford, R. and Shearin, J. (1994) Language Learning Motivation: Expanding the Theoretical Framework. *Modern Language Journal* 78 (1), 12–28.

Pennycook, A. (1989) The concept of method, interested knowledge, and the politics of language teaching. *TESOL Quarterly* 23 (4), 589–618.

Pennycook, A. (1994) *The Cultural Politics of English as an International Language*. London: Longman.

Pennycook, A. (1998) *English and the Discourses of Colonialism*. London: Routledge.

Perdue, C. (ed.) (1984) *Second Language Acquisition by Adult Immigrants*. Rowley, MA: Newbury House.

Perdue, C. (ed.) (1993a) *Adult Language Acquisition: Cross-Linguistic Perspectives. Vol. I, Field Methods*. Cambridge: Cambridge University Press.

Perdue, C. (ed.) (1993b) *Adult Language Acquisition: Cross-Linguistic Perspectives. Vol. II, The Results*. Cambridge: Cambridge University Press.

Peyton, J.K. and Reed, L. (1990) *Dialogue Journal Writing with Nonnative English Speakers: A Handbook for Teachers*. Alexandria, VA: TESOL.

Rampton, B. (1995) *Crossing: Language and Ethnicity Among Adolescents*. London: Longman.

Rist, R. (1980) Blitzkrieg ethnography: On the transformation of a method into a movement. *Educational Researcher* 9 (2), 8–10.

Roberts, C., Davies, E. and Jupp, T. (1992) *Language and Discrimination: A Study of Communication in Multi-ethnic Workplaces*. London: Longman.

Rockhill, K. (1987a) Literacy as threat/desire: Longing to be SOMEBODY. In J. Gaskill and A. McLaren (eds) *Women and Education: A Canadian Perspective* (pp. 315–331). Calgary, Alberta: Detselig Enterprises Ltd.

Rockhill, K. (1987b) Gender, language and the politics of literacy. *British Journal of Sociology of Education* 18 (2), 153–67.

Rossiter, A.B. (1986) *From Private to Public: A Feminist Exploration of Early Mothering*. Toronto: Women's Press.

Rubin, J. (1975) What the 'good language learner' can teach us. *TESOL Quarterly* 9, 41–51.

Sarangi, S. and Baynham, M. (1996) Discursive construction of educational identities: affirmative readings. *Language and Education* 10 (2 & 3), 77–81.

Saussure, F. de. (1966) *Course in General Linguistics*. W. Baskin (trans.). New York: McGraw-Hill.

Savignon, S. (1991) Communicative language teaching: State of the art. *TESOL Quarterly* 25 (2), 261–78.

Schecter, S. and Bayley, R. (1997) Language socialization practices and cultural identity: Case studies of Mexican descent families in California and Texas. *TESOL Quarterly* 31 (3), 513–42.

Schenke, A. (1991) The 'will to reciprocity' and the work of memory: Fictioning speaking out of silence in ESL and feminist pedagogy. *Resources for Feminist Research/Documentation sur la Recherche Féministe* 20 (3/4), 47–55.

Schenke, A. (1996) Not just a 'social issue': teaching feminist in ESL. *TESOL Quarterly* 30 (1), 155–9.

Schumann, F. (1980) Diary of a language learner: a further analysis. In R. Scarcella and S. Krashen (eds) *Research in Second Language Acquisition*. Rowley, MA: Newbury House.

Schumann, J. (1976a) Social distance as a factor in second language acquisition. *Language Learning* 26 (1), 135–

143.

Schumann, J. (1976b) Second language acquisition: The pidginization hypothesis. *Language Learning* 26 (2), 391–408.

Schumann, J. (1978a) *The Pidginization Process: A Model for Second Language Acquisition*. Rowley, MA: Newbury House.

Schumann, J. (1978b) The acculturation model for second-language acquisition. In R.C. Gringas (ed.) *Second Language Acquisition and Foreign Language Teaching*. Washington, DC: Center for Applied Linguistics.

Schumann, J. (1986) Research on the acculturation model for second language acquisition. *Journal of Multilingual and Multicultural Development* 7 (5), 379–392.

Schumann, J. (1993) Some problems with falsification: An illustration from SLA research. *Applied Linguistics* 14, 295–306.

Schumann, J. H. and Schumann, F. (1977) Diary of a language learner: An introspective study of second language learning. In H.D. Brown, C. Yorio, and R. Crymes (eds) *On TESOL '77: Teaching and Learning English as a Second Language: Trends and Practice*. Washington, DC: TESOL.

Scovel, T. (1978) The effect of affect on foreign language learning: A review of the anxiety research. *Language Learning* 28, 129–142.

Simon, R. (1987) Empowerment as a pedagogy of possibility. *Language Arts* 64, 370–83.

Simon, R. (1992) *Teaching Against the Grain: Texts for a Pedagogy of Possibility*. New York: Bergin & Garvey.

Simon, R. I. and Dippo, D. (1986) On critical ethnographic work. *Anthropology and Education Quarterly* 17, 198–201.

Simon, R. I., Dippo, D. and Schenke, A. (1991) *Learning Work: a Critical Pedagogy of Work Education*. Toronto: OISE Press.

Smith, D. E. (1987a) *The Everyday World as Problematic: A Feminist Sociology*. Boston, MA: Northeastern University Press.

Smith, D. E. (1987b) Institutional Ethnography: A Feminist Method. *Resources for Feminist Research/ Documentation sur la Recherche Féministe* 15, 6–13.

Smith, D. E. (1987c) An analysis of ideological structures and how women are excluded. In J.S. Gaskell and A.T. McLaren (eds) *Women and Education: A Canadian Perspective*. Calgary, Alberta: Detselig Enterprises Ltd.

Smoke, T. (ed.) (1998) *Adult ESL: Politics, Pedagogy, and Participation in Classroom and Community Programs*. Mahwah, NJ: Lawrence Erlbaum Associates.

Solsken, J. (1993) *Literacy, Gender, and Work: in Families and in School*. Norwood, NJ: Ablex Pub. Co.

Spender, D. (1980) *Man Made Language*. London: Routledge & Kegan Paul.

Spolsky, B. (1989) *Conditions for Second Language Learning*. Oxford: Oxford University Press.

Stein, P. (1998) Reconfiguring the past and the present: Performing literacy histories in a Johannesburg classroom. *TESOL Quarterly* 32 (3), 517–528.

Stern, H.H. (1983) *Fundamental Concepts of Language Teaching*. Oxford: Oxford University Press.

Tajfel, H. (ed.) (1982) *Social Identity and Intergroup Relations*. New York: Cambridge University Press.

Tannen, D. (1990) *You Just Don't Understand: Men and Women in Conversation*. New York: William Morrow.

Terdiman, R. (1985) *Discourse/Counter-Discourse: The Theory and Practice of Symbolic Resistance in Nineteenth-century France*. Ithaca: Cornell University Press.

Ternar, Y. (1990) Ajax là-bas. In L. Hutcheon and M. Richmond (eds) *Other Solitudes: Canadian Multicultural Fictions*. Toronto: Oxford University Press.

Thesen, L. (1997) Voices, discourse, and transition: In search of new categories in EAP. *TESOL Quarterly* 31 (3),

487–512.

Toohey, K. (1996) Learning English as a second language in kindergarten: A community of practice perspective. *Canadian Modern Language Review* 52 (4), 549–576.

Toohey, K. (1998) 'Breaking them up, taking them away': ESL students in Grade 1. *TESOL Quarterly* 32 (1), 61–84.

Toohey, K. (2000) *Learning English in Schools: Identity, Social Relations, and Classroom Practice*. Clevedon: Multilingual Matters.

Tucker, R. and Corson, D. (1997) Second Language Education. Vol. 2, *Encyclopedia of Language and Education*. Dordrecht: Kluwer Academic Publishers.

van Daele, C. (1990) *Making Words Count: The Experience and Meaning of the Diary in Women's Lives*. Unpublished Doctor of Education thesis. University of Toronto, Canada.

van Lier, L. (1994) Forks and hope: pursuing understanding in different ways. *Applied Linguistics* 15 (3), 328–46.

Wallerstein, N. (1983) *Language and Culture in Conflict: Problem-Posing in the ESL Classroom*. Reading, MA: Addison-Wesley.

Walsh, C.A. (1987) Language, meaning, and voice: Puerto Rican students' struggle for a speaking consciousness, *Language Arts* 64, 196–206.

Walsh, C.A. (1991) *Pedagogy and the Struggle for Voice: Issues of Language, Power, and Schooling for Puerto Ricans*. Toronto: OISE Press.

Watson Gegeo, K. (1988) Ethnography in ESL: defining the essentials. *TESOL Quarterly* 22 (4), 575–592.

Weedon, C. (1997) *Feminist Practice and Poststructuralist Theory*. Second Edition. London: Blackwell.

Weiler, K. (1988) *Women Teaching for Change: Gender, Class, and Power*. New York: Bergin & Garvey Publishers.

Weiler, K. (1991) Freire and a feminist pedagogy of difference. *Harvard Education Review* 61 (4), 449–474.

Wenger, E. (1998) *Communities of Practice: Learning, Meaning, and Identity*. Cambridge: Cambridge University Press.

West, C. (1992) A matter of life and death. *October* 61 (summer), 20–23.

Willis, P.E. (1977) *Learning to Labour: How Working Class Kids Get Working Class Jobs*. Farnborough: Saxon House.

Wodak, R. (1996) *Disorders of Discourse*. London and New York: Longman.

Wolcott, H.F. (1994) *Transforming Qualitative Data: Description, Analysis, and Interpretation*. Thousand Oaks, CA: Sage.

Wong Fillmore, L. (1991) When learning a second language means losing the first. *Early Childhood Research Quarterly* 6, 323–346.

Yee, M. (1993) Finding the way home through issues of gender, race and class. In H. Bannerji (ed.) *Returning the Gaze: Essays on Racism, Feminism and Politics* (pp. 3–44). Toronto: Sister Vision Press.

Yu, L. (1990) The comprehensible output hypothesis and self-directed learning: A learner's perspective. *TESL Canada Journal* 8 (1), 9–26.

Zamel, V. (1987) Recent research on writing pedagogy. *TESOL Quarterly* 21 (4), 697–715.

■ 解題

Abdi, K. (2011). 'She really only speaks English': Positioning, language ideology, and heritage language learners. *The Canadian Modern Language Review* 67.2, 161–189.

Albright, J. & Luke, A. (2007). *Pierre Bourdieu and Literacy Education*. Mahwah, NJ: Lawrence Erlbaum.

Alim, S., Makoni, S. & Pennycook, A. (2008). *Global Linguistic Flows: Hip Hop Cultures, Youth Identities, and the*

Politics of Language. New York, NY: Routledge.

Amin, N. (1997). Race and the identity of the nonnative ESL teacher. *TESOL Quarterly* 31, 580–583.

Andema, S. (2009). *Digital Literacy and Teacher Education in East Africa: The Case of Bondo Primary Teachers' College, Uganda.* Unpublished MA thesis, University of British Columbia.

Anderson, B. (1991). *Imagined Communities: Reflections on the Origin and Spread of Nationalism* (rev. edn.). New York: Verso.（白石隆、白石さや訳『増補・想像の共同体――ナショナリズムの起源と流行』NTT 出版）

Anya, O. C. (2011). *Investments in communities of learners and speakers: How African American students of Portuguese negotiate ethno-racialized, gendered, and socialclassed identities in second language learning.* Unpublished PhD thesis, University of California, Los Angeles.

Arkoudis, S. & Davison, C. (guest eds) (2008). Chinese students: Perspectives on their social, cognitive, and linguistic investment in English medium interaction. *Journal of Asian Pacific Communication* 18.1 (special issue).

Atkinson, D. (ed.) (2011). *Alternative Approaches to Second Language Acquisition.* London and New York: Routledge.

Bakhtin, M. (1981). *The Dialogic Imagination: Four Essays by M. M. Bakhtin.* Austin: University of Texas Press.

Bakhtin, M. (1984). *Problems of Dostoevsky's Poetics* (C. Emerson, trans.). Minneapolis: University of Minnesota Press. (Original work published 1963.)

Baldry, A. & Thibault, P. (2006). *Multimodal Transcription and Text Analysis.* London: Equinox.

Barkhuizen, G. (2008). A narrative approach to exploring context in language teaching. *English Language Teaching Journal* 62.3, 231–239.

Barton, D. (2007). *Literacy: An Introduction to the Ecology of Written Language* (2nd edn.). Oxford, UK: Blackwell.

Bearse, C. & de Jong, E. J. (2008). Cultural and linguistic investment: Adolescents in a secondary two-way immersion program. *Equity and Excellence in Education* 41.3, 325–340.

Bhabha, H. K. (1994). *The Location of Culture.* London and New York: Routledge.

Blackledge, A. (2003). Imagining a monocultural community: Racialization of cultural practice in educational discourse. *Journal of Language, Identity and Education* 2.4, 331–347.

Blackledge, A. & Creese, A. (2008). Contesting 'language' as 'heritage': Negotiation of identities in later modernity. *Applied Linguistics* 29.4, 533–554.

Blackledge, A. & Creese, A. (2010). *Multilingualism: A Critical Perspective.* London and New York: Continuum.

Block, D. (2003). *The Social Turn in Second Language Acquisition.* Edinburgh: Edinburgh University Press.

Block, D. (2006). *Multilingual Identities in a Global City: London stories.* London: Palgrave.

Block, D. (2007a). The rise of identity in SLA research, post Firth and Wagner (1997). *Modern Language Journal* 91.5, 863–876.

Block, D. (2007b). *Second Language Identities.* London: Continuum.

Block, D. (2010). Researching language and identity. In B. Paltridge & A. Phakti (eds), *Continuum Companion to Research Methods in Applied Linguistics.* London: Continuum, 337–347.

Block, D. (2012). Class and SLA: Making connections. *Language Teaching Research* 16.2, 188–205.

Block, D. & Cameron, D. (eds) (2002). *Globalization and Language Teaching.* New York: Routledge.

Block, D., Gray, J. & Holborow, M. (eds) (2012). *Neoliberalism and Applied Linguistics.* New York: Routledge.

Blommaert, J. (2008). *Grassroots Literacy: Writing, Identity, and Voice in Central Africa.* London and New York: Routledge.

Blommaert, J. (2010). *The Sociolinguistics of Globalization.* Cambridge and New York: Cambridge University Press.

Bourdieu, P. (1977). The economics of linguistic exchanges. *Social Science Information* 16.6, 645–668.

Bourdieu, P. (1984). *Distinction: A Social Critique of the Judgment of Taste* (R. Nice, trans.). London: Routledge & Kegan Paul.（石井洋二郎訳『ディスタンクシオン――社会的判断力批判Ⅰ』藤原書店、1990a 年、石井洋二郎訳『ディスタンクシオン――社会的判断力批判Ⅱ』藤原書店、1990b 年）

Bourdieu, P. (1991). *Language and Symbolic Power* (J. B. Thompson, ed.; G. Raymond & M. Adamson, trans.). Cambridge, UK: Polity Press. (Original work published in 1982.)

Bourdieu, P. & Passeron, J. (1977). *Reproduction in Education, Society, and Culture.* London/Beverly Hills, CA: Sage Publications.

Bucholtz, M. & Hall, K. (2005). Identity and interaction: A sociocultural linguistic approach. *Discourse Studies* 7.4–5, 585–614.

Budach, G. (2009). 'Canada meets France': recasting identities of Canadianness and Francité through global economic exchanges. In J. Collins, S. Slembrouck, & M. Baynham (eds), *Globalization and Language in Contact: Scale Migration and Communicative Practices*. London: Continuum, 209–232.

Caldas-Coulthard, C. R. & Iedema, R. (eds) (2008). *Identity Trouble: Critical Discourse and Contested Identities.* New York, NY: Palgrave Macmillan.

Cameron, D. (2006). *On Language and Sexual Politics.* New York and London: Routledge.

Canagarajah, A. S. (2002). Globalisation, methods, and practice in periphery classrooms. In D. Block & D. Cameron (eds), *Globalisation and Language Teaching.* London and New York: Routledge, 134–150.

Canagarajah, A. S. (2004a). Subversive identities, pedagogical safe houses, and critical learning. In B. Norton & K. Toohey (eds), *Critical Pedagogies and Language Learning.* New York: Cambridge University Press, 116–137.

Canagarajah, A. S. (ed.) (2004b). *Reclaiming the Local in Language Policy and Practice.* Mahwah, NJ: Lawrence Erlbaum.

Canagarajah, A. S. (2007). Lingua franca English, multilingual communities, and language acquisition. *Modern Language Journal* 91 (focus issue), 923–939.

Canagarajah, A. S. (2012). Teacher development in a global profession: An autoethnography. *TESOL Quarterly* 46.2, 258–279.

Carroll, S., Motha, S. & Price, J. (2008). Accessing imagined communities and reinscribing regimes of truth. *Critical Inquiry in Language Studies* 5.3, 165–191.

Chang, Y.-J. (2011). Picking one's battles: NNES doctoral students' imagined communities and selections of investment. *Journal of Language, Identity, and Education* 10: 213–230.

Clark, J. B. (2009). *Multilingualism, Citizenship, and Identity: Voices of Youth and Symbolic Investments in an Urban, Globalized World.* London: Continuum.

Clarke, M. (2008). *Language Teacher Identities: Co-constructing Discourse and Community.* Clevedon, UK: Multilingual Matters.

Clemente, A. M. & Higgins, M. (2008). *Performing English with a Postcolonial Accent: Ethnographic Narratives from Mexico*. London: Tufnell Publishing.

Cornwell, S. (2005). *Language Investment, Possible Selves, and Communities of Practice: Inside a Japanese Junior College Temple*. Unpublished PhD thesis, Temple University.

Cortez, N. A. (2008). *Am I in the Book? Imagined Communities and Language Ideologies of English in a Global EFL Textbook*. Unpublished PhD thesis, University of Arizona.

Crookes, G. (2009). *Values, Philosophies, and Beliefs in TESOL: Making a Statement*. Cambridge, UK: Cambridge University Press.

Cummins, J. (2001). *Negotiating Identities: Education for Empowerment in a Diverse Society* (2nd edn.). Los

Angeles: California Association for Bilingual Education.

Cummins, J. (2006). Identity texts: The imaginative construction of self through multiliteracies pedagogy. In O. Garcia, T. Skutnabb-Kangas & M. Torres-Guzman (eds), *Imagining Multilingual Schools: Language in Education and Glocalization*. Clevedon, UK: Multilingual Matters, 51–68.

Cummins, J. & Early, M. (eds) (2011). *Identity Texts: The Collaborative Creation of Power in Multilingual Schools*. Stoke-on-Trent, UK: Trentham Books.

Curtis, A. & Romney, M. (2006). *Color, Race, and English Language Teaching: Shades of Meaning*. Mahwah, NJ: Lawrence Erlbaum Associates.

Dagenais, D. (2003). Accessing imagined communities through multilingualism and immersion education. *Language, Identity and Education* 2.4, 269–283.

Dagenais, D., Beynon, J., Norton, B. & Toohey, K. (2008). Liens entre la langue et l'identité dans le discours des apprenants, des parents et des enseignants. In C. Kramsch, D. Lévy & G. Zarate (eds), *Précis Critique du Plurilinguisme et du Pluriculturalisme*. Paris: Éditions des archives contemporaines/Contemporary Publishing International, 301–306.

Dagenais, D., Moore, D., Lamarre, S., Sabatier, C. & Armand, F. (2008). Linguistic landscape and language awareness. In E. Shohamy & D. Gorter (eds), *Linguistic Landscape: Expanding the Scenery*. New York: Routledge/Taylor & Francis Group, 253–269.

Davies, B. & Harré, R. (1990). Positioning: The discursive production of selves. *Journal for the Theory of Social Behaviour* 20.1, 43–63.

Davis, K. (1995). Qualitative theory and methods in applied linguistic research. *TESOL Quarterly* 29.3, 427–454.

Davis, K. & Skilton-Sylvester, E. (eds) (2004). Gender in TESOL. *TESOL Quarterly* 38.3 (special issue).

Day, E. (2002). *Identity and the Young English Language Learner*. Clevedon, UK: Multilingual Matters.

De Costa, P. I. (2007). The chasm widens: The trouble with personal identity in Singapore writing. In M. Mantero (ed.), *Identity and Second Language Learning: Culture, Inquiry, and Dialogic Activity in Educational Contexts*. Charlotte, NC: Information Age Publishing, 190–234.

De Costa, P. I. (2010a). Language ideologies and standard English language policy in Singapore: Responses of a 'designer immigrant' student. *Language Policy* 9.3, 217–239.

De Costa, P. I. (2010b). Let's collaborate: Using developments in global English research to advance socioculturally-oriented SLA identity work. *Issues in Applied Linguistics* 18.1, 99–124.

De Costa, P. I. (2010c). From refugee to transformer: A Bourdieusian take on a Hmong learner's trajectory. *TESOL Quarterly* 44.3, 517–541.

De Costa, P. I. (2011). Using language ideology and positioning to broaden the SLA learner beliefs landscape: The case of an ESL learner from China. *System* 39.3, 347–358.

De Costa, P. I. (2012). Constructing SLA differently: The value of ELF and language ideology in an ASEAN case study. *International Journal of Applied Linguistics* 22.2, 205–224.

Denos, C., Toohey, K., Neilson, K. & Waterstone, B. (2009). *Collaborative Research in Multilingual Classrooms*. Bristol, UK: Multilingual Matters.

Dong, J. & Blommaert, J. (2009). Space, scale and accents: constructing migrant identity in Beijing. In J. Collins, S. Slembrouck & M. Baynham (eds), *Globalization and Language in Contact: Scale Migration and Communicative Practices*. London: Continuum, 42–61.

Dörnyei, Z. (2001). *Motivational Strategies in the Language Classroom*. Cambridge, UK: Cambridge University Press.

Dörnyei, Z. & Ushioda, E. (eds) (2009). *Motivation, Language Identity and the L2 Self*. Bristol, UK: Multilingual

Matters.

Duff, P. (2002). The discursive co-construction of knowledge, identity, and difference: An ethnography of communication in the high school mainstream. *Applied Linguistics* 23, 289–322.

Duff, P. (2012). Identity, agency, and second language acquisition. In S. M. Gass & A. Mackey (eds), *The Routledge Handbook of Second Language Acquisition*. New York: Routledge, 410–426.

Early, M. & Norton, B. (2012). Language learner stories and imagined identities. *Narrative Inquiry* 22.1, 194-201.

Fairclough, N. (2001). *Language and Power* (2nd edn.). Harlow, UK: Pearson/Longman.

Foucault, M. (1980). *Power/Knowledge: Selected Interviews and Other Writings, 1972–1977* (C. Gordon, trans.). New York: Pantheon Books.

Gao, F. (2012). Imagined community, identity, and Chinese language teaching in Hong Kong. *Journal of Asian Pacific Communication* 22:1, 140–154.

Gao, Y. H. (2007). Legitimacy of foreign language learning and identity research: Structuralist and constructivist perspectives. *Intercultural Communication Studies* 16.1, 100–112.

Garciá, O., Skutnabb-Kangas, T. & Torres-Guzmán, M. E. (eds) (2006). *Imagining Multilingual Schools: Languages in Education and Glocalization*. Clevedon, UK: Multilingual Matters.

Gass, S. (1998). Applied and oranges: Or why apples are not oranges and don't need to be. A response to Firth and Wagner. *Modern Language Journal* 82, 83–90.

Gass, S. M. & Makoni, S. (eds) (2004). World applied linguistics: A celebration of AILA at 40. *AILA Review* 17 (special issue).

Gee, J. P. (2012). Discourse analysis: What makes it critical? In R. Rogers (ed.), *An Introduction to Critical Discourse Analysis in Education* (2nd edn.). New York: Routledge, 23–45.

Goldstein, T. (1996). *Two Languages at Work: Bilingual Life on the Production Floor*. Berlin and New York: Mouton de Gruyter.

Gordon, D. (2004). 'I'm tired. You clean and cook.' Shifting gender identities and second language socialization. *TESOL Quarterly* 38.3, 437–457.

Gunderson, L. (2007). *English-Only Instruction and Immigrant Students in Secondary Schools: A Critical Examination*. Mahwah, NJ: Lawrence Erlbaum Associates.

Hall, S. (1992a). The question of cultural identity. In S. Hall, D. Held & T. McGrew (eds), *Modernity and its Futures*. Cambridge: Polity Press in association with Blackwell Publishers and The Open University, 274–325.

Hall, S. (1992b). New ethnicities. In J. Donald & A. Rattansi (eds), *'Race', Culture and Difference*. London: Sage, 252–259.

Hall, S. (1997). *Representation: Cultural Representations and Signifying Practices*. London: Sage.

Haneda, M. (2005). Investing in foreign-language writing: A study of two multicultural learners. *Journal of Language, Identity, and Education* 4.4, 269–290.

Hawkins, M. R. (ed.) (2004). *Language Learning and Teacher Education: A Sociocultural Approach*. Clevedon, UK: Multilingual Matters.

Hawkins, M. R. (ed.) (2011). *Social Justice Teacher Education*. Bristol: Multilingual Matters.

Hawkins, M. & Norton, B. (2009). Critical language teacher education. In A. Burns & J. Richards (eds), *Cambridge Guide to Second Language Teacher Education*. (pp. 30–39). Cambridge: Cambridge University Press.

He, A. W. (2006). Toward an identity theory of the development of Chinese as a heritage language. *Heritage Language Journal* 4.1, 1–28.

Heller, M. (2007). *Linguistic Minorities and Modernity: A Sociolinguistic Ethnography* (2nd edn.). London:

Continuum.

Heller, M. (2008). Bourdieu and 'literacy education'. In J. Albright & A. Luke (eds), *Pierre Bourdieu and Literacy Education*. New York: Routledge.

Heller, M. (2011). *Paths to Post-Nationalism: A Critical Ethnography of Language and Identity.* Oxford: Oxford University Press.

Higgins, C. (2009). *English as a Local Language: Post-Colonial Identities and Multilingual Practices.* Bristol, UK: Multilingual Matters.

Higgins, C. (2010). Gender identities in language education. In N. Hornberger & S. McKay (eds), *Sociolinguistics and Language Education* (pp. 370–397). Bristol, UK: Multilingual Matters.

Higgins, C. (ed.) (2011). *Identity Formation in Globalizing Contexts: Language Learning in the New Millennium.* Berlin and New York: Mouton de Gruyter.

Hornberger, N. (ed.) (2003). *Continua of Biliteracy.* Clevedon, UK: Multilingual Matters.

Hull, G. (2007). Mobile Texts and Migrant Audiences: Rethinking Literacy in a New Media Age. Plenary presentation to annual conference of the National Reading Conference. Austin, TX.

Hyland, H. (2012). *Disciplinary Identities: Individuality and Community in Academic Discourse.* New York: Cambridge University Press.

Ibrahim, A. E. (1999). Becoming Black: Rap and hip-hop, race, gender, identity, and the politics of ESL learning. *TESOL Quarterly* 33.3, 349–369.

Jaffe, A. (ed.) (2009). *Stance: Sociolinguistic Perspectives.* Oxford: Oxford University Press.

Janks, H. (2010). *Literacy and Power.* New York and London: Routledge.

Jenkins, J. (2007). *English as a Lingua Franca: Attitude and Identity.* Oxford: Oxford University Press.

Kanno, Y. (2003). *Negotiating Bilingual and Bicultural Identities: Japanese Returnees Betwixt Two Worlds.* Mahwah, NJ: Lawrence Erlbaum Associates.

Kanno, Y. (2008). *Language and Education in Japan: Unequal Access to Bilingualism.* Basingstoke, UK: Palgrave Macmillan.

Kanno, Y. & Norton, B. (guest eds) (2003). Imagined communities and educational possibilities. *Journal of Language, Identity, and Education* 2.4 (special issue).

Kanno, Y. & Stuart, C. (2011). Learning to become a second language teacher: Identities-in-practice. *Modern Language Journal* 95.2, 236–252.

Kendrick, M. & Jones, S. (2008). Girls' visual representations of literacy in a rural Ugandan community. *Canadian Journal of Education* 31.3, 372–404.

Kendrick, M., Jones, S., Mutonyi, H. & Norton, B. (2006). Multimodality and English education in Ugandan schools. *English Studies in Africa* 49.1, 95–114.

Kim, J. (2008). *Negotiating Multiple Investments in Languages and Identities: The Language Socialization of Generation 1.5 Korean Canadian University Students.* Unpublished PhD thesis, University of British Columbia.

King, B. (2008). 'Being gay guy, that is the advantage': Queer Korean language learning and identity construction. *Journal of Language, Identity, and Education* 7.3–4, 230–252.

Kramsch, C. (2006). The traffic in meaning. *Asia Pacific Journal of Education* 26.1, 99–104.

Kramsch, C. (2009). *The Multilingual Subject.* Oxford: Oxford University Press.

Kramsch, C. & Lam, W. S. E. (1999). Textual identities: The importance of being nonnative. In G. Braine (ed.), *Non-Native Educators in English Language Teaching.* Mahwah, NJ: Lawrence Erlbaum, 57–72.

Kramsch, C. & Thorne, S. (2002). Foreign language learning as global communicative practice. In D. Block & D. Cameron (eds), *Globalization and Language Teaching.* London: Routledge, 83–100.

Kramsch, C. & Whiteside, A. (2007). Three fundamental concepts in second language acquisition and their relevance in multilingual contexts. *The Modern Language Journal* 91, 907–922.

Kramsch, C. & Whiteside, A. (2008). Language ecology in multilingual settings: Towards a theory of symbolic competence. *Applied Linguistics* 29.4, 645–671.

Kress, G., Jewitt, C., Bourne, J., Franks, A., Hardcastle, J., Jones, K. & Reid, E. (2004). *English in Urban Classrooms: A Multimodal Perspective on Teaching and Learning*. London and New York: Routledge.

Kubota, R. (2004). Critical multiculturalism and second language education. In B. Norton & K. Toohey (eds), *Critical Pedagogies and Language Learning*. New York: Cambridge University Press, 30–52.

Kubota, R. & Lin, A. (2006). Race and TESOL: Introduction to concepts and theories. *TESOL Quarterly* 40.3 (special issue), 471–493.

Kubota, R. & Lin, A. (eds) (2009). *Race, Culture, and Identities in Second Language Education: Exploring Critically Engaged Practice*. London and New York: Routledge.

Kumaravadivelu, B. (2003). *Beyond Methods: Macrostrategies for Language Learning*. New Haven, CT: Yale University Press.

Kumaravadivelu, B. (2012). *Language Teacher Education for a Global Society*. New York: Routledge.

Lam, W. S. E. (2000). L2 literacy and the design of the self: A case study of a teenager writing on the internet. *TESOL Quarterly* 34.3, 457–482.

Lam, W. S. E. (2006). Re-envisioning language, literacy and the immigrant subject in new mediascapes. *Pedagogies: An International Journal* 1.3, 171–195.

Lam, W. S. E. & Rosario-Ramos, E. (2009). Multilingual literacies in transnational digitally mediated contexts: an exploratory study of immigrant teens in the United States. *Language and Education* 23.2, 171–190.

Lam, W. S. E. & Warriner, D. (2012). Transnationalism and literacy: Investigating the mobility of people, languages, texts, and practices in contexts of migration. *Reading Research Quarterly* 47.2, 191–215.

Lave, J. (1996). Teaching, as learning, in practice. *Mind, Culture, and Activity* 3.3, 149–164.

Lave, J. & Wenger, E. (1991). *Situated Learning: Legitimate Peripheral Participation*. Cambridge, UK: Cambridge University Press.

Lee, E. (2008). The 'other(ing)' costs of ESL: A Canadian case study. *Journal of Asian Pacific Communication* 18.1, 91–108.

Lemke, J. (2008). Identity, development, and desire: Critical questions. In C. R. Caldas-Coulthard & Iedema, R. (eds) (2008). *Identity Trouble: Critical Discourse and Contested Identities*. New York: Palgrave Macmillan, 17–42.

Leung, C., Harris, R. & Rampton, B. (2004). Living with inelegance in qualitative research on task-based learning. In B. Norton & K. Toohey (eds), *Critical Pedagogies and Language Learning*. New York: Cambridge University Press, 242–267.

Lewis, C. & Fabos, B. (2005). Instant messaging, literacies and social identities. *Reading Research Quarterly* 40.4, 470–501.

Lin, A. (ed.) (2007). *Problematizing Identity: Everyday Struggles in Language, Culture, and Education*. Mahwah, NJ: Lawrence Erlbaum Associates.

Lin, A. & Martin, P. (2005). *Decolonisation, Globalisation: Language-in-Education Policy and Practice*. Clevedon, UK: Multilingual Matters.

Lin, A., Grant, R., Kubota, R., Motha, S., Tinker Sachs, G. & Vandrick, S. (2004). Women faculty of color in TESOL: Theorizing our lived experiences. *TESOL Quarterly* 38, 487–504.

Lo Bianco, J., Orton, J. & Gao, Y. (eds) (2009). *China and English: Globalisation and the Dilemmas of Identity*.

Bristol, UK: Multilingual Matters.

Luke, A. (2004a). Two takes on the critical. In B. Norton & K. Toohey (eds), *Critical Pedagogies and Language Learning*. New York: Cambridge University Press, 21–29.

Luke, A. (2004b). Teaching after the market: From commodity to cosmopolitan. *Teachers College Record* 106.7, 1422–1443.

Luke, A. (2009). Race and language as capital in school: A sociological template for language education reform. In R. Kubota & A. Lin (eds), *Race, Culture and Identities in Second Language Education*. London: Routledge.

Makoni, S. & Meinhof, U. (eds) (2003). Africa and applied linguistics. *AILA Review* 16 (special issue).

Makubalo, G. (2007). 'I don't know . . . it contradicts': Identity construction and the use of English by learners in a desegregated school space. *English Academy Review* 24.2, 25–41.

Mantero, M. (ed.) (2007). *Identity and Second Language Learning: Culture, Inquiry, and Dialogic Activity in Educational Contexts*. Charlotte, NC: Information Age Publishing, 190–234.

Markee, N. (guest ed.) (2002). Language in development. *TESOL Quarterly* 36, 3.

Martin-Jones, M. & Jones, K. (2000). *Multilingual Literacies*. Philadelphia and Amsterdam: John Benjamins.

Martinec, R. & van Leeuwen, T. J. (2009). *The Language of New Media Design: Theory and Practice*. New York: Routledge.

Mastrella-De-Andrade, M. & Norton, B. (2011). Querer é poder? Motivação, identidade e aprendizagem de língua estrangeira. In Mastrella-De-Andrade M. R. (Org.) Afetividade e Emoções no Ensino/Aprendizagem de Línguas: Múltiplos Olhares. *Campinas: Pontes Editores* 89–114.

May, S. (2008). *Language and Minority Rights*. London and New York: Routledge.

McKay, S. & Wong, S. C. (1996). Multiple discourses, multiple identities: Investment and agency in second language learning among Chinese adolescent immigrant students. *Harvard Educational Review* 66.3, 577–608.

McKinney, C. (2007). 'If I speak English does it make me less black anyway?' 'Race' and English in South African desegregated schools. *English Academy Review* 24.2, 6–24.

McKinney, C. & Norton, B. (2008). Identity in language and literacy education. In B. Spolsky & F. Hult (eds), *The Handbook of Educational Linguistics*. Malden, MA: Blackwell, 192–205.

McKinney, C. & van Pletzen, E. (2004). '. . . This apartheid story . . . we've finished with it': Student responses to the apartheid past in a South African English studies course. *Teaching in Higher Education* 9.2, 159–170.

Menard-Warwick, J. (2006). Both a fiction and an existential fact: Theorizing identity in second language acquisition and literacy studies. *Linguistics and Education* 16, 253–274.

Menard-Warwick, J. (2007). 'Because she made beds. Every day.' Social positioning, classroom discourse and language learning. *Applied Linguistics* 29.2, 267–289.

Menard-Warwick, J. (2009). *Gendered Identities and Immigrant Language Learning*. Bristol, UK: Multilingual Matters.

Miller, J. (2003). *Audible Difference: ESL and Social Identity in Schools*. Clevedon, UK: Multilingual Matters.

Moffatt, L. & Norton, B. (2008). Reading gender relations and sexuality: Preteens speak out. *Canadian Journal of Education* 31.1, 102–123.

Moje, E. B. & Luke, A. (2009). Literacy and identity: Examining the metaphors in history and contemporary research. *Reading Research Quarterly* 44.4, 415–437.

Morgan, B. (2004). Teacher identity as pedagogy: Towards a field-internal conceptualization in bilingual and second language education. *Bilingual Education and Bilingualism* 7.2&3, 172–188.

Morgan, B. (2007). Poststructuralism and applied linguistics: Complementary approaches to identity and culture in ELT. In J. Cummins & C. Davison (eds), *International Handbook of English Language Teaching*. New York:

Springer, 1033–1052.

Morgan, B. & Clarke, M. (2011). Identity in second language teaching and learning. In E. Hinkel (ed.), *Handbook of Research in Second Language Teaching and Learning* Volume II. New York: Routledge, 817–836.

Morgan, B. & Ramanathan, V. (2005). Critical literacies and language education: Global and local perspectives. *Annual Review of Applied Linguistics* 25, 151–169.

Motha, S. (2006). Racializing ESOL teacher identities in US K12 public schools. *TESOL Quarterly* 40.3, 495–518.

Murphey, T., Jin, C. & Li-Chin, C. (2005). Learners' constructions of identities and imagined communities. In P. Benson & D. Nunan (eds), *Learners' Stories and Diversity in Language Learning*. Cambridge: Cambridge University Press, 83–100.

Mutonyi, H. & Norton, B. (2007). ICT on the margins: Lessons for Ugandan education. Digital literacy in global contexts. *Language and Education* 21.3 (special issue), 264–270.

Nelson, C. (2009). *Sexual Identities in English Language Education: Classroom Conversations*. New York: Routledge.

Nongogo, N. (2007). 'Mina 'NgumZulu Phaqa' Language and identity among multi- lingual Grade 9 learners at a private desegregated high school in South Africa. *English Academy Review* 24.2, 42–54.

Norton, B. (guest ed.) (1997). Language and identity. *TESOL Quarterly* 31.3 (special issue).

Norton, B. (2000). *Identity and Language Learning: Gender, Ethnicity and Educational Change*. Harlow, UK: Pearson Education Limited.

Norton, B. (2001). Non-participation, imagined communities, and the language classroom. In M. Breen (ed.), *Learner Contributions to Language Learning: New Directions in Research*. London: Pearson Education Limited, 159–171.

Norton, B. (2006). Identity: Second language. In K. Brown (ed.), *Encyclopedia of Language and Linguistics* (vol. 5) (2nd edn.). Oxford, UK: Elsevier, 502–507.

Norton, B. (2010). Language and identity. In N. Hornberger & S. McKay (eds), *Sociolinguistics and Language Education*. Bristol, UK: Multilingual Matters, 349–369.

Norton, B. (2013). Identität, Literalität und Mehrsprachigkeit im Unterricht. In A. Bertschi-Kaufmann & C. Rosebrock: *Literalität Erfassen: Bildungspolitisch, Kulturell, Individuell*. Weinheim und München: Juventa, 123–134.

Norton, B. & Early, M. (2011). Researcher identity, narrative inquiry, and language teaching research. *TESOL Quarterly* 45.3, 415–439.

Norton, B. & Gao, Y. (2008). Identity, investment, and Chinese learners of English. *Journal of Asian Pacific Communication* 18.1, 109–120.

Norton, B. & Kamal, F. (2003). The imagined communities of English language learners in a Pakistani school. *Journal of Language, Identity, and Education* 2.4, 301–307.

Norton, B. & McKinney, C. (2011). An identity approach to second language acquisition. In D. Atkinson (ed.), *Alternative Approaches to Second Language Acquisition*. New York: Routledge, 73–94.

Norton, B. & Morgan, B. (2013). In Poststructuralism. *Encyclopedia of Applied Linguistics*. Wiley-Blackwell. C. Chapelle (ed.).

Norton, B. & Pavlenko, A. (eds) (2004). *Gender and English Language Learners*. Alexandria, VA: Teachers of English to Speakers of Other Languages.

Norton, B. & Toohey, K. (2001). Changing perspectives on good language learners. *TESOL Quarterly* 35.2, 307–322.

Norton, B. & Toohey, K. (2002). Identity and language learning. In R. Kaplan (ed.), *The Oxford Handbook of*

Applied Linguistics. New York: Oxford.

Norton, B. & Toohey, K. (eds) (2004). *Critical Pedagogies and Language Learning*. New York: Cambridge University Press.

Norton, B. & Toohey, K. (2011). Identity, language learning, and social change. *Language Teaching* 44.4, 412–446.

Norton, B. & Williams, C. J. (2012). Digital identities, student investments, and eGranary as a placed resource. *Language and Education* 26.4, 315–329.

Norton Peirce, B. (1995). Social identity, investment, and language learning. *TESOL Quarterly* 29.1, 9–31.

Omoniyi, T. (2011). Discourse and identity. In K. Hyland & B. Paltridge (eds), *Continuum Companion to Discourse Analysis*. London: Continuum, 260–278.

Oxford, R. & Shearin, J. (1994). Language learning motivation: Expanding the theoretical framework. *Modern Language Journal* 78.1, 12–28.

Pavlenko, A. (2001a). Language learning memoirs as gendered genre. *Applied Linguistics* 22.2, 213–240.

Pavlenko, A. (2001b). 'How am I to become a woman in an American vein?': Transformations of gender performance in second language learning. In A. Pavlenko, A. Blackledge, I. Piller & M. Teutsch-Dwyer (eds), *Multilingualism, Second Language Learning, and Gender*. Berlin and New York: Mouton de Gruyter, 133–174.

Pavlenko, A. (2003). 'I never knew I was a bilingual': Reimagining teacher identities in TESOL. *Journal of Language, Identity, and Education* 2.4, 251–268.

Pavlenko, A. & Blackledge, A. (eds) (2004). *Negotiation of Identities in Multilingual Contexts*. Clevedon, UK: Multilingual Matters.

Pavlenko, A., Blackledge, A., Piller, I. & Teutsch-Dwyer, M. (2001). *Multilingualism, Second Language Learning, and Gender*. Berlin and New York: Mouton de Gruyter.

Pavlenko, A. & Norton, B. (2007). Imagined communities, identity, and English language teaching. In J. Cummins & C. Davison (eds), *International Handbook of English Language Teaching*. New York: Springer, 669–680.

Pennycook, A. (1998). *English and the Discourses of Colonialism*. London: Routledge.

Pennycook, A. (2004). Critical moments in a TESOL praxicum. In B. Norton & K. Toohey (eds), *Critical Pedagogies and Language Learning*. New York: Cambridge University Press, 327–345.

Pennycook, A. (2007). *Global Englishes and Transcultural Flows*. London and New York: Routledge.

Pennycook, A. (2010). *Language as a Local Practice*. New York: Routledge.

Pennycook, A. (2012). *Language and Mobility: Unexpected Places*. Bristol, UK: Multilingual Matters.

Phillipson, R. (2009). *Linguistic Imperialism Continued*. New York and London: Routledge.

Pittaway, D. (2004). Investment and second language acquisition. *Critical Inquiry in Language Studies* 4.1, 203–218.

Pomerantz, A. I. (2001). *Beyond the Good Language Learner: Ideology, Identity, and Investment in Classroom Foreign Language Learning*. Unpublished PhD thesis, University of Pennsylvania.

Pomerantz, A. (2008). 'Tú necisitas preguntar en Español': Negotiating good language learner identity in a Spanish classroom. *Journal of Language, Identity, and Education* 7.3/4, 253–271.

Potowski, K. (2007). *Language and Identity in a Dual Immersion School*. Clevedon, UK: Multilingual Matters.

Prinsloo, M. & Baynham, M. (eds) (2008). *Literacies, Global and Local*. Philadelphia, PA: John Benjamins.

Prinsloo, M. & Rowsell, J. (guest eds) (2012). Digital literacies as placed resources in the globalised periphery. *Language and Education* 26.4 (special issue).

Ramanathan, V. (2005). *The English-Vernacular Divide: Postcolonial Language Politics and Practice*. Clevedon, UK: Multilingual Matters.

Ramanathan, V. & Morgan, B. (guest eds) (2007). Language policies and TESOL. *TESOL Quarterly* 41.3 (special issue).

Rampton, B. (2006). *Language in Late Modernity: Interaction in an Urban School.* Cambridge: Cambridge University Press.

Rassool, N. (2007). *Global Issues in Language, Education and Development: Perspectives from Postcolonial Countries.* Clevedon, UK: Multilingual Matters.

Ricento, T. (2005). Considerations of identity in L2 learning. In E. Hinkel (ed.), *Handbook of Research on Second Language Teaching and Learning.* Mahwah, NJ: Lawrence Erlbaum Associates, 895–911.

Ross, B. M. (2011). *Language, Identity, and Investment in the English Language of a Group of Mexican Women Living in Southwestern Pennsylvania.* Unpublished PhD thesis, Pennsylvania State University.

Saussure, F. de (1966). *Course in General Linguistics.* (W. Baskin, trans. [1916]). New York: McGraw-Hill.

Sharkey, J. & Johnson, K. (eds) (2003). *The TESOL Quarterly Dialogues: Rethinking Issues of Language, Culture, and Power.* Alexandria, VA: Teachers of English to Speakers of Other Languages.

Shin, J. (2009). *Critical Ethnography of a Multilingual and Multicultural Korean Language Classroom: Discourses on Identity, Investment and Korean-Ness.* Unpublished PhD thesis, University of Toronto.

Shin, S. (2012). *Bilingualism in Schools and Society: Language, Identity, and Policy.* New York: Routledge.

Shuck, G. (2006). Racializing the nonnative English speaker. *Journal of Language, Identity and Education* 5.4, 259–276.

Silberstein, S. (2003). Imagined communities and national fantasies in the O. J. Simpson case. *Journal of Language, Identity, and Education* 2.4, 319–330.

Skilton-Sylvester, E. (2002). Should I stay or should I go? Investigating Cambodian women's participation and investment in adult ESL programs. *Adult Education Quarterly* 53.1, 9–26.

Snyder, I. & Prinsloo, M. (guest eds) (2007). The digital literacy practices of young people in marginal contexts. *Language and Education: An International Journal* 21.3 (special issue).

Song, H. (2010). *Imagined Communities, Language Learning and Identity in Highly Skilled Transnational Migrants: A Case Study of Korean Migrants in Canada.* Unpublished M. Ed thesis, University of Manitoba.

Spolsky, B. (1989). *Conditions for Second Language Learning.* Oxford: Oxford University Press.

Stein, P. (2008). *Multimodal Pedagogies in Diverse Classrooms: Representation, Rights and Resources.* London and New York: Routledge.

Street, B. & Hornberger, N. (eds) (2008). *Encyclopedia of Language and Education* (vol. 2: Literacy). Boston, MA: Springer.

Stroud, C. & Wee, L. (2012). *Style, Identity and Literacy: English in Singapore.* Buffalo, NY: Multilingual Matters.

Sunderland, J. (2004). *Gendered Discourses.* London: Palgrave Macmillan.

Swain, M. & Deters, P. (2007). 'New' mainstream SLA theory: Expanded and enriched. *Modern Language Journal* 91 (focus issue), 820–836.

Talmy, S. (2008). The cultural productions of the ESL student at Tradewinds High: Contingency, multidirectionality, and identity in L2 socialization. *Applied Linguistics* 29.4, 619–644.

Taylor, L. (2004). Creating a community of difference: Understanding gender and race in a high school anti-discrimination camp. In B. Norton & Pavlenko, A. (eds), *Gender and English Language Learners.* Alexandria, VA: Teachers of English to Speakers of Other Languages, 95–109.

Tembe, J. & Norton, B. (2008). Promoting local languages in Ugandan primary schools: The community as stakeholder. *Canadian Modern Language Review* 65.1, 33–60.

Thorne, S. & Black, R. (2007). Language and literacy development in computer-mediated contexts and communities. *Annual Review of Applied Linguistics* 27, 133–160.

Tomita, Y. (2011). *The Role of Form-Focused Instruction: Learner Investment in L2 Communication.* Unpublished PhD thesis, University of Toronto.

Toohey, K. (2000). *Learning English at School: Identity, Social Relations and Classroom Practice.* Clevedon, UK: Multilingual Matters.

Toohey, K. (2001). Disputes in child L2 learning. *TESOL Quarterly* 35.2, 257–278.

Toohey, K. & Waterstone, B. (2004). Negotiating expertise in an action research community. In B. Norton and Toohey, K. (eds), *Critical Pedagogies and Language Learning.* Cambridge: Cambridge University Press, 291–310.

Torres-Olave, B. M. (2006). *'If I didn't have Professional Dreams Maybe I Wouldn't Think of Leaving'.* Unpublished MA thesis, University of British Columbia.

Tremmel, B. & De Costa, P. I. (2011). Exploring identity in SLA: A dialogue about methodologies. *Language Teaching* 44.4, 540–542.

Tsui, A. & Tollefson, J. (eds) (2007). *Language Policy, Culture, and Identity in Asian Contexts.* Mahwah, NJ: Lawrence Erlbaum Associates.

Varghese, M., Morgan, B. Johnston, B. & Johnson, K. (2005). Theorizing language teacher identity: Three perspectives and beyond. *Journal of Language, Identity, and Education* 4, 21–44.

Villarreal Ballesteros, A. C. (2010). *Professional Identity Formation and Development of Imagined Communities in an English Language Major in Mexico.* Unpublished PhD thesis, University of Arizona.

Wagner, J. (2004). The classroom and beyond. *Modern Language Journal* 88.4, 612–616.

Wallace, C. (2003). *Critical Reading in Language Education.* Basingstoke, UK: Palgrave Macmillan.

Warriner, D. S. (guest ed.) (2007). Transnational literacies: Immigration, language learning, and identity. *Linguistics and Education* 18.3–4.

Warschauer, M. (2003). *Technology and Social Inclusion: Rethinking the Digital Divide.* Boston, MA: MIT Press.

Weber, J. J. & Horner, K. (2012). *Introducing Multilingualism: A Social Approach.* New York: Routledge.

Weedon, C. (1987/1997). Feminist Practice and Poststructuralist Theory (2nd edn.). London: Blackwell.

Wenger, E. (1998). *Communities of Practice: Learning, Meaning, and Identity.* New York: Cambridge University Press.

White, C. (2007). Innovation and identity in distance language learning and teaching. *Innovation in Language Learning and Teaching* 1.1, 97–110.

Wortham, S. (2008). Shifting identities in the classroom. In C. R. Caldas-Coulthard & R. Iedema (eds), *Identity Trouble: Critical Discourse and Contested Identities.* New York: Palgrave Macmillan, 205–228.

Xu, H. (2012). Imagined community falling apart: a case study on the transformation of professional identities of novice ESOL teachers in China. *TESOL Quarterly* 46.3, 568–578.

Xu, J. W. (2001). Bonny Norton's new ideas about foreign language learning. *Foreign Language Teaching Abroad* 4, 14–17. Language Teaching Abroad.

Young, R. F. (2009). *Discursive Practice in Language Learning and Teaching.* Malden, MA and Oxford, UK: Wiley-Blackwell.

Zacharias, N. (2010). *The Evolving Teacher Identities of L2 South/East Asian Teachers in US Graduate Programs.* Unpublished PhD thesis, Indiana University of Pennsylvania.

Zimmerman, D. H. (1998). Identity, context, and interaction. In C. Antaki & S. Widdicombe (eds), *Identities in Talk.* London: Sage, 87–106.

Zuengler, J. & Miller, E. (2006). Cognitive and sociocultural perspectives: Two parallel SLA worlds? *TESOL*

Quarterly 40.1, 35–58.

■ あとがき

Anderson, B. (1983). *Imagined Communities. Reflections on the Origin and Spread of Nationalism*. New York: Verso.（白石隆、白石さや訳『増補・想像の共同体――ナショナリズムの起源と流行』NTT 出版）
Bakhtin, M. (1981). *The Dialogic Imagination*. Austin, TX: University of Texas.
Block, D. (2003). *The Social Turn in Second Language Acquisition*. Washington, DC: Georgetown University Press.
Block, D. (2006). *Multilingual Identities in a Global City: London Stories*. London: Palgrave.
Block, D. (2013). *Class in Applied Linguistics: A Global Perspective*. London: Routledge.
Block, D., Gray, J. & Holborow, M. (2012). *Neoliberalism and Applied Linguistics*. London: Routledge.
Blommaert, J. (2005). *Discourse*. Cambridge: Cambridge University Press.
Blommaert, J. (2010). *The Sociolinguistics of Globalization*. Cambridge: Cambridge University Press.
Bourdieu, P. (1982). *Ce que parler veut dire. L'économie des échanges linguistiques*. Paris: Fayard.
Cameron, D. (2006). Styling the worker: Gender and the commodification of language in the globalized service economy. *Journal of Sociolinguistics* 4 (3), 323–347.
Heller, M. (2003). Globalization, the new economy, and the commodification of language and identity. *Journal of Sociolinguistics* 7 (4), 473–492.
Heller, M. (2010). Language as resource in the globalized new economy. In N. Coupland, (ed.), *The Handbook of Language and Globalization*. Oxford: Wiley-Blackwell, 349–365.
Heller, M. & Duchêne, A. (2011). Pride and profit: Changing discourse of language, capital and nation-state. In A. Duchêne & M. Heller (eds), *Language in Late Capitalism. Pride and Profit*. London: Routledge, 1–21.
Holborow, M. (2012). Neoliberal keywords and the contradictions of an ideology. In D. Block, J. Gray, & M. Holborow (eds.). *Neoliberalism and Applied Linguistics*. London: Routledge, 33–55.
Hull, G., Stornaiuolo, A. & Sterponi, L. (2013). Imagined readers and hospitable texts: Global youths connect online. In D. Alvermann, N. Unrau & R. Ruddell (eds.), *Theoretical Models and Processes of Reading* (6th edn.). Newark, DE: International Reading Association, 1208-1240.
Kanno, Y. & Norton, B. (2003). Imagined communities and educational possibilities. *Journal of Language, Identity, and Education* 2 (4) (special issue), 241–249.
Kramsch, C. (1993). *Context and Culture in Language Teaching*. Oxford: Oxford University Press.
Kramsch, C. (2009). *The Multilingual Subject*. Oxford: Oxford University Press.
Kramsch, C. (2010). Afterword. In D. Nunan & J. Choi (eds), *Language and Culture. Reflective Narratives and the Emergence of Identity*. London: Routledge, 223–224.
Kramsch, C. (2012). Subjectivity. In C. Chapelle (ed.), *Encyclopedia of Applied Linguistics*. Oxford: Wiley-Blackwell.
Kramsch, C. & Boner, E. (2010). Shadows of discourse: Intercultural communication in global contexts. In N. Coupland (ed.), *The Handbook of Language and Globalization*. Oxford: Wiley-Blackwell, 495–519.
Kramsch, C. & Thorne, S. (2002). Foreign language learning as global communicative practice. In D. Block & D. Cameron (eds.), *Globalization and Language Teaching*. London: Routledge, 83–100.
Lam, E.W.S. (2006). Re-envisioning language, literacy and the immigrant subject in new mediascapes. *Pedagogies: An International Journal* 1 (2), 171–195.
Lantolf, J. (ed.) (2000). *Sociocultural Theory and Second Language Learning*. Oxford, UK: Oxford University Press.
Lantolf, J.P. & Thorne, S.L. (2006). *Sociocultural Theory and the Genesis of Second Language Development*. Oxford:

Oxford University Press.

Malinowski, D. & Kramsch, C. (2014). The ambiguous world of heteroglossic computer-mediated language learning. In A. Blackledge & A. Creese (eds), *Heteroglossia as Practice and Pedagogy*, Heidelberg: Springer. 155-178.

Mendelson, A. (2010). Using online forums to scaffold oral participation in foreign language instruction. *L2 Journal* 2, 23–44.

Norton, B. (2000). *Identity and Language Learning*. Harlow: Longman/Pearson Education.

Norton, B. & Early, M. (2011). Researcher identity, narrative inquiry, and language teaching research. *TESOL Quarterly* 45 (3) 415–439.

Norton, B. & Williams, C.J. (2012). Digital identities, student investments, and eGranary as a placed resource. *Language and Education* 26 (4), 315–329.

Norton Peirce, B. (1987). ESL under apartheid: Language in transition. Paper presented at the 21st Annual TESOL convention, Miami Beach, FL.

Norton Peirce, B. (1989). Toward a pedagogy of possibility in the teaching of English internationally: People's English in South Africa. *TESOL Quarterly* 23 (3), 401–420.

Norton Peirce, B. (1995). Social identity, investment, and language learning. *TESOL Quarterly* 29 (1), 9–31.

Pavlenko, A. (2001). 'In the world of the tradition, I was unimagined': Negotiation of identities in cross-cultural autobiographies. *International Journal of Bilingualism* 5 (3), 317–344.

Pavlenko, A. (2002). Poststructuralist approaches to the study of social factors in second language learning and use. In V. Cook (ed.), *Portraits of the L2 User*. Clevedon: Multilingual Matters, 275–302.

Pavlenko, A. & Lantolf, J. (2000). Second language learning as participation and the (re) construction of selves. In J. Lantolf (ed.), *Sociocultural Theory and Second Language Learning*. Oxford: Oxford University Press, 155–178.

Swain, M. (2000). The output hypothesis and beyond: mediating acquisition through collaborative dialogue. In J. Lantolf (ed.), *Sociocultural Theory and Second Language Learning*. Oxford: Oxford University Press, 97–114.

Thompson, J.B. (1991). Editor's Introduction. In P. Bourdieu (ed.), *Language and Symbolic Power*. Cambridge, MA: Harvard University Press, 1–31.

Thurlow, C. & Jaworski, A. (2010). *Tourism Discourse. Language and Global Mobility*. London: Palgrave Macmillan.

Turkle, S. (2011). *Alone Together. Why We Expect More from Technology and Less of Each Other*. New York: Basic Books.

Vinall, K. (2012). Un Legado Historico? Symbolic competence and the construction of multiple histories. *L2 Journal* 4, 102–123.

Vygotsky, L. (1978). *Mind in Society. The Development of Higher Psychological Processes*. Cambridge, MA: Harvard University Press.

Ward, S. (2011). *Neoliberalism and the Global Restructuring of Knowledge and Education*. London: Routledge.

Ware, P. & Kramsch, C. (2005). Toward an intercultural stance. Teaching German and English through telecollaboration. *Modern Language Journal* 89 (2), 190–205.

Weedon, C. (1987). *Feminist Practice and Poststructuralist Theory*. Oxford: Blackwell.

人名索引

■ あ行

■ か行

■ さ行

■ た行

■ な行

■ は行

■ ま行

■ や行

■ ら行

■ わ行、ん

事項索引

■ A－Z

■ あ行

■ か行

■ さ行

■ た行

■ な行

■ は行

■ ま行

■ や行

■ ら行

著者・訳者紹介

著者
ボニー・ノートン（Bonny Norton）
カナダ、ブリティッシュ・コロンビア大学教育学部特別教授。
第二言語学習者のアイデンティティ研究の第一人者。現在、African Story Book プロジェクトなどにおいて、ウェブ時代の言語学習の可能性を切り拓いている実践者でもある。
著書、論文多数、学術雑誌編集多数。南アフリカ出身。

訳者
中山亜紀子（なかやま・あきこ）
広島大学大学院人間社会科学研究科准教授。文学博士（大阪大学）。
専門分野は日本語教育、異文化間教育。

福永淳（ふくなが・すなお）
九州工業大学教養教育院言語系教授。Ph.D. in English（University of Washington）。
専門分野は英語教育、言語政策。

米本和弘（よねもと・かずひろ）
東京学芸大学教育学研究科准教授。
専門分野は第二言語教育学、多言語・多文化教育、教育社会言語学など。

アイデンティティと言語学習
――ジェンダー・エスニシティ・教育をめぐって広がる地平

2023年4月1日　初版第1刷発行

著　者　　ボニー・ノートン
訳　者　　中山　亜紀子
　　　　　福　永　　淳
　　　　　米　本　和　弘
発行者　　大　江　道　雅
発行所　　株式会社 明石書店
〒101-0021 東京都千代田区外神田6-9-5
電話 03（5818）1171
FAX 03（5818）1174
振替　00100-7-24505
http://www.akashi.co.jp/
装丁　明石書店デザイン室
印刷　株式会社文化カラー印刷
製本　本間製本株式会社

（定価はカバーに表示してあります）　ISBN978-4-7503-5443-9